**Philip Kerr**, 1956 in Edinburgh geboren, erreicht mit seinen spannenden und intelligenten Thrillern jedesmal die Bestseller-Listen. Die Kritiker sind begeistert. So gewann er für «Das Wittgensteinprogramm» den Deutschen-Krimi-Preis, und für sein nächstes Buch «Game over» erhielt er die Auszeichnung gleich wieder, was noch nie einem Autor gelungen ist.

«Philip Kerr schreibt die intelligentesten Thriller seit Jahren.» *Kirkus Review*

# Philip Kerr
# Der Plan

Roman

Deutsch von
Cornelia Holfelder-von der Tann

Rowohlt Taschenbuch Verlag

4. Auflage Mai 2001

Veröffentlicht im Rowohlt Taschenbuch Verlag GmbH,
Reinbek bei Hamburg, Juni 2000
Copyright © 1998 by Rowohlt Verlag GmbH
Reinbek bei Hamburg
Die Originalausgabe erschien 1997 unter dem Titel «A Five Year Plan»
bei Hutchinson, London
«A Five Year Plan» Copyright © 1997 by Philip Kerr
Redaktion Heiner Höfener
Umschlaggestaltung any.way, Cathrin Günther
(Foto United Yacht Transport/Gary John Norman)
Gesamtherstellung Clausen & Bosse, Leck
Printed in Germany
ISBN 3 499 22833 5

Für Tom und Paula

## Dank

Mein besonderer Dank gilt Ben Gunn,
dem ich einen großen Teil der Informationen
über die Handelsschiffahrt verdanke;
Robert Bookman, der sich wie immer um
die geschäftlichen Dinge gekümmert hat;
meiner Lektorin Marian Wood und meinem
Verleger Michael Naumann. Ich
danke ferner Nicholas Bognor, Graham
Saltmarsh, Frances Coady, Linda
Shaughnessy, Caradoc King, Terry Burke,
Deborah Hayward, Nick Marston und
meiner Frau Jane Thynne für die Ermutigung
und Unterstützung.

# 1

«Haaa-tschi!»

Das Niesen hallte wie ein Schuß.

Jimmy Figaro sah sich in seinem luxuriös ausgestatteten Büro um und vergewisserte sich, daß nichts zu Schaden gekommen war.

«Scheißheuschnupfen», schniefte Rizzoli hinter einem serviettengroßen Taschentuch. «Der verdammte *Herald* sagt, der Pollenindex liegt bei 129. Auf einer Skala bis 201. Wegen der ganzen verfluchten Mangobäume hier unten in Florida. Die verbreiten diesen Scheiß.»

Rizzoli nieste wieder – ein mächtiges explosionsartiges Geräusch, halb Brüllen, halb Juchzen, ähnlich dem Schrei, den ein Rodeoreiter ausstößt, wenn er auf dem bockenden Gaul den Ring verläßt. Er sagte: «Also ich, wenn ich könnte, ich würde jeden gottverdammten Mangobaum in ganz Florida abfackeln.»

Figaro nickte vage. Er mochte Mangos. Über die Bäume hatte er noch nie groß nachgedacht, aber jetzt, wo er's tat, sah er Ursula Andress vor sich, wie sie in *Doctor No* diesen Song über Mangobäume singt, während sie arschwackelnd den Fluten der Karibik entsteigt, eine Muschel in der Hand. Warum konnte er nicht mal so jemanden als Klienten haben statt eines Kleingangsters wie Tommy Rizzoli?

«Die ganzen verflixten Bäume. Ab damit ins Fegefeuer. Fegefeuer der Scheißverbreiter.» Rizzoli gluckste. «Wie der gottverdammte Film, hä?»

«Welchen Film meinen Sie, Tommy?»

«Fegefeuer der Scheißverbreiter.»

Figaro spürte, wie sich seine Stirn runzelte. Er wußte nicht genau, ob das ein Witz sein sollte oder ob Rizzoli wirklich glaubte, der Film heiße so.

«Sie meinen Tom Wolfe?»

Rizzoli rieb sich grimmig die Nase und zuckte die Achseln. «Hmm.»

Aber Figaro war klar, daß Tommy Rizzoli von Tom Wolfe so viel Ahnung hatte wie er von erlesenem Porzellan. Figaro wandte sich wieder den Notizen zu, die er gemacht hatte. Die Faktenlage war so klar wie Tommy Rizzolis Schuld. Er und ein nicht näher benannter Partner – bei dem es sich jedoch aller Wahrscheinlichkeit nach um Rizzolis Halbbruder Willy Barizon handelte – hatten durch gewaltsame Erpressung den größten Teil des Eistransportgeschäfts in Dade County unter ihre Kontrolle gebracht. Und dann war da noch der tätliche Angriff auf einen der an der Verhaftung beteiligten Polizeibeamten, der dem Mann ein gebrochenes Nasenbein eingetragen hatte.

«Haa-tschi!»

Die kaputte Polizistennase. Fast schon ironisch, wenn man Rizzolis eigenen allergiegeplagten Zinken sah. Aber Rizzoli blieb eisern dabei, der Beamte sei gestolpert und hingefallen.

«Was halten Sie von einer Vorabsprache, Tommy?»

«Sie meinen, ich soll im voraus alles zugeben?» Er griff sich an die Nase und bog sie hin und her, fast als wäre sie gebrochen. «Kommt nicht in die Tüte.»

«Ich meine einen Deal. Ich schätze, sie lassen die Körperverletzung fallen, wenn wir in der Erpressungssache kooperieren. Einstweilen rate ich Ihnen, Ihre Anteile im Eistransportgeschäft zu verkaufen und sich auf eine Geldstrafe einzustellen.»

Die beiden Männer fuhren zusammen, als draußen vor der Bürotür eine Frau schrie. Figaro versuchte es zu ignorieren.

«Die Anklage hat nicht viel mehr als ein paar mittelbare

Beweise», fuhr er fort. «Nur die Aussagen von ein paar Undercover-Cops. Daraus mache ich Schweizer Käse.»

«Das ist der mit den Löchern, oder?»

«Genau. Und das weiß auch der Staatsanwalt. Ich sehe nicht, wieso Sie dafür ins Gefängnis wandern sollten.»

«Was?» sagte Tommy, als erwachte er aus tiefstem Schlaf. «Tatsache? Ist ja super, Jimmy. Aus Eis habe ich mir sowieso noch nie viel gemacht.»

Es klopfte an die Tür.

«Ist so verflixt schwer zu handhaben. Von wegen der speziellen kristallinen Struktur.»

«Ach.»

«Hab ich gelesen. Es besteht aus Schichten. Die gleiten gegeneinander. Drum rutscht es so leicht auseinander. Wie ein Stapel Karten.»

Figaros Sekretärin lugte um die Türkante.

«Sagen Sie selbst, Jimmy, was für ein Geschäft kann man auf so eine kristalline Struktur schon gründen?»

«Ich weiß nicht, Tommy. Ja, Carol?»

«Mister Figaro? Ob Sie wohl mal einen Moment Zeit hätten?»

Figaro sah seinen Klienten an.

«Ich glaube, das wär's wohl so ziemlich», sagte er im Aufstehen. «Ich werde mit der Staatsanwaltschaft reden. Geben Sie mir eine Woche, um einen Deal auszuarbeiten, Tommy. Okay?»

Rizzoli erhob sich und zog automatisch Ärmel und Jackettrücken seines changierenden Anzugs glatt.

«Danke, Jimmy. Bin Ihnen wirklich sehr verbunden, Mann. Stimmt echt, was Naked Tony sagt. Sie sind einer von uns.»

Figaro wirkte gequält, als er jetzt seinerseits die Knöpfe seines Jacketts schloß und Rizzoli zur offenen Tür geleitete.

«Nein, Tommy, ziehen Sie nicht diesen Trugschluß. Es ist gut gemeint von Tony, wenn er das sagt, aber es stimmt nicht. Ich bin eher so was wie Ihr Priester. Ihr Fürsprecher vor dem allmächtigen Richter. Nur beichten Sie mir ja nichts. Ich will's nicht wissen. Es interessiert mich einen Dreck, ob Sie schuldig sind oder so unschuldig wie ein Spaziergang durch den Kirchhof am heiligen Sonntagnachmittag. Mich interessiert einzig und allein, ob wir bessere Argumente auffahren können als die Gegenseite.» Er grinste. «Reines Juristending.»

«Verstehe.»

Die beiden Männer verabschiedeten sich mit einem Händedruck, der Figaro noch einmal klarmachte, wie resolut und kräftig sein kleineres Gegenüber war.

«Bis dann, Jimmy, und noch mal vielen Dank.»

Figaro winkte Rizzoli nach, bis dieser durch die Empfangsdiele und schließlich durch die Kanzleitür von Figaro & August entschwunden war. Dann sah er Carol fragend an.

«Sie sollten wohl besser mal mitkommen und es sich selbst anschauen», sagte sie und führte ihn durch die Bürosuite zum Konferenzraum.

«Als wir gesehen haben, was es ist, dachten wir, wir lassen es lieber hier reinstellen», erklärte Carol nervös. «Gina ist mit Smithy zur Toilette. Smithy hat es ausgepackt. Hat ihr wohl einen ganz schönen Schock versetzt.»

«Das war Smithy, die so geschrien hat?»

«Sie ist eben zart besaitet, Mister Figaro. Zart besaitet, aber loyal. Smithy hängt an Ihnen. Wie wir alle. Deshalb regen uns solche Sachen eben auf. Ist ja wohl verständlich, bei unsrer Klientel. Aber das hier – das ist wie im Kino.»

«Jetzt bin ich wirklich gespannt», sagte Figaro und folgte ihr in den Konferenzraum.

Smithy lag auf dem Sofa unterm Fenster, und Gina fächelte ihr mit einer Nummer des *New Yorker* das bleiche Gesicht.

Figaro erkannte das Titelblatt. Es war das Heft mit dem Porträt von ihm. Er sah sich im Raum um, und seine flinken, dunklen Augen, die einem überaus nützlichen fotografischen Gedächtnis zuarbeiteten, erfaßten sofort die mutmaßliche Kausalkette. Der Artikel im *New Yorker*. Der aufgerissene Karton. Die schamhaarartigen Strohknäuel. Der angelieferte Gegenstand selbst.

Frei im Raum stand, etwa eins fünfzig hoch und wie etwas, das dem schrecklichen Blick einer Gorgo ausgesetzt gewesen war, ein steinerner Mantel.

«Welcher perverse Irre …?» jammerte Carol. «Nein, Moment mal. Ich weiß ja, wer. Da auf dem Lieferschein steht ein Name.»

Sie streckte ihm einen rosa Zettel hin und plazierte eine zaghafte Hand auf der Schulter ihres Chefs. Es war das erste Mal in den drei Jahren ihrer Tätigkeit für Figaro, daß sie ihn berührte, und sie fühlte mit Erstaunen harte Muskeln unter dem Jackett seines teuren Armani-Anzugs. Er war ein großer, attraktiver Mann, gut in Form für jemanden, der die meiste Zeit in seinem Büro und den Rest am Gericht verbrachte. Ein bißchen wie Roy Scheider, dachte sie. Die gleiche lange Nase. Die gleiche hohe Stirn. Die gleiche Brille. Nur blasser. Fast so blaß wie die Frau auf der Couch.

«Alles in Ordnung, Mr. Figaro? Sie sehen ein bißchen blaß aus.»

Figaro, der kaum je an die Sonne kam, wandte den Blick von dem Steinmantel und sah sie an. Einen Moment lang sagte er nichts. Dann lachte er.

«Mir geht es prächtig, Carol», antwortete er und fing wieder an zu lachen, nur diesmal so heftig, daß er die Brille abnahm und sich mit beiden Händen auf den Konferenztisch stützen mußte, während ihm die Tränen über die Wangen liefen.

**2**

Zwei Dinge geschahen an dem Morgen, an dem Dave Delano aus der Justizvollzugsanstalt Homestead bei Miami entlassen wurde.

Das erste Ereignis bestand darin, daß Benford Halls, den man kürzlich von Homestead in das Staatsgefängnis von Starke verlegt hatte, hingerichtet wurde. Obgleich Starke ein paar hundert Meilen weiter nördlich lag, weckten die Details seiner letzten Stunden – von fast allen Radio- und Fernsehsendern Floridas minutiös geschildert – eine Menge Zorn und Aggressionen unter den Insassen von Homestead. Nicht genug damit, daß Halls wegen eines Problems mit dem uralten elektrischen Stuhl mehrere Stunden über den auf dreiundzwanzig Uhr angesetzten Termin hinaus hatte warten müssen. Es wurde auch noch gemeldet, daß der Filmschauspieler Calgary Stanford im Zuge seiner Studien für die Rolle eines Todeskandidaten, die er demnächst spielen werde, der Hinrichtung habe beiwohnen dürfen. Dave Delano hatte allen Grund, an Benford Halls zu denken.

Sie waren beide am selben Tag im selben Gerichtsgebäude in Miami verurteilt worden, vor genau fünf Jahren. Daß Dave seine ganze Strafe hatte abbrummen müssen – seit 1987 gab es für Häftlinge in Bundesgefängnissen so gut wie keine Bewährung mehr –, schien ein Klacks, verglichen damit, fünf Jahre darauf zu warten, vor den Augen irgendeines Filmschauspielers zum Tode befördert zu werden. Wenn das keine außergewöhnliche Grausamkeit war, dann war Torquemada ein Vorbild an Humanität.

Das zweite Ereignis bestand darin, daß Dave einen Luftpostbrief erhielt. Er kam aus Rußland und war in der unverwechselbaren klaren Handschrift und dem unverwechselbar kryptischen Stil Einstein Gergievs abgefaßt. Gergiev war sechs Monate vor Dave aus Homestead entlassen worden, nach acht Jahren wegen verbrecherischer Geldgeschäfte im Rahmen organisierter Kriminalität. Entlassen und sofort als unerwünschter Ausländer abgeschoben.

Diesem unerwünschten Gergiev verdankte es Dave letztlich, daß er die Zeit im Bau so gut genutzt hatte. Es war Gergiev gewesen, der ihm klargemacht hatte, daß er ausgesprochen sprachbegabt war und daß die Besonderheiten des Bundesstrafvollzugswesens ihm Bildungsmöglichkeiten eröffneten, von denen Leute draußen nur träumen konnten. Wenige Monate bevor durch einen Zusatz zum Strafvollzugsgesetz von 1994 die Studienförderung aus Bundesmitteln für Strafgefangene aufgehoben worden war, hatte Dave sein Russisch-Diplom gemacht.

Sein Spanisch war immer schon gut gewesen. South Beach, der Teil von Miami, in dem er aufgewachsen war, hätte auch Cuba sein können – gemessen daran, wie weit man mit Englisch kam. Und an schönen Tagen, wenn zu seinem dunklen Haar und seinen braunen Augen eine ordentliche Sonnenbräune hinzukam, hätte man ihn fast für einen der *marielitos* halten können, die das Ihre dazu taten, Miami zur Kapitale des Verbrechens in den USA zu erheben. Daves Russisch-Talent mochte damit zu tun haben, daß er der Sohn eines russischen Einwanderers war, der sich nach dem Krieg aus der Sowjetunion abgesetzt hatte. Sein Vater hatte mit richtigem Namen Delanotow geheißen und sich bei der Ankunft in Delano umbenannt, in der Hoffnung, durch die Wahl des Mittelnamens des amerikanischen Expräsidenten seine Zukunftschancen zu erhöhen. Sofern er nicht gerade betrunken gewesen war, hatte er die nächsten dreißig Jahre damit zugebracht, Klimaanlagen auf Luxusyachten zu installieren. Aus Liebe und Dankbarkeit seiner zweiten Heimat gegenüber und aus Haß auf das Land, aus dem er fortgegangen war, hatte Daves Vater seine Muttersprache nie mehr gesprochen.

Dave sah auf den Poststempel und schüttelte den Kopf. Der Brief war vier Wochen unterwegs gewesen. Ein Tag mehr, und er hätte ihn nicht mehr erreicht.

«Scheiß-Aeroflot», knurrte er, ehe er den in Russisch verfaßten Brief sorgfältig studierte. Teuerung, Kriminalität, Unfähigkeit der Regierung – das klang alles gar nicht so anders als das, was sich hierzulande abspielte. Dave las den Brief mehrmals durch und schlug ein paar von den schwierigeren Wörtern im Wörterbuch nach. Russisch war viel leichter zu sprechen, als zu lesen. Das kyrillische Alphabet und das westliche Schriftsystem waren zwei grundverschiedene Paar Stiefel. So gab es im Russischen schon mal sechs Buchstaben mehr als im Englischen.

Als der Wärter kam, um ihn in die Freiheit zu geleiten, hatte Dave sich den Inhalt des Briefs genau eingeprägt und den Papierfetzen vor den Augen seines Zellengenossen Angel, der schweigend auf der oberen Pritsche lag, im Klo runtergespült. Es war immer hart, wenn der Typ, mit dem man die Zelle teilte, entlassen wurde. Es machte einem richtig bewußt, daß man selbst weiter im Gefängnis saß. Und nicht minder unangenehm war die Aussicht, einen neuen Zellengenossen zu kriegen. Wenn der nun schwul war?

«Einen Brief kriegen und entlassen werden, alles am selben Tag», brummelte Angel. «Ist irgendwie nicht fair, Mann.»

Dave nahm den Pappkarton mit seinen Büchern, Schreibheften, Briefen, Kunstdrucken und Fotos hoch, klemmte ihn unter den muskulösen Arm und zupfte dann an dem Uncle-Sam-Bart, der sein jungenhaftes Gesicht kaschierte.

«Okay, Mann, das war's.»

Angel, ein langer Hispano mit einem Goldzahn, kletterte herunter, umarmte Dave herzlich und bemühte sich, die Tränen zurückzuhalten. Tamargo, dieser Bulldozer von einem Wärter, wartete geduldig auf dem Gang draußen vor der Zellentür.

«Ich laß dir alles da, was im Schrank ist. Mein ganzes Zeug, Süßigkeiten, Vitamine, Zigaretten. Aber rauch sie bald.» Dave lachte. «Rauch sie oder tausch sie ein. Die werden den Laden hier zum rauchfreien Knast machen, wie überall, und dann nützen sie dir einen Scheiß.»

«Danke, Mann. Nett von dir.»

«Paß auf dich auf. Du kommst auch bald raus.»

«Ja, klar.»

Dave drehte sich wortlos um, folgte Tamargo durch den untersten Zellengang, rief den anderen Häftlingen ein paar Abschiedsworte zu und versuchte, nicht allzu selbstzufrieden auszusehen. Ihm war ein bißchen flau, so wie vor Prüfungsarbeiten oder ehe er vors Gericht hatte treten müssen. Aber das war gar nichts, verglichen damit, wie sich Benford Halls gefühlt haben mußte. Dave schauderte.

«Scheiße», murmelte er.

«Was gesagt?» fragte Tamargo.

«Nein, Sir.»

Sie verließen das moderne zweistöckige Gebäude, und als sie den ordentlich gestutzten Rasen überquerten, realisierte Dave, daß ihm zum erstenmal gestattet wurde, das Gras zu betreten. Die Freiheit zeigte sich eben in kleinen Dingen.

Im Wäscherei- und Kleiderlagertrakt unterwarf er sich fügsam der letzten Erniedrigung, die das System für ihn bereithielt: der Leibesvisitation. Es war eine palindromartige Umkehrung seines Eintritts in dieses System. Er zog seine Häftlingskleidung aus und bückte sich, um seine Arschbacken zu spreizen, damit einer der anderen Wärter, die hier auf ihn gewartet hatten, seinen After inspizieren konnte. Dann gaben sie ihm seine eigenen Sachen zurück, und er schlüpfte wieder in das Hemd, die Hose und das Sportjackett, die er am letzten Prozeßtag getragen hatte. Zu seiner Überraschung war das Jackett zu eng, die Hose hingegen zu weit.

«Einen Dollar für jedes Mal, daß ich das erlebt hab, und ich wär zufrieden», wieherte der Mann, der den Karton mit Daves persönlichen Habseligkeiten durchsuchte. Er sah in die Runde seiner nicht minder belustigten Kollegen. «Stemmt hier fünf Jahre lang Gewichte, als wär er Arnie Schwarzenegger, und wundert sich dann, wenn seine Kleider nicht mehr passen.»

Dave spielte mit.

«Guckt euch diese Hose an», sagte er grinsend und zog den Bund vom Bauch ab. «Ich muß zwanzig Pfund abgespeckt haben. Hey, ihr könntet diesen Bau hier als Schlankheitsfarm vermarkten. Die Homestead-Spezialdiät. Garantierter Abnahmeerfolg durch die Umstellung Ihrer Lebensgewohnheiten. Individuelle Betreuung durch qualifiziertes Aufsichtspersonal.»

«Sei froh, daß du deine Zeit hier hast abbrummen dürfen, Freundchen», sagte einer der Wärter. «In Arizona wärst du im Arbeitstrupp gelandet. Da draußen hättest du noch eine Masse mehr abgespeckt.»

Der Wärter, der Daves Habe inspizierte, blätterte ein Buch durch und betrachtete dann leicht angewidert den Einband.

«Was ist das denn für ein Scheiß?» grummelte er.

«*Schuld und Sühne*. Von Dostojewski», sagte Dave. «Der bedeutendste russische Schriftsteller. In meinen Augen.»

«Bist du so 'ne Art Kommunist oder was?»

Dave dachte einen Augenblick nach.

«Na ja, ich glaube an die Umverteilung des Reichtums», sagte er. «Das tut doch hier so ziemlich jeder, oder?»

«Zwangsarbeit ist keine Lösung», sagte Tamargo. «Und auch sonst nichts, was die Kerle fit hält. Ist doch nicht recht, wenn sie aus dem Gefängnis kommen und eine noch größere Bedrohung für den gesetzestreuen Bürger darstellen wie vorher. Wenn ihr mich fragt, sollten wir denen hier lauter Fettmacher verabreichen. Cheeseburger, Eiskrem, Coca-Cola, Fritten, wann sie wollen und soviel sie wollen. Kein Sport und jede Menge Fernsehen. Phil Gramm will's abstellen, daß der Vollzug lauter hartgesottene Verbrecher ausspuckt? Dann ist das die richtige Methode. Massenhaft mieses Junk-food und bequeme Lehnsessel. Und wenn die Scheißkerle dann schließlich rauskommen, sind sie genau solche Schlaffsäcke wie wir alle und keine muskelbepackten Ganoven.»

Dave rückte sich den Schlips zurecht, so gut es ging, wenn man den Hemdkragen nicht mehr zukriegte, und bedachte Tamargo und dessen Riesenwampe mit einem freundlichen Grinsen.

«Sie sind ein kluger Kopf», sagte er. «Oder jedenfalls könnten Sie einer werden, wenn Sie auch die Vorzüge des Vollzugs hier in Homestead genießen dürften.»

«Noch nicht draußen und schon das große Wort schwingen», sagte Tamargo. «Deine Aufgabe – falls du dich dazu durchringen kannst, sie zu akzeptieren, Freundchen – besteht darin, verdammt noch mal zu gucken, daß du keinen Ärger kriegst und nie wieder hier landest. Kapiert?»

«War das Ihre Entlassungsansprache?»

«Genau.»

«Dein Anwalt ist da», sagte der Wärter, der ihn gefragt hatte, ob er Kommunist sei. «Stell dir vor. Will dich persönlich in die Stadt fahren. Muß dran liegen, daß du so geistreich plaudern kannst, Freundchen.»

«Ist Ihnen auch aufgefallen, was?»

Der Wärter winkte in Richtung Tür.

«Bis dann, Bolschewik.»

Dave zuckte die Achseln. Jetzt, da er ein bißchen gründlicher darüber nachgedacht hatte, schien ihm der Kommunismus nur eine andere Form des Diebstahls, weiter nichts. Und was hier im gesamten Vollzugssystem passierte, mit Leuten wie Benford Halls, zeigte ihm deutlich, daß der Regierung ein Dreck dran lag, menschliche Wesen in die Gesellschaft zurück zu entlassen. Die interessierten doch nur die nächsten Wahlen. Er dachte an eine Szene aus seinem Lieblingsfilm *Der dritte Mann*. Orson Welles' berühmter Kuckucksuhr-Monolog. Die Szene, in der Harry Lime seinen alten Freund Holly Martins auf dem Riesenrad wiedertrifft. Dave hatte den Film so oft gesehen, daß er den Text Wort für Wort auswendig konnte.

«Du hast eben einen veralteten Standpunkt. Wo gibt's heutzutage noch Menschlichkeit und Mitleid auf dieser Welt. Sieh dir doch das Treiben der Herren an, die die Welt regieren. Du mußt zugeben, daß ich dagegen noch ein Waisenknabe bin. Die haben ihren Fünfjahresplan und ich habe meinen.»

Er sah sich ein letztes Mal um und nickte.

«Komm schon», drängelte Tamargo. «Ich will hier auch raus, verstehst du? Ich hab jetzt nämlich frei. Und ich hab einiges vor.»

«Ich auch», sagte Dave. «Ich auch.»

«Also, was steht auf dem Plan?»

«Plan?»

«Ihrem Zeitplan für den ersten Tag Ihres restlichen Lebens.»

Dave saß in Jimmy Figaros 7er-BMW, bewunderte das ganze Holz und Leder und dachte, daß man sich von der Optik und vom Gefühl her vorkam wie in einem kleinen Rolls-

Royce. Nicht, daß er schon mal in einem Rolls gesessen hätte. Aber so stellte er es sich vor. Er regulierte die Sitzeinstellung elektronisch und schaute durch die getönte Scheibe, während sie sich auf dem Highway 1 von Homestead entfernten. Viel gab es nicht zu sehen. Nur weite, fruchtbare Felder, auf denen man für ein paar Dollar selbst ernten konnte, was immer dort wuchs – Erbsen, Tomaten, Mais, Erdbeeren, alles mögliche. Aber Dave hatte eine andere Art von Ernte im Sinn.

«Ich weiß nicht, Jimmy. Ich meine, Sie chauffieren diese Karre. Und keine üble Karre, muß ich sagen.»

«Gefällt sie Ihnen?»

«Gibt's hier auch Zimmerservice?» fragte Dave, der jetzt das Telefon in der Armlehne inspizierte. «Ich habe noch nie ein Auto mit Fernseher vorne drin gesehen.»

«Streckencomputer. Fernsehen kriegt er nur rein, wenn der Motor aus ist.»

«Und die Feds? Kriegt er die auch rein?»

Figaro grinste.

«Sie haben den *New Yorker* gelesen.»

«Ich habe in letzter Zeit alles mögliche Zeug gelesen.»

«Schon gehört. Tatsache ist, daß ich diesen Wagen jeden Morgen einmal säubere. Und ich meine nicht die verflixten Fußmatten. Ich habe dort im Handschuhfach einen handlichen kleinen Wanzendetektor liegen.» Er lehnte den Kopf zurück, und ein Grienen breitete sich über sein Gesicht. «Aber für den Fall, daß sie beschließen sollten, mir mit einem Richtmikrophon hinterherzuschnüffeln, sind Rück- und Seitenfenster doppelt verglast.»

«Doppelfenster an einem Auto? Soll das ein Witz sein?»

«BMW macht's möglich. Hören Sie irgendwelche Verkehrsgeräusche?»

«Jetzt, wo Sie's sagen – nein, ich höre nichts.»

«Und genausowenig kann irgend jemand hören, was Sie

sagen. Obwohl Sie sowieso nicht sonderlich gesprächig sind. Wie üblich.»

«Das hat mich bis jetzt am Leben erhalten.» Dave zuckte die Achseln und klappte dann das Handschuhfach auf. Der Wanzendetektor war ein schwarzes Kästchen, etwa so groß wie eine Zigarettenschachtel, mit einer kurzen Antenne. «Nett. Sie nehmen diesen Abhörscheiß ganz schön ernst, was?»

«Bei meiner Klientel muß ich das.»

«Hausanwalt von Tony Nudelli. Ganz schöner Aufstieg, verglichen mit damals, als Sie noch Leute wie mich verteidigt haben, Jimmy. Was ich nicht kapiere, ist, warum Sie den ganzen Weg hier rausgekommen sind, um mich in die Stadt zu kutschieren. Ich hätte auch den Bus nehmen können.»

«Tony hat mich gebeten, für Ihr Wohl zu sorgen. Und Hausanwalt ist ein bißchen übertrieben, Dave. Dieser verdammte Artikel stellt mich hin wie Bobby Duvall. Aber im Unterschied zu diesem Typen, den er im *Paten* spielt –»

«Tom Hagen.»

«Richtig, Hagen. Im Unterschied zu ihm habe ich nicht nur einen Klienten, sondern mehrere. Sie zum Beispiel. Falls Sie je in irgendeiner Sache meinen Rat –»

«Danke, Jimmy, das weiß ich zu schätzen.»

«Okay, wenn Sie für heute nichts Bestimmtes vorhaben, erkläre ich Ihnen jetzt, was wir tun werden. Wie gesagt, Tony hat mich gebeten, mich um Sie zu kümmern. Wir fahren zuerst zu meinem Büro, und ich zeige Ihnen eine Abrechnung, die ich erstellt habe. Was ich mit Ihrem Geld gemacht habe und so weiter. Danach werde ich Ihnen, wenn Sie gestatten, ein paar Vorschläge unterbreiten, was Sie weiterhin damit machen können. Anschließend könnten wir vielleicht noch einen kleinen Lunch zu uns nehmen. Um vierzehn Uhr dreißig muß ich allerdings im Gericht sein.»

«Klingt prima, Jimmy. Ich bestehe nur aus Appetit.»

«Haben Sie Hunger? Worauf? Sie brauchen es nur zu sagen. Ich kenne da ein kleines haitianisches Restaurant in der Second Avenue. Wenn Sie möchten, könnten wir eben noch dort vorbeifahren und frühstücken.»

«Gefrühstückt habe ich schon, danke. Und ich bin nicht hungrig nach Essen, Jimmy. Klingt vielleicht ein bißchen abgedroschen, aber ich bin lebenshungrig, verstehen Sie? Lebenshungrig.»

Sie nahmen den North Bay Shore Drive, fuhren um das moderne Gebäude herum, das die Kanzleiräume von Figaro & August beherbergte, und parkten in der Tiefgarage. Figaro ging vor zum Lift.

«Wissen Sie was?» sagte er. «Gestern morgen nimmt unsere Empfangsgehilfin eine Lieferung an, während ich gerade in einer Besprechung mit einem Klienten stecke.» Figaro begann, amüsiert in sich hineinzuglucksen, während sie aufwärts fuhren. «Das bezieht sich auf das, worüber wir gerade geredet haben, okay? Sie und meine Sekretärin packen das Paket aus und fallen vor Schreck fast in Ohnmacht, als sie sehen, was drin ist. Weil den *New Yorker* nämlich nicht nur Leute lesen, die im Knast sitzen. Na, jedenfalls für sie sieht das Ding aus wie ein Mantel aus Beton. Und auf dem Lieferschein lesen sie als Absendernamen Galeria Salvatore. Also denken sie, es ist eine Mafia-Botschaft, von wegen Luca Brazzi ruht bei den Fischen und so. Nur daß es keineswegs eine Mafia-Botschaft ist. Es ist die Skulptur, die ich letzte Woche in einer Galerie in South Beach gekauft habe. Galeria Salvatore, an der Lincoln Avenue. Hat mich zehntausend Dollar gekostet. Ich dachte, ich nehme sie als so eine Art Conversation piece. Das ist vielleicht etwas, das meine Art Kundschaft zu würdigen weiß. Was smarte Burschen wie Sie ein Weilchen amüsiert, wenn ich gerade mal austreten bin.»

«Ganz schön schwarzer Humor, Jimmy.»

«Smithy – unsere Empfangsgehilfin –, wir mußten sie mit dem Taxi heimschicken, so sehr hat sie diese vermeintliche Todesdrohung gegen mich geschockt. Irgendwie rührend, wenn man's bedenkt. Als würde sie ehrlich an mir hängen.»

«Wenn man's so sieht – wirklich unglaublich.»

Sie traten beide aus dem Aufzug und gingen durch den stillen Flur in die Büroräume. Figaros Büro war ein Eckraum mit einem durchgezogenen Fenster, das einen Panoramablick auf die Brickell Bridge und die Bücherregalformen der Downtown-Skyline bot. Als Apartment wäre einem der Raum großzügig erschienen; als Büro für einen einzelnen Menschen war er ehrfurchtgebietend. Daves Augen wanderten über die helle Eichentäfelung, die cremefarbenen Ledersofas, den geländewagengroßen Schreibtisch, die Talmikunst an den Wänden und den Betonmantel, und er mußte feststellen, daß ihn das alles sehr beeindruckte, ausgenommen vielleicht der Humor dieses Mannes und sein Geschmack in Sachen Malerei. Nach der Enge seiner Zelle in Homestead löste Figaros Büro schon fast einen Anfall von Agoraphobie in ihm aus. Er sah auf seine Füße. Er stand auf Parkettboden, an der Ecke eines riesigen sandfarbenen Teppichs. Ins Parkett eingelassen war eine Messingtafel mit einer Inschrift, die genauer zu studieren Dave sich nicht die Mühe machte.

«Was ist das? Das Erste Base? Himmel noch mal, Jimmy, hier drinnen kann man ja Baseball spielen.»

«Allemal», sagte der Anwalt. «Sie waren noch nie in diesem Büro, was?»

«Die Geschäfte müssen prächtig laufen.»

«Für einen Rechtsanwalt, Dave, laufen die Geschäfte immer prächtig.»

Figaro deutete auf eins der Sofas, überflog die Notizzettel, die an der Kante seines Walnuß-Partnerschreibtischs klebten, und wartete, daß Carol mit der Akte, die sie in den Händen hielt, den Raum durchquerte.

«Ist das Mr. Delanos Akte?» fragte Figaro.

«Jawohl», sagte sie und warf, während sie ihm die Akte säuberlich vorlegte, einen Blick zu dem Mann hinüber, der sich gerade auf dem Sofa niederließ. Carol war daran gewöhnt, alle möglichen Charaktere – um es höflich auszudrücken – im Büro ihres Chefs zu sehen. Die meisten waren wandelnde Verbrecherkarteifotos, rohgesichtige Typen in schrillen Anzügen, Gorillas mit karnevalsbunten Seidenhemden und Krawatten. Dieser hier schien ein wenig anders zu sein als die anderen. Mit seinen Goldohrringen, dem Bart, Typ Lachender Kavalier, und der Elvis-Tolle wirkte er wie ein Pirat, der sich irgendwelche Klamotten geborgt hatte, nachdem er an Land geschwommen war. Aber er hatte ein hübsches, ruhiges Lächeln und noch hübschere Augen.

«Möchten Sie Kaffee?» fragte sie Figaro.

«Dave?»

«Nein danke.»

Während sie ihn im Hinausgehen noch einmal anlächelte, befand Carol: ein Haarschnitt, eine Rasur und andere Kleidung, und er würde jünger aussehen und nicht mehr ganz so wie jemand, der gerade auf dem Weg in die Gaskammer war. Richtig süß würde er aussehen. Die Tür schloß sich hinter ihr, und sie wußte, dieses Gefühl auf ihrem engberockten Hinterteil rührte von diesen großen braunen Augen her.

Figaro setzte sich Dave gegenüber und schnippte ein Blatt Papier über den gläsernen Couchtisch. Dave machte keinerlei Anstalten, sich das Blatt anzusehen.

«Zigarre?»

Dave schüttelte den Kopf.

«Davon werde ich heiser. Aber eine Zigarette könnte ich vertragen.»

Figaro bediente sich aus der Kiste Cohibas auf dem Tisch – ein Geschenk von Tony – und bot Dave anschließend eine Zigarette aus einer silbernen Zigarettendose an.

«Das war ein kluger Zug, Dave», sagte er durch eine Sprechblase aus blauem Rauch. «Den Mund zu halten.»

Dave zog schweigend an seiner Zigarette. Es war vermutlich Figaros Rat und Figaros Fehler gewesen, also mochte er auch das Reden übernehmen.

«Sehr bedauerlich, daß das Geschworenengericht Ihr Schweigen als Beihilfe gewertet hat. Ich nehme an, der Richter hat auch Ihre Vorstrafe in Rechnung gestellt. Aber trotzdem, fünf Jahre für etwas, womit Sie gar nichts zu tun hatten. Das schien doch ganz schön übertrieben.»

«Und wenn sie Sie in die Zange nehmen würden? Und wenn's wegen was wäre, womit Sie gar nichts zu tun hätten? Und wenn sie von Ihnen verlangen würden, daß Sie einen Ihrer Klienten verpfeifen? Vielleicht sogar Ihren wichtigsten? Was würden Sie tun?»

«Den Mund halten, nehme ich an.»

«Eben. Man hat doch im Grunde gar keine Wahl, oder? Tot ist man viel länger als fünf Jahre, glauben Sie mir. Das ist ein großer Trost, wenn man im Bau sitzt. Es vergeht kein Tag, an dem man sich nicht sagt: Das hier ist die Hölle, aber es könnte noch schlimmer sein. Ich könnte auch auf dem Meeresgrund brummen, in Jimmys 10000-Dollar-Mantel.» Dave deutete mit einer Kopfbewegung auf das Kunstwerk in der Ecke von Jimmys Büro und grinste gelassen. «Das Ding da ist wirklich ein Conversation piece, wie Sie gesagt haben. Es wird sich bestimmt gut machen. Aber eher als Demonstrationsobjekt, würde ich sagen, denn als Kunstobjekt. Mund halten oder –»

«Sie sind ein talentierter Bursche, Dave.»

«Na klar doch. Und was hat es mir gebracht? Einen Förderaufenthalt in Homestead. Talent ist was für Leute, die Klavier spielen, Jimmy, nicht va banque. Ich kann's mir nicht leisten, so was zu pflegen.»

«Sie können sich's leisten», sagte Figaro und tippte bedeutsam auf das Blatt Papier. «Sehen Sie sich nur mal diese Aufstellung hier an. Angesichts Ihres Zeitaufwands und Ihrer Unannehmlichkeiten –»

«Hübsche Umschreibung für fünf Jahre Knast.»

«Zweihundertfünfzigtausend Dollar, wie vereinbart. Eingezahlt auf ein Off-shore-Konto und zu fünf Prozent Jahreszinsen festgelegt. Ich weiß. Fünf Prozent. Das ist nicht viel. Aber ich dachte mir, unter diesen Umständen würden Sie sicher eine risikofreie Anlageform wollen. Macht also summa summarum 319 060 Dollar, steuerfrei. Abzüglich zehn Prozent für meine treuhänderische Tätigkeit, sprich 31 906 Dollar. Ergibt 287 154 Dollar.»

«Sprich 57 430 Dollar pro Jahr», sagte Dave.

Figaro rechnete kurz nach und sagte dann: «Richtig. Ihre Talente sind wirklich unerschöpflich. Auch noch Mathematik.»

«Falls Sie's interessiert – dadurch bin ich überhaupt ins Geschäft reingeraten. Als Junge habe ich meinen Lebensunterhalt mit Rechnen verdient. Die Harvard Business School kam für mich ja leider nicht in Frage. Aber ich war der einzige Jid in unserem Viertel, und die italienischen Kids fanden es cool, einen jüdischen Bankier zu haben.»

«Das erklärt manches.»

«Und jetzt erklären Sie mir mal etwas, Figaro. Ich habe nie mehr als fünf Prozent für meine finanziellen Dienstleistungen berechnet. Zehn Prozent scheinen mir eher Wucher als eine angemessene Provision.»

«Wer fünf Prozent zahlt, zahlt gewöhnlich auch Steuern. Und nimmt in der Regel einen Scheck.»

«Das ist ein Argument.»

Figaro stand auf und trat hinter den Schreibtisch. Als er zum Sofa zurückkam, trug er eine Sporttasche. Er stellte sie neben Dave ab und setzte sich wieder hin.

«Sie bevorzugen Bargeld, richtig?»

«Tut das nicht jeder?»

«Heutzutage nicht unbedingt. Bargeld ist manchmal schwer zu erklären. Aber wie auch immer – haben Sie sich schon überlegt, was Sie damit machen wollen?»

«Das ist nicht gerade ein Grundstock zum Aussteigen, Jimmy. Dreihundert Riesen minus der paar Zerquetschten reichen nicht, um sich einen faulen Lenz zu machen.»

«Ich könnte Ihnen ein paar Sachen empfehlen. Die eine oder andere Anlagemöglichkeit vielleicht.»

«Danke, Jimmy, aber ich glaube nicht, daß ich die Seminargebühren bezahlen kann.»

«Betrachten Sie sie als erlassen. Verstehen Sie, das ist jetzt die Chance, sich auf die Vermögensleiter zu schwingen. Es gibt jede Menge hochwertige Immobilienobjekte hier in der Gegend. Zufällig bin ich am Bau einer Country-Club-Siedlung auf Deerfield Island beteiligt.»

«Ist das nicht die Insel, die Capone kaufen wollte?»

Hinter dem Zigarrenrauch verzog Figaro das Gesicht.

«Das ist fünfzig Jahre her.»

«Mag sein, aber ich dachte, dort sei alles Naturschutzgebiet. Für Waschbären und Gürteltiere und dergleichen.»

«Nicht mehr. Außerdem sind Waschbären keine schützenswerte Natur. Sie sind eine Plage. Sie sollten sich's überlegen. Fahren Sie hin und sehen Sie sich's selbst an. Drei Meter Raumhöhe, Luxusküche mit integriertem Eßplatz, ein Fitneßcenter, Blick übers Meer. Schon ab zwo zehn.»

«Danke vielmals, Jimmy, aber trotzdem nein.» Dave beugte sich über die Armlehne des Sofas, zog den Reißverschluß der Tasche auf und spähte hinein. «Ich brauche dieses Geld hier als Startkapital. Für etwas, das mir solider erscheint als auf Müllkippen aus dem Boden gestampfte Immobilien.»

«Ach? Was denn zum Beispiel?»

«Ich habe da so ein paar vage Ideen.»

Figaro zuckte die Achseln.

«Möchten Sie nachzählen?»

«Damit ich heute abend rumsitze und nichts zu tun habe? Nein danke.»


Dave beschloß, den Lunch mit Jimmy Figaro lieber ausfallen zu lassen. Jimmys Wagen, sein Zweitausend-Dollar-Anzug und die großen Augen der Sekretärin hatten Dave schon deutlich genug gemacht, wie deplaziert er im Moment wirken mußte. Der Luziferbart und die Vorhangringe in den Ohren mochten ihm ja in Homestead geholfen haben, seinen Arsch heil über die Runden zu bringen, aber hier draußen war alles anders. In den ehrbaren, wohlsituierten Kreisen, in denen Dave sich jetzt zu bewegen gedachte, würde dieses Komm-mir-bloß-nicht-in-die-Quere-Image seinen Plänen nicht dienlich sein. Shakespeare hatte recht: Denn es verkündigt oft die Tracht den Mann. Er würde eine komplette Runderneuerung brauchen. Aber zuerst mußte er einen Wagen auftreiben, und da seine Chance, einen zu leasen oder zu mieten, garantiert gleich Null war, schien es sinnvoll, diesen gemeingefährlichen Look noch eine Weile beizubehalten, wenigstens bis die Autofrage geklärt war. So würde ihm der Händler wenigstens nicht irgendeine Schrottkiste andrehen, die ihn veranlassen könnte, noch einmal zurückzukommen.

Jetzt, da er in Freiheit war, wollte er möglichst viel an der frischen Luft sein. Das bedeutete ein Kabrio, und im Sportteil des *Herald* fand er, was er suchte. Ein Mazda-Händler bot eine Auswahl an supergünstigen Sportwagen an. Ein Taxi brachte ihn die Fortieth Street nach Westen hinaus, zu Bird Road Mazda, und eine halbe Stunde später fuhr er wieder in Richtung Beach, in einem 96er Miata mit CD-Spieler, Leichtmetallfelgen und nur 1400 Meilen auf dem Zähler. Er bekam gerade Spaß an der frischen Luft, der Sonne, dem sportlichen Schaltknüppel und der Musik aus dem Radio – CDs besaß er keine –, als er an der Ampel, wo er die Second Avenue nach Norden nehmen wollte, zu dem neben ihm stehenden Auto hinüberschaute und genau in die gehässigen Augen von Tamargo sah, dem Wärter, der ihn vor nicht mal drei Stunden aus seiner Zelle in Homestead geleitet hatte.

Tamargo fuhr nur einen alten Olds für 1900 Dollar, und als er Dave in einem Wagen sah, der fast das Zehnfache gekostet hatte, klappte seine sofagroße Kinnlade herunter, als hätte ihn gerade ein Gehirnschlag ereilt.

«Wo zum Teufel hast du die Karre da her, Freundchen?»

Dave rutschte unbehaglich in seinem Ledersitz herum und sah zu der immer noch roten Ampel empor. Die Tatsache, daß er seine Strafe ganz abgesessen hatte, bescherte ihm jetzt, da er draußen war, gewisse Vorteile. Nicht zuletzt den, daß sich kein neugieriger Scheißschnüffler von einem Bewährungshelfer in sein Leben einmischte. Aber das letzte, was er wollte, waren peinliche Fragen seitens der City Police wegen des teuren Wagens. Die zentrale Frage war, ob sich Tamargo die Mühe machen würde, die Sache zu melden. Bis jetzt wußten die Cops über Daves Verbleib nicht mehr, als daß er über Jimmy Figaros Kanzlei zu erreichen war. Es war wenig sinnvoll, es drauf anzulegen, daß sie seine Autonummer und womöglich noch eine ganze Menge anderer Dinge herauskriegten. Also lächelte Dave, den Rückspiegel im Auge und das Lenkrad fest im Griff, freundlich zurück.

«Hey, du Wichser, ich red mit dir. Ich hab dich gefragt, wo du die verdammte Karre herhast.»

«Karre?»

«Yeah, die Karre da. Die, wo groß und breit ‹geklaut› auf dem Nummernschild steht.»

Dave hielt den Blick unverwandt auf die Ampel geheftet.

«Der Wagen ist clean, Mann.»

«Ach, nee!»

«Weißt du was, Tamargo? Du bist Teil einer verabscheuenswerten Lösung. Einer verabscheuenswerten Lösung, eines infernalischen Kreislaufs aus Schuld und Vergehen. Das ist nicht von mir, sondern von einem großen französischen Philosophen. Wenn du nur einen Funken Intelligenz in deiner verdammten Birne hättest, wüßtest du, daß eben diese Beschuldigung, die du da erhebst, das Versagen der Institution impliziert, für die du stehst. Genau diese Art Vorurteil ist nämlich eine der Hauptursachen der hohen Rückfallquote. Es mag dir vielleicht nicht bekannt sein, aber so nennt man das, wenn Exknackis wieder Verbrechen begehen. Rückfallquote. Weißt du, was das Gescheiteste ist, was du im Sinne dieses ganzen verabscheuenswerten Strafvollzugssystems tun kannst? Weiterfahren und dein gottverdammtes Maul halten.»

Die Ampel sprang auf Grün. Dave ließ den Motor aufjaulen und die Kupplung schnappen.

Tamargo trat seinerseits aufs Gas, in der Hoffnung, Dave Delano lange genug im Blick zu behalten, um sein Nummernschild lesen zu können. Aber der kleine Sportwagen war plötzlich einfach weg, und der Gefängniswärter war schon über fünfzig Meter weiter, ehe er merkte, daß Dave an der Ampel gewendet hatte. Tamargo stieg in die Bremse, wuchtete seine Körpermasse im Sitz herum und spähte durchs Rückfenster nach dem Exhäftling in dem Kabriolett aus. Aber Dave war verschwunden.

Nach diesem Vorfall dachte Dave, daß er sein Äußeres gar nicht schnell genug verändern konnte. Er wollte nach Bal Harbor in Miami Beach, wo es laut Figaro eine ausgezeichnete Shopping mall gab und gleich gegenüber ein erstklassiges Sheraton, mit Seeblick, wie er sich ausbedungen hatte. Er fand einen anderen Weg zum Biscayne Boulevard und zur Route 41, und schon bald war er auf dem McArthur Causeway, über dem Intercoastal Waterway. Zu seiner Rechten lagen der Kreuzfahrthafen und die Docks von Miami. Der Anblick zweier großer, mit dem Bug zur offenen See gerichteter Passagier-Liner erfüllte ihn mit leiser Erregung, da er wußte, wenn alles so lief, wie es sollte, würde er selbst bald eine Seereise machen. Er erreichte jetzt South Beach, fuhr die Collins Avenue entlang und durch den sogenannten historischen Distrikt. Was gerade mal Art Deco hieß. Aber mehr hatte Miami an Historie nun mal nicht zu bieten, und das war ja auch einer der Gründe, weshalb Dave es kaum erwarten konnte, hier wegzukommen. Aber es tat trotzdem gut, endlich wieder mal zwischen den bonbonfarbenen Fassaden und den glitzernden Neonreklamen der Collins Avenue dahinzurollen. So viele Leute – es war wie die Rückkehr in den Schoß der Menschheit.

Zehn Minuten Collins-aufwärts bog er in die Bel Harbor Shopping mall ein, parkte den Wagen und machte sich, die Tasche mit dem Geld noch immer in der Hand, auf die Suche nach seinem neuen Look. Er merkte sofort, daß das hier genau der richtige Ort war. Ralph Lauren, Giorgio Armani, Donna Karan, Brooks Brothers. Jimmy Figaro hätte ihm für seine Zwecke kaum etwas Besseres empfehlen können. Es gab sogar einen Schönheitssalon, der ein 200-Dollar-Spezialpaket anbot: Massage, Haareschneiden, Maniküre, Gesichtsbehandlung. Vielleicht lief ja eine Rasur auch unter Gesichtsbehandlung. Dave trat ein.

Der Salon war leer. Ein Mädchen, das hinter der Theke eine Nummer von *People* las, erhob sich und lächelte höflich.

«Kann ich was für Sie tun?»

«Das hoffe ich doch. Ich komme gerade von Bord. Ich war mehrere Monate auf See, und, na ja, Sie sehen ja selbst. Ich habe vermutlich eine gewisse Ähnlichkeit mit Robinson Crusoe.»

Das Mädchen kicherte leise. «Sie sehen schon ganz schön *grungy* aus», sagte es.

«Haben Sie vielleicht *Die Glücksritter* gesehen? Sie wissen doch, mit Eddy Murphy.»

«Ja. Da war er toll. Aber danach nicht mehr.»

«So was will ich. Eine komplette Runderneuerung à la Eddy Murphy. Rasieren, Haareschneiden, Gesichtsbehandlung, Maniküre, Massage, das ganze 200-Dollar-Paket.»

Eine Kollegin des Mädchens, in einer Art weißem Klinikkittel mit einem Namensschild, auf dem JANINE stand, war jetzt hinzugetreten und musterte Dave mit zusammengekniffenen Augen, so, wie er den Mazda vor dem Kauf gemustert hatte.

«Wir machen hier eher auf *Pretty Woman* als auf *Die Glücksritter*», sagte Janine. «Aber momentan ist grade nicht viel los. Ich glaub schon, daß wir Sie hinkriegen. Wir machen den reinsten Chorknaben aus Ihnen, wenn Sie wollen. Ist allerdings schon ein Weilchen her, daß ich das letzte Mal einen Mann rasiert habe.»

Janine wandte sich dem Mädchen hinterm Tresen zu.

«Martin, du weißt doch, mein Ex? Den hab ich immer rasiert. Echt. Hat mir Spaß gemacht, damals. Heut würd's allerdings anders laufen, wenn ich ein Rasiermesser an seine Kehle setzte. Ich würd den Saukerl abschlachten.»

Doch dann lächelte sie, als gefiele ihr plötzlich die Vorstellung, Dave zu rasieren.

«Na, was ist, junger Mann? Angst vor Frauenpower?»

Dave warf seine Tasche ab.

«Janine? Ich gehe das Risiko ein, wenn Sie's tun.»

**4**

«Also, Jimmy, was meinen Sie? Kann ich Delano trauen? Wird er sein verflixtes Maul halten?»

Figaro hob den Blick von seinem Krabbencocktail und sah in die großen blaugetönten Brillengläser seines Gegenübers. Tony Nudelli war um die fünfzig, und sein Gesicht war genauso zerknittert wie sein beigefarbener Leinenanzug. Sie saßen beim Lunch im Normandy Shores Country Club, nur wenige Autominuten nördlich von Bal Harbor. Durch die Bogenfenster des im Mizner-Stil erbauten Restaurants konnte man Chers Sechs-Millionen-Villa drüben auf La Gorce Island ahnen.

«Natürlich können Sie ihm trauen. Er hat doch die ganzen fünf Jahre den Mund gehalten, oder nicht? Warum zum Teufel sollte er jetzt reden?»

«Weil ich ihn jetzt nicht mehr unter Kontrolle habe, darum. Solange sein Arsch im Gefängnis angenagelt war, wußte er, daß ich ihn jederzeit drankriege. Daß ich dort drinnen Leute kenne, die ihm die Hölle heiß machen können. Jetzt, wo er draußen ist, kann er tun, was er will, ohne sich ständig umgucken zu müssen, und das gefällt mir nicht. Das will mir nicht so recht behagen.»

«Aber, Tony, die Feds hätten ihm doch Schutz geboten, wenn er hätte auspacken wollen. Sie hätten ihm ein komplett neues Leben verpaßt.»

«Das ist wie mit den Wechseljahren. Damit ist das Leben im Grund vorbei. Bums – aus. Fragen Sie meine Frau. Ich hab sie schon Ewigkeiten nicht mehr gebumst. Nein, Jimmy, jeder Kerl, der auch nur einen Funken Mumm in den Knochen hat, wird die fünf Jahre abreißen und das Geld nehmen.» Nudelli fischte einen Zahnstocher aus dem silbernen Halter und begann in seinen oberen Backenzähnen herumzustochern.

«Apropos. Haben Sie ihn ausbezahlt? War er zufrieden?»

«Ich denke schon.»

«Sie denken schon?» Nudelli schnaubte, inspizierte das Essensrestchen auf der Spitze seines Zahnstochers und aß es dann auf. Mit einem matten Kopfschütteln setzte er hinzu: «Wenn ich wissen will, was die Leute so denken, lese ich den gottverdammten *Herald*, okay? Von Ihnen mit Ihrem sechsstelligen Pauschalhonorar plus Spesen und Prämien erwarte ich ein bißchen mehr als ein freundliches Gesicht und ein paar intuitive Spekulationen. Ich erwarte präzise Aussagen, so klar wie die Newtonschen Gesetze. Wenn x, dann y. Kapiert?»

«Ich bin mir dessen sicher», sagte Figaro.

«Spielen Sie Poker, Jimmy?»

«Ich bin kein großer Kartenspieler, Tony.»

«Das wundert mich nicht. Sie sagen, Sie sind sich dessen sicher, und zucken dabei die Achseln, als würden da immer noch einige Zweifel auf den wattierten Schultern dieses sichtlich teuren Anzugs lasten. Gewißheit sieht ein bißchen anders aus, Jimmy. Wie wär's, wenn Sie ein paarmal nicken würden? Und ein bißchen lächeln? Herrgott, gegen Sie wirkt ja sogar der verdammte Kerl von der Wettervorhersage wie ein Ausbund an Gewißheit.»

«Tony, wenn Sie mir die Bemerkung gestatten, ich finde, Sie sind da wirklich ein bißchen paranoid. Glauben Sie mir, Dave ist ein cooler Bursche. Er hat seine Zeit in Homestead bestens genutzt. Er hat studiert und kommt mit einem Diplom und einer positiven Einstellung wieder raus. Er will weiter nichts als endlich anfangen, sein restliches Leben zu leben.»

«Und wie, genau, will er das tun, wenn ich fragen darf?»

«Wie, genau? Das weiß ich nicht. Und er auch nicht. Im Moment will er sich einfach erst mal erholen, ein bißchen was von seinem Geld ausgeben –»

«Sie haben ihn also ausbezahlt.»

«Das sagte ich doch schon. In bar. Mit Zinsen. Ich habe ihn gefragt, was er damit machen will, und ihm eine kleine Anlageberatung angeboten. Er hat dankend abgelehnt.»

Nudelli sah nachdenklich drein. Er leerte sein Weinglas und schnippte dann mit dem Fingernagel gegen den Kristallrand.

«Wie war der exakte Wortlaut dieser Ablehnung?»

«Exakt? Müßte ich dieses Wort kennen?»

«Jimmy, Sie sind ein gottverdammter Jurist. Exaktheit ist bei Ihnen so eine Art Geburtsfehler.»

«Er sagte, es sei nicht genug zum Aussteigen. Er sagte, es reicht nicht, um sich einen faulen Lenz zu machen.»

«Hm, das klingt aber nicht gerade wie jemand, der mit seiner Abfindung zufrieden ist.»

«Das Zitat ist aus dem Kontext gerissen.»

«Mir egal, und wenn Sie's aus Bartletts *Zitatenlexikon* gerissen haben. Was Sie da sagen, klingt wie jemand, dem man gerade ein Zehn-Dollar-Coke angedreht hat.»

«Glauben Sie mir, Tony, wenn Sie dabeigewesen wären, hätten Sie einen zufriedenen Mann vor sich gesehen.»

Der Kellner kam, um ihnen von dem kalifornischen Chardonnay nachzuschenken, den Tony Nudelli so gern trank. Für Figaros besser geschulten Gaumen hatte er einen leichten Korkgeschmack.

«Vielleicht nicht gerade auf einem feurigen Wagen gen Himmel entrückt wie Elia», setzte Figaro hinzu, «aber zufrieden allemal.»

«Ist alles nach Ihrem Wunsch?» erkundigte sich der Kellner servil.

«Bestens, danke.»

«Elia», flötete der Kellner. «Das ist ein hübscher Name, Elia. Warum konnten mich meine Eltern nicht so nennen statt William Charles?»

Tony Nudelli lehnte sich jäh zurück, sah den Kellner an und entblößte gereizt seine gelben, aber mittlerweile gründlich gesäuberten Zähne.

«Weil sie dein bekacktes Mondgesicht an eine Kloschüssel erinnert hat und weil sie dachten, dann stimmen wenigstens die Initialen, du kleiner Schwanzlutscher. Und wenn du mieser Arschkriecher noch mal unser Gespräch hier unterbrichst, dann sorg ich dafür, daß dich die Leute Vincent nennen. Weil du dann nämlich nur noch ein Ohr hast, das du in anderer Leute Angelegenheit reinhängen kannst. Kapiert? Und jetzt verschwinde, bevor du mit deinen warmen Wichsgriffeln noch den verdammten Wein temperierst.»

Der Kellner zog sich hastig zurück.

«Ich bestelle wohl besser kein Dessert mehr», schmunzelte Figaro. Ein Teil von ihm genoß es, wenn Tony Nudelli so richtig loslegte. Solange es nicht ihn traf. Es erregte ihn, diese Art von Macht – und sei es nur indirekt – zu kosten.

«Sind Sie nicht bei Trost? Die Pekannuß-Pie hier ist unschlagbar.»

«Ich dachte nur, er könnte sich vielleicht auf irgendeine unauffällige, aber unappetitliche Art rächen wollen.»

«Da sind Leute schon für weniger gestorben.»

«Aber das weiß er ja nicht.»

«Sie haben recht, Jimmy.» Mit einem lauten Fingerschnippen beorderte Nudelli den Oberkellner an ihren Tisch. «Diese verdammte kleine Tunte könnte mir sonstwas in meine Pekannuß-Pie mogeln.»

«Alles zu Ihrer Zufriedenheit, Mr. Nudelli?»

«Louis, wir hätten gern zwei Stück Pekannuß-Pie. Und ich möchte, daß Sie sie uns persönlich bringen. Verstehen Sie?»

«Jawohl, Sir. Sofort. Ist mir ein Vergnügen.»

Der Oberkellner verschwand in Richtung Küche.

«Ich möchte Sie etwas fragen, Jimmy.»

«Natürlich, Tony.» Er schmunzelte, als er den gedeckelten Kellner erblickte. «Ich bin ganz Ohr.»

Nudelli sah dem Kellner ärgerlich hinterher.

«Verdammter Idiot. Was ist nur mit den Kellnern in diesem Land los? Es reicht nicht, daß man ihnen ein Trinkgeld gibt. Nein, sie wollen auch noch eine eidesstattliche Versicherung, daß man nicht auf sie runterguckt, weil sie ihre Kohle so machen, wie sie's tun.»

«Reden wir nicht von Kellnern! Neulich bestelle ich ein Steak im Delano. Und als der Kellner es bringt, sagt er, das Gemüse kommt in ein paar Minuten. Ich frage den Kerl, was soll das sein? Essen auf Raten oder was?»

Figaro lachte über seine eigene Geschichte und gab sich noch erheiterter, als er sah, daß sie Nudelli amüsierte. Wenn er doch nur daran gedacht hätte, sie in ein anderes Restaurant zu verlegen. Das Delano war eins der schicksten in South Beach, frequentiert von Madonna und Stallone, aber der Name trug nicht gerade dazu bei, Nudelli von dem abzulenken, was ihm im Kopf herumspukte – Dave Delano.

«Was wollten Sie mich fragen, Tony? Bevor wir auf die verflixten Kellner kamen.»

«Nur eine Kleinigkeit. Wie lang ist die Verjährungsfrist für Mord?»

«Für Mord gibt es keine Verjährung.»

«Sie haben's erfaßt. Mal angenommen, Delano beschließt, doch noch auszupacken?»

«Regen Sie sich ab, Tony. Delano ist kein Singvogel.»

«Hören Sie mir gefälligst erst mal bis zu Ende zu, Jimmy. Wie ein guter Anwalt. Nur mal angenommen, er tut's. Warum auch immer. Gehen wir einfachheitshalber mal davon aus, er macht mich für seinen Aufenthalt hinter Gittern verantwortlich. So ein Gefängnis macht komische Sachen mit den Menschen. Es macht sie pervers. Macht sie rachsüchtig. Vielleicht will er ja meine Viertelmillion und meinen Arsch noch dazu. Ich meine, was sollte ihn davon abhalten? Würden Sie mir das mal beantworten?»

«Wenn, dann würde er wohl am ehesten mich dafür verantwortlich machen», sagte Figaro achselzuckend. «Schließlich habe ich ihn vor Gericht vertreten. Aber er wird's nicht tun, Tony.»

«So nicht, Jimmy. Wir orakeln hier nicht in der Gegend herum. Wir erörtern eine hypothetische Situation. Verstehen Sie? Wie zwei Philosophen in einem römischen Dampfbad. Was haben wir an harten Fakten, was uns auszuschließen erlaubt, daß Delano jemals auf die Idee kommt zu singen? Moment. Mir ist da gerade noch ein Gedanke gekommen. Mal angenommen, er macht irgendwas Krummes. Was Kriminelles. Und die Cops erwischen ihn. Sie kriegen ihn am Arsch. Aber vielleicht will er nicht noch mal in den Bau. Wer wollte ihm das verübeln? Ich bestimmt nicht. Aber vielleicht sind die Feds ja so schlau und bringen ihn dazu, zu erzählen, was er ihnen damals schon hätte erzählen sollen. Sein Arsch gegen meinen.»

Nudelli klatschte mit der Hand auf den Tisch, als gälte es, eine Fliege zu erschlagen, und just in diesem Moment kam der Oberkellner mit den zwei Stücken Pekannuß-Pie.

«Was sollte ihn davon abhalten, hä, Jimmy?»

«Bitte sehr, Mr. Nudelli. Die Pekannuß-Pie.»

«Danke, Louis.»

«War mir ein Vergnügen, Sir. Guten Appetit.»

«Na ja, wenn man's so eiskalt sieht, Tony –»

«Ich seh's so eiskalt. Ein Drink on the Rocks im geeisten Glas ist warm dagegen. Was sollte ihn davon abhalten, hä?»

Figaro spießte ein Stück Pie auf seine Gabel, ließ diese aber vorerst auf dem Teller liegen.

«Nichts. Außer vielleicht, daß er mehr Angst vor Ihnen hat als vor den Cops.»

Nudelli hob seine großen behaarten Hände und gestikulierte auf eine Art, die Figaro an den Papst erinnerte, wenn er zu Weihnachten huldvoll vom Balkon des Petersdoms herabgrüßte. Aber der Anwalt merkte wohl, daß die Entwicklung, die dieses Gespräch nahm, nicht gerade von besonderer Huld geprägt war.

«Da haben Sie's. Wir sind schon wieder im Reich des Ungewissen. Sie legen den Finger genau auf die Wunde, Jimmy. *Vielleicht.* Jetzt versetzen Sie sich mal in meine Lage. Ich habe eine Familie zu versorgen und ein Geschäft zu führen, ich habe Leute, deren Existenz von mir abhängt.» Er seufzte laut und schob sich ein Stück Pie in den Mund. «Wissen Sie, was das Problem ist? Die Sprache. Der Verfall unserer gottverdammten Sprache. Die Wörter bedeuten nicht mehr das, was sie mal bedeutet haben, wegen all der verflixten Minderheiten, denen man nicht auf die Zehen treten darf – dies darf man nicht sagen, und jenes darf man nicht sagen –, und wegen all der verflixten Politiker, die sich der Sprache bedienen, um gar nichts zu sagen. Ich will Ihnen ein Beispiel geben, Jimmy. Wenn ein Mann zu einem Mädchen sagt: ‹Wirst du dich von mir ficken lassen?›, und sie sagt: ‹Vielleicht›, weiß man, es ist eine reale Möglichkeit. Wenn man aber zu einem Politiker sagt: ‹Werden Sie mehr Schulen und Krankenhäuser bauen, wenn wir Sie wählen?›, und er sagt ‹Vielleicht›, dann kann man sicher sein, er wird's nicht tun. Bei ihm heißt ‹vielleicht› nämlich ‹nie und nimmer›. Verstehen Sie, was ich meine?»

Figaro war sich nicht sicher. Es gab Zeiten, da er Tony Nudelli für den klügsten Klienten hielt, den er je gehabt hatte. Und dann wieder schien er ihm so dumm wie das Vormittagsfernsehen. Über diesem weitschweifigen Exkurs war ihm entfallen, worauf Nudelli ursprünglich hinausgewollt hatte. Aber er nickte dennoch und sagte: «Klar.» Er beschloß, das Gespräch einem anderen Schluß entgegenzusteuern, als ihn Tony in seinem arglistigen Hirn vermutlich noch immer anpeilte.

«Soll ich mal ein Wörtchen mit Delano reden, Tony? Ihn von der unbedingten Notwendigkeit seines Schweigens überzeugen? Er kommt morgen bei mir im Büro vorbei, um ein paar Sachen zu besprechen. Ich kann ihn zur Raison bringen, wenn Sie wollen.»

«Willy Barizon», sagte Nudelli kopfschüttelnd.

«Bitte?»

«Der Halbbruder von Tommy Rizzoli. Dem Burschen, den Sie aus dem Eistransportgeschäft rausgegrault haben.»

«Ich habe ihm lediglich geraten, seine Anteile zu verkaufen, um auf diese Weise vielleicht einer Haftstrafe zu entgehen, weiter nichts.»

«Kommt aufs selbe raus. Na, jedenfalls werde ich Willy schicken, damit er mit Delano redet.»

«Wollen Sie ihm das Maul stopfen lassen?»

Nudelli sah gequält drein.

«Sie sollten mal was von Ihrer Pie essen. Sie ist die Krönung des Ganzen.»

Figaro führte die Gabel an den Mund. Er mußte zugeben: Die Pie war wirklich gut.

«Ich hasse es, meinen Anwalt solche Wörter benutzen zu hören», sagte Nudelli steif. «Aber nein, ich will niemandem das Maul stopfen lassen. Ich will Delano nur dran erinnern – ihm auf zwingende Weise vor Augen führen –, daß er gut dran tut, mich noch immer zu fürchten.» Er leckte sich die Lippen und wischte sich dann mit einer Papierserviette den Mund. «Ich glaube, ich hätte zum Dessert gern was Süßes zu trinken. Vielleicht einen Muscat. Mögen Sie Muscat?»

Figaro schüttelte den Kopf.

«Wo ist denn dieser Schwanzlutscher abgeblieben?» brummelte Nudelli und sah sich nach dem Kellner um. Dann starrte er wieder Figaro an. «Und außerdem will ich erst mehr über diese neuen Freunde von ihm wissen, bevor ich auch nur dran denke, ihm das Maul stopfen zu lassen. Ich habe gehört, daß er in Homestead mit so einem Iwan in der Zelle gesessen hat. Und daß dieser Iwan ein paar wichtige Connections in New York hat. Ich habe keine Lust, Delano eins aufs Maul zu geben und mir diese russischen Bastarde auf den Hals zu ziehen. Die stehen drauf, Leute umzubringen. Ich glaube, da stehen sie sogar noch mehr drauf als aufs Geldmachen. Na ja, was drinsteckt, steckt eben drin. Leute umbringen hat bei denen Tradition. Geldmachen nicht.»

«Der Name seines Zellengenossen war Einstein Gergiev», rapportierte Figaro. «Er wurde Einstein genannt, weil er Physiker und Computerexperte war, bevor er in die Mafiageschäfte einstieg. Zuerst in Rußland und dann hier in Florida.»

«Cleveres Bürschchen, hm?»

«Er hat irgend so einen Partnerschaftsschwindel zwischen den beiden Städten angezettelt.»

«Welchen Städten?»

«Den beiden St. Petersburg.»

«Das eine am Golf von Mexiko kenne ich ja, aber wo liegt das andere?»

«In Rußland. Nordrußland.»

«Nie gehört.»

«Muß ein ganz schönes Ding gewesen sein. Soll die Stadt St. Petersburg – die in Florida, meine ich – ein paar Millionen Dollar gekostet haben.»

«Tatsächlich?»

«Jedenfalls wurde Gergiev vor sechs Monaten entlassen und nach Rußland zwangsrückgeführt. Aber ich wußte nicht, daß er Connections in New York hat.»

«Alle Rußkis hängen dort drin. Brighton Beach. Müßten Sie mal sehen. Die reinste Rußki-Kolonie. Klein-Odessa nennen sie's. Dort oder in Israel. Tel Aviv. Die Hälfte von all den Juden, die Rußland verlassen haben, sind organisiert. So sind sie überhaupt erst an das nötige Geld gekommen.» Nudelli zuckte die Achseln. «Ich habe da einen Cousin in Tampa. Vielleicht kann der was über diesen Einstein rausfinden. Wo wohnt Delano jetzt?»

«Er hat gesagt, er wolle sich im Bal Harbor Sheraton einquartieren.»

«Ein nettes Beach-Hotel. Mit Stil. Das Fontainebleau kann man ja mittlerweile vergessen.»

Nudelli richtete sich auf. Der Kellner war jetzt in Sicht.

«He, du da, Elia. Komm her.»

Als der Kellner Tony Nudelli erblickte, drückte er sich rückwärts zur Tür wie ein Quarterback, der einen ungedeckten Receiver sucht. Gleich darauf war er zur Tür hinaus und rannte durch den pseudomediterranen Hof in Richtung Biscayne Bay.

«Du liebe Güte», wieherte Nudelli. «Was hab ich denn gesagt?»

5

Das Meer hatte Dave gefehlt, und sei es nur in der überfüllten, von Booten wimmelnden Version vor Miami Beach. Plattgequetscht zwischen dem hellblauen Himmel und dem rosa Steinstaub, der hier als Sand firmierte, rollte das schlangenhautgraue Meer in weißen Kritzellinien auf ihn zu. In Homestead hatte er sich oft vorgestellt, dieses Bild wiederzusehen. Aber es war nicht der ersehnte Anblick des Ozeans, der das Freiheitsgefühl in ihm aufwallen ließ, sondern der damit einhergehende Salzgeruch und das urtümliche, atemähnliche Geräusch. Das hatte er ganz vergessen gehabt. Innerhalb der vier Wände seiner Hotelsuite war es, bei allem Luxus, nur zu leicht gewesen, die alptraumhafte Enge seiner Zelle heraufzubeschwören, so wie ein Amputierter noch immer das abgetrennte Glied spürt. Er hatte nur die Augen zu schließen und auf die klimatisierte Stille zu horchen brauchen. Aber hier am Strand, wo die Meeresgeräusche und -gerüche in sein Bewußtsein drangen, wo er den Wind in seinem ordentlich geschnittenen Haar spürte und die Spätnachmittagssonne sein glattrasiertes Gesicht wärmte wie eine riesige Warmhalteglocke, war es unmöglich, sich woanders besser zu fühlen als draußen. Dave legte sich auf sein Badehandtuch und sog in tiefen Zügen den Himmel ein. Er las nicht einmal. Seine vernachlässigten übrigen Sinne erlaubten ihm nicht, sich auf irgend etwas anderes zu konzentrieren als darauf, wo er war und was das bedeutete. Ein paar Tage Ausspannen in Bal Harbor würden helfen, die Mauern in seinem Kopf abzubauen. Danach konnte er sich dann an die Arbeit machen.

Willy «Four Breakfasts» Barizon hatte seinen Spitznamen von jenem Morgen, als er in einem Denny's an der Lincoln Avenue vier komplette Frühstücke – jeweils bestehend aus zwei Spiegeleiern, zwei Streifen Speck, einer Bratwurst und Bratkartoffeln – verdrückt hatte. Mit seinen eins neunzig Körperlänge wog er in Shorts gut zwei und in voller Bekleidung knapp zweieinviertel Zentner, wobei die Differenz vor allem auf die beiden Pistolen zurückging, die er unter dem losen Hawaiihemd trug. Seine Zunge war ein paar Nummern zu groß für sein Gesicht, weshalb er zur einen Seite seines feucht-glänzenden Mundes heraus redete, als hätte er immer noch eins seiner Frühstücke in der anderen Backentasche wie einen Priem. Sein schwarzes Haar war naturgelockt, wirkte aber aufgrund der Frisur wie eine frische Dauerwelle. Kleine Dreadlocks baumelten vor den mächtigen Ohren wie bei einem chassidischen Juden. Als Volksausgabe eines Riesen war Willy Barizon nicht gerade leicht zu übersehen. Außerdem war es schon eine ganze Weile her, daß er diese Art Job ge-macht hatte, und er hatte vergessen, wie man unauffällig vor-ging. Im Eistransportgeschäft war es nur darum gegangen, Eindruck zu machen. Ungemütlich auszusehen, wenn man zum Kassieren aufkreuzte, war praktisch schon alles. Es kam selten vor, daß man tatsächlich handgreiflich werden mußte.

Dave bemerkte Willy sofort. Oder besser gesagt, er be-merkte den Blick, den der Hoteldiener dem massigen Mann zuwarf, als er, Dave, aus dem Hotelrestaurant trat, um den Portier zu bitten, das Fax, das er beim Essen fein säuberlich in kyrillischen Lettern aufgesetzt hatte, für ihn abzuschicken. Nach fünf Jahren Homestead hatte Dave Augen im Hinter-kopf. Der Hoteldiener hätte dem Hünen ebensogut einen Neonpfeil in die Brust schießen können. «Der da, der ist es.»

Dave stieg in einen Lift, zusammen mit einer Frau mit einem Haarturm, so hoch wie eine Kochmütze. Was hatten die Frauen in Miami nur mit diesen Monsterfrisuren? Ein Auge auf dem Haargebilde und dem hutzligen Püppchen darunter, drückte er den Knopf für sein Stockwerk und wich dann ins Innere des Lifts zurück, während die Frau ihr Fahrtziel wählte. Dann trat sie zur Seite, als Willy Barizon zu ihnen stieß. Ein, zwei Sekunden vergingen, bis er daran dachte, auch einen Knopf zu drücken, was Dave mehr oder minder bestä-tigte, daß der Hüne ihn abgepaßt hatte, um ihm auf sein Zim-mer zu folgen. Aber das Motiv blieb ihm schleierhaft. Kein

Cop, soviel war sicher. Ein Cop hätte ihn sich gleich unten in der Halle geschnappt. Aber warum auch? Verdacht des schweren Autodiebstahls? Als die Aufzugtür zuglitt, wandte Dave sich Willy Barizon zu und streckte ihm das Handgelenk mit der Uhr hin, die er am Nachmittag in Bal Harbor gekauft hatte.

«Siehst du diese Uhr, Mann?»

«Was?»

«Uhr. Ticktack. Das hier ist ein Breitling-Chronograph. Die beste Armbanduhr der Welt.»

Püppchen tat, als wäre er gar nicht da.

«Die Rolex-Dinger kannst du vergessen. Ich meine, die sind doch nur was für Typen im Film. Und für *National Geographic*. Das da. Das ist eine gottverdammte Qualitätsuhr. Hat mich fünftausend Dollar gekostet.»

«Und wenn?» knurrte Willy.

«Warte, Mann, ich bin noch nicht fertig. Willst du meine Brieftasche sehen?» Dave zog seine Brieftasche heraus und klappte sie auf. «Da, siehst du? Feinstes Leder. Ist das nicht toll? Und da stecken noch tausend Dollar in bar drin.»

«Sie haben sie ja nicht alle.»

Der Fahrstuhl gab ein *Ping* von sich, als er Püppchens Stockwerk erreichte.

«Also, wirklich», sagte sie und stöckelte behende hinaus. «Manche Leute haben einfach keine Kultur.»

«Da haben Sie recht, Lady», stimmte ihr Willy zu.

Dave steckte die Brieftasche in die Jackentasche seines Leinenanzugs zurück und zog, als die Tür sich wieder schloß, seinen neuen Füllhalter heraus.

«Dann ist da noch dieser Füller.»

«Scheiß auf dich und auf deinen verdammten Füller, Mann», sagte Willy und tätschelte instinktiv eine der beiden Waffen, die er unterm Hosenbund trug.

Daves knastgeschärfte Augen bemerkten die verräterische Beule sofort. «Ich erzähle dir das alles aus einem bestimmten Grund», erklärte er gelassen. «Ich erzähl's dir, damit du weißt, wie hoch ich deine verdammte Chance bei einem versuchten Raubüberfall auf mich einschätze.»

«Da liegt ein Irrtum vor, Delano. Wer sagt denn was von einem Scheißraubüberfall?»

Dave trat einen Schritt zurück. Dem Burschen fiel beim Reden fast die Zunge aus dem Mund. Dave hatte die Spucke auf seinem Gesicht gespürt wie Frühlingsregen. Er starrte auf die Zunge, für einen Moment fasziniert von deren Groteskheit. Positiv gesehen, erinnerte sie an das Cover, das Andy Warhol mal für eine Stones-Platte entworfen hatte. *Sticky Fingers*. Das Album befand sich noch in seiner Plattensammlung. Wenn seine Schwester es nicht verkauft hatte. Negativ betrachtet, sah die Zunge aus wie eine gräßliche rosa Qualle, die in einem Ring aus gelber Koralle hauste. Der Lift erreichte mit einem neuerlichen *Ping* Willys Stockwerk, aber der beachtete es gar nicht.

Der Kerl hatte ihn mit seinem Namen angesprochen. Er trug eine Knarre und war ihm in den Aufzug gefolgt. Was brauchte Dave mehr zu wissen? Er schraubte die Kappe von seinem Füller.

«Sind wir jetzt fertig mit der Besichtigung Ihrer Habseligkeiten?»

«Eine Sache noch», insistierte Dave. «Dieser Füller ist ein Mont-Blanc-Meisterstück. Er heißt Mont Blanc, weil einem die Vierzehn-Karat-Feder sagt, wie hoch der Mont Blanc ist, falls man's wissen möchte. Das ist der höchste Berg Frankreichs. Da, guck's dir mal an.» Dave hielt Willy den Füller unter die Nase.

«Viertausendachthundertundzehn Meter. Los, guck mal, weil ich dir den Füller nämlich als Geschenk verehren will.»

Willy guckte.

Ohne langes Zögern stach Dave dem Hünen die mitraförmige Feder des zigarrengroßen Füllers in den Augapfel, wobei sich eine Galaxie von kleinen Tintenspritzern auf Willys Gesicht, Hals und Hemdkragen absetzte.

Willy heulte vor Schmerz auf und preßte beide Hände auf das verletzte Auge, was Dave Gelegenheit gab, ihm eins auf jede Niere zu verpassen, als bearbeitete er den schweren Sandsack in der Gefängnisturnhalle. Er landete drei weitere Faustschläge und zum Abschluß noch einen tiefen Haken in Willys Eier, voll aus der Schulter und kaum weniger grausam, als hätte er Willy mit einer glühenden Zange Fleischfetzen herausgerissen. Die Aufzugtür öffnete sich mit einem Keuchen, das wie ein Echo des Lauts klang, der Willys deformiertem Mund entwich. Auf Knien zusammengekrümmt, eine Hand um seine Eier, die andere über dem Auge, wirkte Willy schon wesentlich kleiner und handhabbarer. Dave konnte sehen, daß keine Notwendigkeit bestand, ein weiteres Mal zuzuschlagen. Aber er hatte Fragen, auf die er Antworten brauchte. Also plazierte er die Ledersohle seines einen schicken Slippers in Willys Kreuz und katapultierte die ganze Gestalt in den Flur hinaus. Willy landete bäuchlings auf dem dicken Teppich, krachte mit dem Kopf gegen einen an der Wand montierten Feuerlöscher und verlor das Bewußtsein.

Dave hob seinen Füller vom Liftboden auf und trat rasch hinaus, ehe die Tür wieder zuging. Ein rascher Blick nach jeder Seite. Niemand in der Nähe. Er packte Willy an den Beinen und schleppte ihn durch den Flur zu seiner Suite.

Drinnen filzte Dave Willy mit aller Sorgfalt und erleichterte ihn um eine Ruger Security-Six, die in einem Hüftholster unter der Unterhose steckte und wohl hauptsächlich zu Showzwecken diente, sowie um eine kleinere, leiser aussehende 22er Automatic, die, unter einer Bauchbinde getragen, vermutlich als eigentliches Werkzeug fungierte. Der Führerschein, den er in der schweißgetränkten Brieftasche fand, war auf den Namen Willy Barizon ausgestellt. Den hatte Dave noch nie gehört. Ferner steckten da eine Mastercard, achtzig Dollar, ein Ticket des Sheraton-Parkservice, ein Bon von einem Imbiß in Hollywood und die Geschäftskarte einer Nutte mit der Vorwahlnummer 305: «Scharfe Blondine. Jung, schön, üppig. Ich mache Hausbesuche.» Auf der Rückseite stand in Handschrift ein Name. «Tia.» Dave schnippte die Karte in den Papierkorb.

«Willy wirst du wohl erst mal ein Weilchen nicht mehr besuchen», sagte er, eingedenk seines wuchtigen Schlags in die Eier des Hünen. Dave verschwand im Bad, kam mit den Bindegürteln der beiden Bademäntel wieder heraus, fesselte Willy die Hände hinter dem Rücken und verschnürte dann seine Fußgelenke. Er machte sich einen Drink und sammelte gerade an der Bar ein paar Streichholzbriefchen ein, als Willy stöhnend zum Leben zu erwachen begann. Dave setzte sich auf die Rückseiten von Willys Oberschenkeln, zu den Füßen gewandt, und machte sich daran, dem Hünen Schuhe und Strümpfe auszuziehen. Er drehte sich um und sagte:

«Na, wie geht's, Langer? Schon bereit für einen kleinen sokratischen Dialog? Das bedeutet, ich sag was, du sagst was, und ich gelange zu einem Schluß.» Dave warf Willys Socken angewidert von sich und nahm einen Schluck von seinem Drink. «Schon mal von Sokrates gehört, Langer? Das war ein griechischer Philosoph, der zum Tode verurteilt wurde, weil er die Jugend Athens verdarb. Das Ganze war natürlich vor der Erfindung des Fernsehens. Heute haben die Kids Kabel, also sind sie vermutlich bereits verdorben, stimmt's? Dieser Sokrates wurde dazu gebracht, den Schierlingsbecher zu nehmen. Schierling ist so eine Art Gift. Verwandt mit der Petersilie, nebenbei bemerkt, also Vorsicht beim Garnieren. Na, jedenfalls, als ich das gelesen habe, in einem Buch von einem gewissen Platon, hab ich mich gefragt, wie zum Teufel man jemanden dazu bringt, freiwillig Gift zu nehmen. Ich meine, sie haben ihn nicht auf eine Pritsche geschnallt, um ihm die Todesspritze zu geben, so wie sie's im Gefängnis machen. Nein, er saß einfach mit ein paar guten Freunden zusammen und hat das Zeug selbst getrunken. Ohne Scheiß. Und da hab ich mich gefragt, warum?»

«Schnauze», stöhnte Willy.

«Nun, wie ich herausgefunden habe, ließen einem die alten Griechen – gemeine Burschen – die Wahl zwischen zwei Möglichkeiten. Die eine war, sich selbst zu vergiften. Und weißt du, was die andere war? Jemand kam und folterte einen zu Tode. Und weißt du, wie? Er band einen fest und gab einem eine bestimmte Droge, die den Arsch entspannt. Amylnitrat oder irgendein damaliges Äquivalent vermutlich. Wie bei den Sado-Maso-Schwulen. Diese Kerle machen ja Sachen miteinander, die ich mir nicht mal vorstellen kann. Wenn der Scharfrichter meinte, daß man soweit war, steckte er einem den ganzen Arm in den Arsch, wie bei Robert Mapplethorpe, und schob ihn einfach immer weiter rauf, bis er das Herz zu fassen kriegte. Dann – und das war der raffinierteste Teil der Folter – quetschte er einem ganz langsam des Herz zusammen, wie einen verdammten Schwamm oder was. Kannst du dir das vorstellen? Das sind Schmerzen in der Brust! Dagegen ist ein Herzinfarkt ein Pappenstiel. Guter Gott. Die wahren Experten konnten es eine ganze Weile hinziehen, wie erfahrene Liebhaber. Und das – das war die Alternative zum Gift, ohne Scheiß. Ein tödlicher Faustfick. Kein Wunder, daß der olle Sokrates sich lieber selbst um die Ecke bringen wollte, oder?»

«Scheiße …»

«Du sagst es. Ein anderer Schriftsteller – von mir wirst du eine Menge literarischer Verweise zu hören kriegen, wenn du länger mit mir zusammen bist, Langer. Ich habe die letzten fünf Jahre nichts anderes gemacht, als zu lesen. Und zu trainieren. Aber das hast du ja wohl schon gemerkt. Sorry, daß ich so fest zuschlagen mußte. Aber du bist ein kräftiger Kerl, Langer. Na, jedenfalls, dieser andere Autor, ein gewisser Samuel Johnson, meint, daß die Aussicht, gehängt zu werden, erstaunlich konzentrationsfördernd sei. Und ich schätze, dasselbe gilt auch für die Folter.»

«Verpiß dich ... mein Auge ... ich sag gar nichts ... Drecksack ...»

Dave zog Willys Füße zu sich hin.

«Langer, Langer, mit deinen Füßen muß was passieren. Sportflechte, der schlimmste Fall, der mir je untergekommen ist. Trocknest du dich immer schön zwischen den Zehen ab? Solltest du nämlich, weißt du? Das ist wohl schon chronisch, würde ich sagen. Verflucht schwer loszuwerden. All diese Pilzmittelchen? Nützen meistens nichts. Aber ich weiß eine todsichere Methode, den winzigen Erreger auszurotten, der dieses mißverstandene Fußleiden verursacht. Ist eigentlich ein Geheimnis, aber einem wie dir verrate ich es gern, Langer.»

Dave drehte sich abermals um.

«Aber bevor ich das tue – gibt es da ein Geheimnis, das du mir verraten möchtest? Als kleine Gegenleistung? Vielleicht, wer dich geschickt hat und warum? Red mit mir, Langer. Und erzähl mir nicht, du suchst deine Velma, oder ich müßte annehmen, du willst mich verkohlen.»

«... wer ist Velma ...?»

«Du bist kein Chandler-Fan? Ein Jammer, Langer. Würde dir sicher gefallen. Nennt sich hard-boiled, die Art, wie er schreibt. Schön kaltschnäuzig, besser als schwitzfüßig, wie gewisse andre Leute. Also, was sagst du?»

Willy Barizon hustete unter Schmerzen. «Hören Sie,

Mister, das ist ein Irrtum. Ich weiß nichts. Mich schickt niemand. Mein Auge. Muß ein Irrtum sein.»

«Langer, du beleidigst meine Intelligenz. Und das kann meine Intelligenz gar nicht leiden. Sie reagiert überhaupt sehr empfindlich. Aber am allerempfindlichsten reagiert sie auf die Unterstellung, daß sie gar nicht da ist. Daß ich genauso dumm bin wie du.»

Dave begann, die Hotel-Streichholzbriefchen zwischen Willy Barizons feuchten, übelriechenden Zehen hindurchzuflechten, als habe er vor, dem Hünen die Zehennägel zu lakkieren.

«Igitt. Erinnere mich dran, mir die Hände zu waschen, wenn ich hier fertig bin.»

«Was haben Sie vor?»

«Was ich dir vorhin erklärt habe, Langer. Die todsichere Methode, die Sportflechte loszuwerden, klar? Fakt ist, man muß sie ausbrennen, Mann. Wie eine Wunde. Extreme Hitze tötet Infektionserreger. Das hier sind Streichholzbriefchen, Langer. Hast du schon mal ein ganzes Streichholzbriefchen brennen sehen? Das geht ab wie eine Leuchtkerze, Mann.»

«Hilfe», schrie der Hüne und zappelte verzweifelt. Aber Dave hielt schon ein Geschirrhandtuch von der Bar parat und stopfte es in Willy Barizons kotelettförmigen Mund.

«Langer? Langer? Halt die Klappe, okay? Wir kriegen sonst beide ein Riesenproblem. *Catch-22?* Erinnerst du dich? Ich meine, du kannst ja wohl kaum meine Fragen beantworten, wenn ich die ganze Zeit das Handtuch in deinem Picasso-Maul steckenlassen muß. Aber ich kann dich ja auch wohl kaum das ganze verdammte Hotel zusammenschreien lassen. Siehst du das Dilemma? Also, ich werd dir jetzt sagen, was ich tun werde. Dein Problem beruht zu einem guten Teil auf deiner mangelnden Phantasie, deiner Unfähigkeit, dir auszumalen, wie lichterloh so ein kleines Streichholzbriefchen brennen kann. Deshalb kannst du dir auch nicht vorstellen, wie schmerzhaft das für dich sein wird. Also werde ich dir eine kleine Kostprobe geben, auf die nettestmögliche Art und Weise. Und dann werde ich dieses Handtuch aus deinem Blasloch nehmen. Auf die Gefahr hin, mich zu wiederholen: Das ist der Punkt, an dem du besser anfangen solltest zu reden, weil ich sonst nämlich hier unten gebratenen Speck aus dir mache. Und jetzt zu meiner kleinen Demonstration.»

Dave stellte einen Aschenbecher vor Willy Barizons Gesicht. Dann zupfte er eins der Streichholzbriefchen zwischen Willys Zehen heraus, klappte es auf und zündete es mit dem silbernen Feuerzeug an, das er am Nachmittag im Porsche-Shop erstanden hatte. Der Deckel des Briefchens brannte zögernd an und erlosch dann wieder. Dave knipste das Feuerzeug ein zweites Mal an und hielt es erneut an das Briefchen. Diesmal fing der Deckel richtig Feuer, und eine Sekunde später entzündeten sich die Streichhölzer auf höchst spektakuläre Weise in einer Wolke aus beißendem blauem Rauch.

«Wow», griente Dave. «Das reinste olympische Feuer. Autsch. Ich finde, das sieht schmerzhaft aus. Was meinst du, Willy? Sieht das schmerzhaft aus?»

Willy nickte hektisch.

«Bist du jetzt bereit für unseren Dialog?»

Willy nickte wieder.

«Braver Junge.» Dave zog Willy das Handtuch aus dem Mund. «Also, wer hat dich geschickt und warum?»

«Tony Nudelli.»

Das verblüffte ihn.

«Tony? Warum? Was in aller Welt will der von mir?»

«Er wollte Sie daran erinnern, daß Sie den Mund halten sollen. Daß Sie nichts, was Sie wissen, rauslassen sollen.»

Stirnrunzelnd versuchte Dave, dieser Information einen Sinn abzuringen.

«Ich habe die letzten fünf Jahre im Knast damit verbracht, den Mund zu halten.» Er schüttelte den Kopf. «Das ist doch unlogisch.»

«Es stimmt aber, ich schwör's.»

«Und wie genau solltest du mich daran erinnern? Solltest du nur ein freundliches Wörtchen mit mir reden, oder solltest du mir die Notwendigkeit meines Schweigens an irgendeinem nicht lebensnotwendigen Teil meines Körpers spürbar demonstrieren?»

«Ich sollte Ihnen nur ein paar verpassen, weiter nichts. Vielleicht noch ein paar Finger brechen. Nichts Ernstes.»

«Ich hatte schon Mädchen, die das bestreiten würden, Willy.»

«Ist die reine Wahrheit, ich schwör's.»

«Halt mal kurz die Klappe. Ich muß nachdenken.»

Dave überdachte kurz, was Willy ihm da erzählt hatte. Es war schon möglich, daß Tony Nudelli genug Schiß vor dem hatte, was Dave wußte, um diesen Gorilla auszuschicken, auf dem er jetzt saß. Nur daß Tony zur Regelung solcher Angelegenheiten normalerweise nachhaltigere Mittel wählte als nur ein paar gebrochene Finger und eine aufgeschlagene Lippe. Dave wußte das aus eigener Anschauung. Aber als er noch ein bißchen gründlicher darüber nachdachte, kam ihm der Gedanke, daß es vielleicht einen Weg gab, die Situation zu seinem Vorteil zu wenden. Einen Weg, Tony seine Loyalität zu demonstrieren. Ein nützliches Präludium zu dem, was er vorhatte.

«Nein», sagte er langsam. «Das kaufe ich dir einfach nicht ab, Willy.»

«Hören Sie, Sie müssen mir glauben –»

«Warum sollte mich Tony kaltmachen wollen?»

«Das habe ich nicht gesagt. Ich sagte vermöbeln, nicht kaltmachen.»

«Nach fünf Jahren muß Tony doch klar sein, daß ich niemand bin, der hingeht und plaudert.»

«Hören Sie, ich bin nur der Laufbursche. Das wissen Sie doch. Ich bin nicht sein gottverdammter Psychoanalytiker. Ich weiß nicht, was in ihm vorgeht. Ich bin ihm noch einen Gefallen schuldig. So läuft das doch. Er sagt mir, ich soll das und das tun, und ich tu's und verlange keine große Erklärung. Ich werde dafür bezahlt, daß ich verdammt noch mal tu, was mir aufgetragen wird.»

«Weißt du, was ich glaube? Ich glaube, der Russe hat dich hergeschickt, um mich fertigzumachen.»

«Welcher Russe? Da ist kein Russe im Spiel.»

«Ich sag dir, was ich denke. Ich denke, Einstein Gergiev hat das Ganze hier eingefädelt. Ist es nicht so, Willy?»

«Nein, Mann.»

«Das ist schon wesentlich logischer. Der Russe. Wäre nur zu verständlich, daß du vor dem mehr Schiß hast als vor mir, selbst mit einem Stapel Streichholzbriefchen zwischen den Zehen. Ist ein ziemlich einschüchternder Typ, dieser Russe. Ich muß es wissen. Ich habe schließlich vier Jahre mit ihm in der Zelle gesessen. Nein, das kann nicht die Wahrheit sein, was du da sagst, Langer.»

Willy wand sich jetzt verzweifelt unter Dave. Sein Nacken und seine Ohren waren schon ganz rot vor Anstrengung.

«Hören Sie, Mann, ich weiß nichts von einem Scheißrussen. Ich kenne keinen Einstein Dingsbums. Es war Tony Nudelli. Ich schwör's. Heilige Muttergottes, ich schwör's.»

«Oooh, du bist Katholik, Langer?»

«Ja, bin ich.»

«Dann sag ich dir, was wir jetzt tun werden, Langer.» Dave stand auf und ging zum Nachttisch, in dessen Schublade er eine Gideon-Bibel fand. «Ich laß dich einen Eid auf die Bibel schwören.»

«Klar, alles, was Sie wollen. Wenn Sie mir nur glauben.»

Dave setzte sich auf Willys Rücken und schob ihm die Gideon-Bibel unter das mächtige Kinn.

«Also, sprich mir nach, Langer. Bei meiner Hoffnung auf die Auferstehung des Fleisches ...»

«Bei meiner Hoffnung auf die Auferstehung des Fleisches.»

«Und ein ewiges Leben in Jesus Christus ...»

«Und ein ewiges Leben in Jesus Christus.»

«Was ich da gerade gesagt habe, ist die Wahrheit, so wahr mir Gott helfe.»

«Was ich da gerade gesagt habe, ist die Wahrheit, so wahr mir Gott helfe.»

«Und jetzt küß die Bibel mit deinem Sabbermaul.»

Willy küßte die Bibel, bis sie spuckenaß war.

«Du bist doch hoffentlich nicht von Jesuiten erzogen worden», sagte Dave. «Nur diese Brüder waren so trickreich, eine Lehre zu erfinden, nach der sie A sagen und B denken und die Bibel küssen können, ohne böse Folgen befürchten zu müssen.»

«Nein, Mann, ich –»

«Okay, ich will dir glauben.» Dave stand wieder auf und nahm noch einen Schluck von seinem Drink. «In Ordnung. Ich binde dich jetzt los. Aber denk dran: Wenn du dich irgendwie undankbar zeigst, Langer, dann reduziere ich den Druck auf dein Gehirn. Indem ich dir ein Extrablasloch verpasse. Ist das klar?»

«Ja, ist klar.»

Dave band Willy los und trat zurück, während der Hüne sich langsam und mühevoll aufsetzte. Willy überprüfte seine Eier und preßte dann vorsichtig den einen Handballen auf das verletzte Auge. Mit dem unbeschadeten Auge sah er zu dem Mann am anderen Ende der Suite hinüber, der sich jetzt auf einem großen, cremefarbenen Sofa niederließ. Vor Delano auf dem Fußboden lagen, wie in der American-Express-Anzeige mit Jerry Seinfeld, die Früchte einer offenbar umfangreichen Shopping-Expedition: mehrere Paar Schuhe, stapelweise Hemden, T-Shirts, Pullover und Hosen sowie ein nagelneuer Laptop. Nichts Billiges in Sichtweite. Selbst die Suite, mit Seeblick und Balkon über die ganze Außenfront, sah nach drei- bis vierhundert Dollar pro Nacht aus.

«Was macht dein Auge?» fragte Dave.

«Tut weh.»

«Tut mir leid, Langer. Nimm dir ein Handtuch aus dem Bad und ein bißchen Eis aus dem Kühlschrank und mach dir eine kalte Kompresse. Müßte die Schwellung in Grenzen halten.»

«Danke, Mann.»

Willy holte sich das Eis. Er bedauerte das Ende des Eistransportgeschäfts mit seinem Vetter Tommy. Wenn das nicht passiert wäre, säße er jetzt nicht hier, mit einem womöglich nicht mehr zu rettenden Auge. Und vielleicht war er ja doch nicht so recht für die harten Jobs gemacht. Es mußte doch was Leichteres geben.

Als er Willy bei der Herstellung der Kompresse zusah, empfand Dave Mitleid mit dem Riesenkerl, obwohl er genau wußte, daß Willy ihm tatsächlich ohne jeden Skrupel die Finger gebrochen hätte.

«Sag Tony, ich bin sehr enttäuscht», sagte Dave und setzte dann gemeinerweise hinzu: «Wenn du ihn siehst.»

«*Wenn* ich ihn sehe», sagte Willy bitter. «Mein verdammtes Auge. Ich glaube, es ist blind.»

«Enttäuscht, aber nicht nachtragend. Sag ihm, trotz dieses kleinen Mißverständnisses sind wir immer noch Freunde. Sag ihm das. Vielleicht sogar künftige Geschäftspartner. Ja, sag Tony, ich habe ihm einen geschäftlichen Vorschlag zu unterbreiten. Die Chance, ganz groß abzusahnen. Das sollte ihn wohl beruhigen … Sag ihm, ich melde mich über Jimmy Figaro.»

Willy nahm die Magnum an sich und steckte sie in den Gürtelclip unter seiner Hose. Er sah sich nach der 22er um, ehe ihm wieder einfiel, daß Delano sie ja in seiner Tasche hatte. Dave erriet, was er suchte, nahm die Waffe heraus und wog sie in der Hand.

«Die hier werde ich erst mal behalten», sagte er. «Erste Grundregel der Selbstverteidigung. Beschaff dir eine Waffe.»

«Kann ich jetzt gehen?» Willy klang zerknirscht. Zerknirscht und beunruhigt. «Ich will in ein Krankenhaus.»

«Sicher, aber hast du nicht noch was vergessen?» Dave deutete mit einem Nicken auf Willys bloße Füße und die Streichholzbriefchen zwischen seinen Zehen. «Deine Latschen, Mann.»

Willy pflückte die Streichholzbriefchen heraus.

«Ich hätt Sie nicht für so 'nen zweiten Dennis Hopper gehalten, Mann», sagte Willy kopfschüttelnd. «In den Klamotten da sehen Sie nicht gerade wie ein harter Bursche aus. Mehr wie ein Collegebubi.»

«Nicht immer verkündigt die Tracht den Mann», sagte Dave. «Aber du hättest mich mal heute morgen um acht sehen sollen.»

Willy steckte eins der Streichholzbriefchen ein.

«Souvenir», sagte er. «Ich sammle die Dinger.»

«Das da sollte dir ein besonderes Erinnerungsstück sein», sagte Dave.

«Hätten Sie's wirklich gemacht? Mir die Zehen abgefakkelt?»

Dave zuckte die Achseln.

«Soll ich dir was sagen, Langer? Das hab ich mich auch schon gefragt.»

**6**

Special Agent Kate Furey starrte aus dem Fenster des Konferenzraums im dritten Stock des FBI-Hauptquartiers und unterdrückte ein tiefes Gähnen, als ihr Boß, Assistant Special Agent in Charge Kent Bowen, seine Story zu erzählen begann. Es war eine dieser unerfreulichen, brutalen Geschichten, die ihre männlichen Kollegen so zu ergötzen schienen. Die meisten in der Runde grinsten bereits, da alle wußten, die Geschichte drehte sich darum, wie Bolivar Suarez, Vetter des kolumbianischen Botschafters und einer der größten Drogenbosse von Miami, am Vorabend ein frühes Ende gefunden hatte.

«Ihr solltet mal sehen, wie dieses Arschloch gewohnt hat, in Delray Beach. Ein Siebentausend-Quadratmeter-Grundstück direkt am Meer. Und das Haus ist wie so ein Anwesen aus James Bond. Kriegsschiffgrau, tausend Quadratmeter, sieht aus wie das Guggenheim Museum in New York. Aber innen drin ist es ein gottverdammter Palast. Marmorböden, Mahagonitüren und -fenster, Art-déco-Lampen aus Paris. Ihr könnt's euch vorstellen. Leben im sonnigen Florida für schlaffe zehn Millionen.

Na, jedenfalls, die Sache lief so. Arschloch liebt Kunst, auf die großkotzige Art und Weise. Bilder, wohin man guckt. Er muß ein paar von diesen New Yorker Galerien ganz allein über Wasser gehalten haben. Modernes Zeug, aber kein Mist, okay? Ich meine, ich verstehe einen Dreck von Kunst, aber selbst ich konnte sehen, daß ein paar von den Malern wirklich was loshatten. Ein Haufen schottisches Zeug aus Glasgow, was mir natürlich gefallen hat. Arschloch hat wahrscheinlich gedacht, Glasgow ist eine Firma für Sicherheitsglas. Und lauter Sachen aus Südamerika. Das hat ihm vermutlich eher was gesagt. Frida Kahlo. Diego Rivera. Was weiß ich was alles. Arschloch hatte die Dinger in solchen Rahmen mit kleinen Lämpchen drin. Ziemlich extravagant. Als hätte er nicht einfach einen ordinären Nagel in die Wand hauen können. Die Bilder hingen da, als ob er sie immer im Blick haben müßte, wie ein gottverdammter Museumswächter. Angeblich soll er das Kindermädchen zusammengeschlagen haben, als sie mal aus Versehen eins der Bilder gestreift hat. Und wenn ich sage, zusammengeschlagen, meine ich das auch so. Anscheinend hat er ihre Hände mit einem von diesen Romitron-Totschlägern bearbeitet – ihr wißt schon, so eine Art gefüllte Plastikfußkugel? Hat sie fast zum Krüppel geschlagen. An diese Bilder rührt niemand, außer Arschloch persönlich.»

Vom Hauptquartier in der Nordwestlichen Second Avenue waren es nur ein paar Autominuten in östlicher Richtung bis zu Kates Wohnung auf William's Island. Zumindest war es noch ihre Wohnung, bis das Scheidungsurteil erging. Howard, ihr Mann und Sozius einer der nobelsten Anwaltskanzleien von Miami, hatte fast neunhunderttausend Dollar in die Wohnung investiert. Ihre Anwälte hatten ihr erklärt, es gebe eine Chance, daß sie die Wohnung im Zuge der Abfindungsregelung behalten könne, aber ihr schien es ungerecht, wenn ihm nicht mindestens die Hälfte zugesprochen würde. Außerdem wollte sie eigentlich sowieso nicht dort bleiben, in Anbetracht all der Kanzleigehilfinnen, die Howard in diesen vier Wänden gevögelt hatte, wenn sie, wie heute, Überstunden hatte machen müssen.

«Diese Information muß irgendwie zu jemandem aus einem der anderen Kartelle durchgedrungen sein», fuhr Bowen jetzt fort, wobei er ein Auge auf Kate hielt. «Jemandem, der Arschloch aus der Welt haben wollte. Da ist die Auswahl wahrhaft groß genug. Na, jedenfalls, wer immer es war, hat es wirklich clever angestellt. Hat die ganze Sache eingefädelt, während Arschloch daheim in Bogotá war. Das Haus in Delray war zur Highway-Seite hin gut gesichert. Kameras, Sensoren, das ganze Security-Paket. Aber zur Seeseite hin war nicht viel. Als hätte der Trottel noch nie was von Booten gehört. Okay, Coast-Guard-Patrouille sieben berichtet, daß sie in der Nacht bevor Arschloch dran glauben mußte, so ein superschnelles Motorboot ein paar Meilen küstenaufwärts, vor dem öffentlichen Strand, gesichtet haben. Das Ding hat dort geankert, und Sam Brockman nimmt an, daß sie einen Taucher ausgesetzt haben, der dann im Schutz der Dunkelheit bei Suarez' Haus an Land gekrabbelt ist. Auf der Seeseite war nur ein Wächter, und der sagt, er hat nichts gesehen. Kate?»

Vor allem von ihr wollte Kent Bowen Aufmerksamkeit und Bestätigung. Sie war eines der fähigsten Mitglieder des Einsatzbüros von Miami und mit Sicherheit eins der hübschesten, und er hatte ein Faible für sie. Sie riß sich zusammen und konzentrierte sich wieder auf Bowen und seine unendliche Geschichte.

«Und jetzt kommt das Cleverste an der Sache», verkündete er. «Der Kerl steigt in das Haus ein. Ein echter Profi. Er sucht sich ein Bild aus – keine Ahnung, was es für eins war –, nimmt es ab und pappt etwa ein halbes Pfund C5-Plastiksprengstoff flach hintendrauf. Dann befestigt er mit Klebeband einen simplen Neigungszünder innen an der Rahmenleiste. Einfach nur ein Reagenzglas mit einer Metallkugel, zwei Nadeln, einer kleinen Batterie und einer Zündkapsel. Fertig ist die Bombe. Schlicht und elegant. Exzellente Arbeit. Er läßt das Bild leicht schief hängen und macht sich davon. Bis Arschloch aus Kolumbien zurückkommt, ist er längst über alle Berge.» Bowen schüttelte den Kopf, als staunte er noch immer über den Erfindungsreichtum des Mörders. «Wie üblich werden die Schnüffelhunde zuerst reingeschickt, aber sie wittern keinen Sprengstoff, weil das Bild etwa anderthalb Meter überm Boden hängt. Arschloch spaziert rein und sieht, daß das Bild so schief hängt wie Quasimodos Schwanz. Und penibel, wie er ist, geht er sofort hin, um es geradezuhängen.»

Bowen lehnt sich mit einem sadistischen Grinsen zurück, um den Höhepunkt seiner Geschichte voll auszukosten.

«Die Kugel rollt das Röhrchen entlang, berührt beide Nadelspitzen, schließt den Stromkreis, und krawumm! reißt es dem Kerl den Kopf ab.»

Kate begegnete Bowens Blick und lächelte matt, während er und die übrigen Männer im Raum eine neue Lachsalve losließen.

«Die Spurensicherung hat eine Dreiviertelstunde damit zugebracht, Bolivars Kopf zu suchen. Sie dachten schon, einer von diesen Kolumbianern hätte ihn als Souvenir abgeschleppt, bis sie ihn schließlich in dem verflixten Aquarium fanden. Die Wucht der Explosion hatte ihn quer durch den Raum katapultiert, wie einen Basketball.» Bowen mimte einen Korbwurf. «Feldkorb, zwei Punkte.»

Er gluckste jetzt ebenfalls und wischte sich eine Träne aus dem Auge, ehe ihm das nächste Bonmot einfiel.

«Da sieht man, daß Kunst durchaus eine gewisse Sprengkraft besitzt.»

Bowen wieherte los und griff sich ein Glas Wasser, als hätte er gerade eine richtig komische Anekdote bei Jay Leno vom Stapel gelassen. Um die fünfzig und mit beginnender Glatze, erinnerte er Kate stark an Colonel Kilgore aus *Apocalypse Now*. Er demonstrierte dieselbe eiskalte Härte dem Feind und dieselbe väterliche Liebe seinen eigenen Leuten gegenüber. Sobald sie den Mund aufmachte, fühlte sie sich wie der Bursche, der bei Kilgores Beach-Party nicht mit surfen wollte.

«Bolivar Suarez' Tod –», hob sie an.

«Hey, was lehrt uns Suarez' Tod?» fragte Bowen grienend. «Aquaristik mit Köpfchen.»

«Da sein Tod ja wohl bedeutet, daß Rocky Envigado jetzt der unumschränkte Citizen Cocaine von Miami ist», insistierte sie, «brauchen wir den Täter doch vermutlich nur in dieser Ecke zu suchen.»

«Und daß moderne Kunst doch vor allem über den Kopf wirkt», sagte jemand anders, und Bowen mühte sich, angesichts der eher sachlichen Herangehensweise von Special Agent Furey seine Gesichtszüge unter Kontrolle zu halten.

«Citizen Cocaine», wiederhole Bowen. «Das gefällt mir. Sind Sie da selbst drauf gekommen?»

«Nein, ich glaube, ich habe es in einer britischen Zeitung gelesen», erklärte sie, wohl wissend, daß sie es durchaus für ihre eigene Kreation hätte ausgeben können. Manchmal war sie einfach zu ehrlich, selbst nach FBI-Standards. «Als ich letztes Jahr im Urlaub drüben war.»

Das erste und einzige Mal, daß sie außerhalb der Staaten gewesen war, und das letzte Mal, daß sie und Howard ein paar schöne Tage miteinander gehabt hatten. Und doch war es nur teilweise Urlaub gewesen. Hauptzweck ihrer Reise nach London und Paris war der Besuch britischer und französischer Polizeibehörden gewesen, denen die derzeit aus Kolumbien über Florida nach Europa gelangenden Kokainmengen Sorgen bereiteten. Doch im Vergleich zu Miami war es ihr wie Urlaub vorgekommen.

«Sorry», sagte sie. «Ich meine, als ich beim NCIS und bei Interpol war.»

«Aha», griente Bowen. «Jetzt kommt endlich die Wahrheit heraus, Agent Furey. Sie haben sich auf Kosten des amerikanischen Steuerzahlers eine schöne Zeit gemacht.»

Kate lächelte höflich und hoffte, daß die Besprechung endlich weitergehen könne. Sie diente dem Austausch neuer Erkenntnisse über Drogenschmuggler, die Südflorida als Umschlagplatz benutzten. Der Weitergabe von Informationen anderer in- und ausländischer Ermittlungsorgane. Jetzt, da Kent Bowen seine Geschichte losgeworden war, konnte sie auf den Tisch packen, was sie wußte, und dann vielleicht endlich heimfahren und sich in die Wanne legen. Es war ein langer Tag gewesen.

«Ich habe heute mit Peter van der Velden zu Mittag gegessen und –»

«Wie geht's dem ollen Dutch?»

Van der Velden war Kriminalinspektor beim niederländischen BVD und derzeit für zwei Jahre als Verbindungsmann ans niederländische Konsulat in Miami abgestellt.

«Gut.»

«War es ein nettes Lokal?»

«Keine Bange, er hat bezahlt.»

«Ich wette, ich weiß, wo Sie waren. In diesem einen Restaurant in Coral Gables. Le Festival. Dutch liebt diesen Schuppen.»

«Le Festival, ja.» Sie spürte, wie sie bei diesem zögernden Eingeständnis ein wenig rot wurde.

«Ist das gut?» Das war Special Agent Chris Ochoa, ein Halbkubaner, der einen Arm in der Schlinge trug.

«Ausgezeichnet», sagte Bowen. «Die besten Soufflés der ganzen Stadt.» Er wackelte vielsagend mit den Augenbrauen und setzte hinzu: «Und außerdem ziemlich romantisch.»

«Ist mir nicht aufgefallen», sagte Kate.

«Nein?»

Jemand lachte spöttisch.

Kate sah Bowen direkt in die Augen. Sie wußte, im Einsatzbüro wurde allgemein vermutet, sie habe eine Affäre mit Peter van der Velden. Jedes Jahr einmal taten sich die Verbindungsleute an den verschiedenen Konsulaten von Miami zusammen, um eine Party im Doubletree Hotel in Coconut Grove zu veranstalten. Die letzte war erst zwei oder drei Monate her, und man hatte Kate mit dem niederländischen Polizeibeamten von dort weggehen sehen, nachdem sie fast eine Stunde allein mit ihm geredet hatte.

«Ich schätze, da ist etwas, was ich aufklären sollte», sagte sie mit einem kühlen Lächeln. «Ein kleines Mißverständnis, das hier allgemein herrscht. Nur fürs Protokoll: Ich schlafe nicht mit Peter van der Velden. Ich habe auch nie mit ihm geschlafen. Und ich habe nicht die leiseste Absicht, je mit ihm zu schlafen. Ferner diente unser Lunch-Termin keinem Versuch seinerseits, mich doch noch aufs Kreuz zu legen, sondern vielmehr dem Bestreben, uns im Geiste der Verständigung und Kooperation an einen Tisch zu setzen, um gemeinsam ein paar Großdrogenschmuggler und Verbrecher aufs Kreuz zu legen. Habe ich mich klar ausgedrückt?» Sie sah von einem Ende des Tischs zum anderen. Einen Moment lang sagte niemand etwas.

«Haben das alle mitgekriegt?» fragte Bowen. «Okay, Kate, soweit zu Ihrer Klarstellung. Was wollten Sie uns von van der Velden erzählen, ehe Sie unterbrochen wurden?»

«Nur eine Kleinigkeit», sagte sie, erfreut, daß offenbar niemand im Raum etwas von ihrem sporadischen Verhältnis mit dem britischen Verbindungsmann Nick Hemmings spitzgekriegt hatte. «Peters Informanten haben ihm mitgeteilt, daß sie eine große Lieferung von Rocky Envigado erwarten. Und jetzt aufgepaßt. Sie soll wieder von Mallorca kommen.»

«Was heißt?» fragte Bowen stirnrunzelnd.

Kate holte tief Luft.

«Was heißt, daß uns das Zeug das letzte Mal durch die Lappen gegangen ist.»

«Na ja, wenn es uns durch die Lappen gegangen ist, dann doch wohl der spanischen und niederländischen Polizei ebenso», sagte Ochoa. «Wir haben dieses verdammte Boot von oben bis unten durchsucht. Da war nichts.»

«Vielleicht hat Rocky ja eine neue Methode entdeckt, den Stoff zu transportieren», sagte Bowen. «Eine, von der wir nichts wissen.»

«Vielleicht per Internet», meinte ein anderer Beamter. «Das scheint doch im Moment der große Knüller zu sein.»

«Ich möchte, daß wir die Sache wissenschaftlich angehen», sagte Owen. «Quantico. National Crime Information Center. Die Smithsonian Institution. Zurückliegende Jahrgänge des *Law Enforcement Bulletin*, wenn es sein muß. Bei all den Ressourcen, über die wir verfügen, sollten wir doch wohl auf die eine oder andere Idee kommen.»

Bowen erhob sich und versuchte, beflügelnd auf seine Leute zu wirken. Das schien auch ganz gut zu klappen, bis er Kates zweifelndem Blick begegnete.

«Irgendein Problem, Kate?»

«Es könnte doch sein, daß da letztes Mal wirklich nichts war. Daß diese erste Fahrt nur dazu dienen sollte, uns zu blamieren. Vielleicht denkt er ja, nach diesem Debakel lassen wir ihn in Ruhe. Aber in jedem Fall sollten wir doch wohl erst mal versuchen, das Boot ausfindig zu machen, bevor wir irgendwas unternehmen, oder?»

«Aber natürlich, das versteht sich doch von selbst.» Er legte Kate bemüht onkelhaft die Hand auf die Schulter. «Übernehmen Sie das Landekommando, Mister Spock. Ich will Antworten.»

Kate fuhr in ihrem weißen Sebring nach Hause, mixte sich einen Rumpunsch, trank ihn, während sie die Wanne vollaufen ließ, und machte sich dann einen weiteren, ehe sie in das heiße Bad stieg. Das Badfenster ging auf die große Terrasse hinaus, und sie ließ das Rouleau oben, damit sie über den Waterway zu den blinkenden Lichtern von Miami Riviera hinüberschauen konnte. Es war eine große, eingelassene

Whirlpool-Wanne, so ziemlich ihr Lieblingsplätzchen in der ganzen Wohnung. Nach ihrem Einzug hatten Howard und sie ein paarmal gemeinsam darin gebadet. Aber normalerweise duschte er lieber, und wenn er schon mal in die Wanne stieg, wollte er sie eigentlich für sich allein haben. Nach einer Weile hatte sie sich an den Gedanken gewöhnt, daß er ihre ausgedehnten Bade-Sessions nutzte, um im Bett zu liegen und den Playboy-Kabelkanal zu gucken. Natürlich hatte er das nicht zugegeben und sofort zu Letterman oder Leno umgeschaltet, wenn sie ins Zimmer gekommen war. Nicht, daß ihr sein Zeitvertreib viel ausgemacht hätte. Aber was sie wirklich erstaunt und geärgert hatte, war, daß er offensichtlich glaubte, einfach ein neues Programm – und noch dazu dieses – abonnieren zu können, ohne daß sie es mitkriegte. Sie war beim FBI, verdammt noch mal. Sachen mitzukriegen war ihr Job.

Natürlich hatte sie auch seine Affären fast sofort bemerkt. Sie hatte gehofft, es würde sich geben. Solange sie es nur mitkriegte und nichts abkriegte. Doch was sie schließlich zur Tat getrieben hatte, war nicht Eifersucht gewesen und noch nicht mal ihre Liebe zu Howard, sondern vielmehr, wie auch bei der Sache mit dem Playboy-Kanal, der Ärger darüber, daß er sie für dumm genug hielt, ihm seine Lügen und Ausflüchte abzukaufen. Sie war hier der brillante Kopf, nicht er. Während sie ihr Jurastudium an der Universität von Florida in Gainsville als Zweitbeste ihres Jahrgangs mit einem Prädikatsexamen abgeschlossen hatte, war ihr zukünftiger Ehemann nur mit Mühe unter die ersten fünfzig gelangt, und trotzdem bildete sich dieser Mistkerl ein, sie verscheißern zu können, als wäre sie irgendeine dumme kleine Servierin aus Oklahoma.

Kate hatte sich im Einsatzbüro ein paar Observierungsgerätschaften ausgeborgt, um hör- und sichtbare Beweise für

Howards Untreue zu sammeln, und sie hatte ihn dabei ertappt, wie er die Golftrainerin aus dem nahegelegenen Turnberry Isle Country Club vögelte. Das war schon schlimm genug. Golf war so ein stupides Spiel. Aber was einen wirklich ärgerte, waren die Kleinigkeiten, und sie hatte mit Entsetzen feststellen müssen, daß Howards Golfpartnerin das Verhütungsgel aus ihrem, Kates, Badezimmerschränkchen für die gemeinsamen Einlochübungen benutzte. Also hatte sie mit Hilfe einer Freundin und nach einer längeren Versuchsserie das Gel in der Tube gegen eine ebenso transparente und ähnlich duftende Sorte Muskelbalsam ausgetauscht – ein hochgradig durchblutungsförderndes Präparat, das ausdrücklich nicht für die Anwendung auf empfindlichen Körperpartien bestimmt war. Und schon gar nicht auf den Partien, die Kate im Sinn hatte. Noch jetzt, Monate später, brauchte sie nur an ihre Tonbandaufnahme von den Brunftschreien der beiden während dieses hitzigsten aller Schäferstündchen zu denken, um sofort laut loszulachen. Nichts brennt so heiß wie die Liebe, von der die rachsüchtige Gattin weiß.

Irgendwie hatte sich Kate nie als den Typ der verbitterten, betrogenen Ehefrau gesehen. Mit ihrem schönen Gesicht, ihrem ausgeprägten Sinn für Kunst, Literatur und Musik, von ihrer ausgeprägten Phantasie ganz zu schweigen, hatte sie sich immer eher für den romantischen Typ gehalten. Im nachhinein mochte das vielleicht merkwürdig klingen, aber deshalb war sie überhaupt zum FBI gegangen und nicht zu einer stinklangweiligen City-Anwaltskanzlei. Sie hatte Action und Aufregung gewollt und gelegentlich auch eine Prise Gefahr. Aber das Riskanteste, was sie seit längerem getan hatte, war, die Betätigung des Sicherheitshebels ihrer Lady Smith & Wesson zu vergessen, und was die Notwendigkeit einer Waffe anging, so hätte sie auch eine Hutnadel bei sich tragen können. In der Hoffnung, einen Auslandsposten – etwa in Bogotá, Caracas, Lima oder Mexico City – ergattern zu können, hatte sie angefangen, Spanisch zu lernen. Im Moment aber blieb ihr nichts anderes, als aufs Meer hinaus zu starren und vom großen Abenteuer zu träumen.

Alle waren sich einig, daß Al Cornaros Gattin Madonna eine außergewöhnliche Frau war. Nicht, daß sie besonders schön gewesen wäre; es wunderte einfach nur alle, daß Al ausgerechnet sie geheiratet hatte. Die meisten von Tony Nudellis Leuten nannten Kunstblondinen mit Mini-IQs und Modemagazinbildung ihr eigen. Weniger Trophäen- als Trostpreisfrauen, waren sie von der Sorte, die besser mit einem Augenbrauenstift als mit einem Füllfederhalter umzugehen weiß und für die mündliche Kommunikationsfähigkeit gleichbedeutend mit «versteht sich auf Blow-Jobs» ist. Was Madonna so anders machte, waren ihre Intelligenz, ihre Scharfzüngigkeit, ihre völlige Gleichgültigkeit, ihr Äußeres betreffend, und die Größe ihrer Titten. Die Titten waren echt; um das zu erkennen, brauchte man nur Madonnas restliche Person zu betrachten. Sie hingen über ihre Taille wie grobe Vorstudien für die Köpfe von Washington und Jefferson am Mount Rushmore, und verstärkt wurde dieser Monumentalcharakter noch durch Madonnas Abneigung gegen Büstenhalter – wie übrigens gegen jede Form von Unterwäsche – sowie durch die erst kürzlich erfolgte Geburt ihres vierten Sohnes, Al junior. Al senior liebte seine Frau, aber das hielt ihn nicht davon ab, um Tony Nudellis Belustigung willen Witze über sie zu reißen. Für Tonys Belustigung zu sorgen gehörte nun mal zu seinen zentralen Aufgaben als dessen Geschäftsführer. Tony bei Laune und die Geschäfte am Laufen zu halten. Colonel

Tom Parker mit Witz und Waffe. Heute drehte sich der geschäftliche Teil unter anderem um Dave Delano, aber Al wollte zuerst sicherstellen, daß Tony versöhnlicherer Stimmung war als gestern, da er ihm hatte mitteilen müssen, daß Willy Four Breakfasts die Sache vermasselt hatte und jetzt im städtischen Krankenhaus von Miami Beach lag und an einer schweren Augenverletzung laborierte, die er seinem designierten Opfer verdankte.

Es war kurz vor zehn, als Al bei Nudellis Luxusvilla im Herzen von Key Biscayne ankam. Er erkannte das rote Porsche-Kabriolett, das in der Einfahrt stand, und lenkte seinen Schritt instinktiv zu der Sechshundert-Quadratmeter-Poolhalle. Er wußte, sein Boß, ein eifriger Schwimmer, ertüchtigte sich gerade in dem Zwanzig-Meter-Becken, unter der persönlichen Obhut seiner Privattrainerin Sindy, ehemals Bademeisterin im Wet n'Wild in Orlando. Al freute sich immer, Sindy zu sehen, nicht zuletzt deshalb, weil sie meistens nackt war und es daher eine Menge zu sehen gab. Er selbst war Nichtschwimmer, aber es konnte einen schon fast reizen, trotzdem ins Wasser zu steigen, nur um von Sindy auf ihre spezielle Art zum Lernen ermutigt zu werden. Sie pflegte immer mal wieder einen anmutigen Kopfsprung von den Granitplatten zu machen und Tony unter Wasser zu verfolgen wie ein schnittiger dunkler Delphin, um dann unter ihn zu gleiten und seinen Penis zu beknabbern. Die meisten Leute glaubten, der Spitzname Naked Tony bezöge sich auf den Nachnamen Nudelli, aber Al wußte es besser. Er wußte, er bezog sich vor allem auf das, was Tony und Sindy im Pool trieben. Sindy hatte Al erzählt, sie habe die Idee aus einem Buch über die römischen Kaiser, insbesondere aus dem Kapitel über Tiberius. Al war kein großer Leser vor dem Herrn, aber in dieses Buch hatte er denn doch reinschauen müssen, und diese Römer waren tatsächlich so verderbt gewesen, wie Sindy sagte. Sindy war groß, schwarz und schön, und Al kriegte schon einen Steifen, wenn er sie nur ansah. Tony nannte sie seinen Engel-hai.

Al betrat die Poolhalle.

«Morgen, Al», sagte Sindy lächelnd.

«Morgen, Sindy.»

So ziemlich das erste, worauf Tony guckte, nachdem er Sindys Schamhaar und ihre Titten gemustert hatte, war ihr Orangensaftglas. Tony schwamm keine bestimmte Anzahl Bahnen und auch keine fixe Zeitspanne, sondern nur so lange, wie Sindy brauchte, um ihm einen abzulutschen. Wenn Sindy Orangensaft trank, bedeutete das, daß sie und Tony fertig waren.

«Party schon vorbei?»

Sindy prostete Al stumm mit dem halbvollen Glas Oran-gensaft zu und nippte dann neckisch daran. Al wandte den Blick nicht von ihren Lippen.

«Auch mal kosten?» sagte sie und streckte ihm das Glas hin.

«Äh, nein danke, äh, Sindy.»

Nie und nimmer würde Al seine Lippen diesem Glas auch nur nähern, nach dem, was ihr Mund gerade gemacht hatte.

«Sicher? Ist ... frisch gepreßt, wenn Sie verstehen, was ich meine.»

«Klar. Ich äh ... habe nur gerade gefrühstückt.»

«Hmm. Ich auch.» Sindy schluckte versonnen. «Ziemlich üppig sogar. Tony nimmt garantiert Zink oder so was.» Sindy kicherte ob seiner offensichtlichen Verlegenheit, tippte ihm mit einer ihrer langen, blutroten Fingernägel auf die Nase und rief in Richtung des erschöpft wirkenden Mannes, der jetzt langsam zum Beckenrand kraulte: «Okay, Schätzchen, ich geh dann jetzt. Alles in Ordnung? Soll ich dir behilflich sein?»

«Alles bestens. Und du warst mir schon behilflich genug. Danke, Baby. Ich ruf dich an.»

«Bis dann.»

Al verfolgte Sindys nackten Hintern bis zu den Umkleidekabinen und schüttelte in stummer Verzweiflung den Kopf.

«Ich sollte doch schwimmen lernen», sagte er.

«Du sagst es, Mary Joe.»

Immer, wenn es darum ging, daß Al nicht schwimmen konnte, nannte ihn Tony ‹Mary Joe›, nach Mary Joe Kopechnie, dem Mädchen, das damals, im Gegensatz zu Ted Kennedy, bei Chappaquiddick ertrunken war. ‹Mary Joe› oder manchmal auch einfach nur ‹Pussy›.

Nudelli tauchte langsam zur Poolleiter. Al mußte zugeben, daß Tony für einen Mann seines Alters wirklich gut aussah. Er hatte breite Schultern und einen mächtigen Brustkasten, und sein immer noch volles Haar schimmerte in einem Silbergrau à la Cary Grant. Tony liebte diesen Vergleich.

«Geben Sie mir mal den Bademantel da, Al?» sagte Nudelli, der jetzt aufgetaucht war und die Leiter erklomm.

Und gut bestückt war er auch, dachte Al. Wie ein Pferd. Sindys Job schien wirklich ausfüllend zu sein. Für einen alten Knaben war Tony zweifellos gut drauf. Al nahm einen Frotteebademantel von der Lehne eines weißen Rattansessels und hielt ihn ihm hin. Nudelli schlüpfte hinein. Im Hinsetzen nickte er zur Bar hinüber.

«Holen Sie sich was zum Frühstück, wenn Sie möchten», sagte Nudelli, während er seine Brille aufsetzte und sich eine dicke Cohiba aus dem Rosenholzhumidor auf dem Gravurglastisch nahm. «Da ist Obst und Kaffee und alles mögliche Zeug.»

«Danke, ich hab mein Frühstück schon hinter mir.» Al lachte, als ihm die Geschichte einfiel, die er sich zu Tonys Unterhaltung zurechtgelegt hatte.

«Keinen Kaffee?»

«Doch, Kaffee schon, danke. Ich hol uns welchen.» Al ging zur Bar hinüber, nahm die Kanne von der Wärmeplatte und goß zwei Becher voll. «Und was für ein Frühstück», sagte er, als er mit dem Kaffee zurückkam. «Das verrückteste Frühstück, das ich in meinem ganzen verdammten Leben vorgesetzt gekriegt habe. Das Zeug in Holland eingeschlossen.»

Nudelli rauchte seine Zigarre an und schnippte das Streichholz in den Pool, im Vertrauen darauf, daß der Poolwärter es später herausfischen würde.

«Wieso?»

«Seit ich klein war, muß ich zum Frühstück meine Schüssel Wheaties haben.»

«Ich weiß», sagte Nudelli. «Als wir letztes Jahr in Vegas waren, haben Sie deswegen einen Mordszirkus gemacht.»

«Das Frühstück der Champions.»

«Kommen Sie mir nicht mit diesem Mist. Wenn ich eins am Morgen gar nicht vertragen kann, dann ist es ein Werbeslogan. Das ist, wie wenn man eine Kackwurst im Klo vorfindet.»

«Also, heute morgen komme ich in die Küche, und Madonna und die Kinder sind schon unten, und es ist, na ja, Sie wissen ja, ein einziges gottverdammtes Chaos, okay? Und ich will weiter nichts als meine Schüssel Wheaties verdrücken und machen, daß ich wegkomme, eh mich noch der Schlag trifft, von dem ganzen verfluchten Krach. Na, jedenfalls, ich nehme mir die Wheaties und setz mich an den Tisch und guck mich um, nach der Milch, und da ist die Flasche leer. Macht ja nichts. Ich seh ja, daß sie alle Hände voll zu tun hat, mit dem Kleinen und allem. Bricht mir ja keinen Zacken aus der Krone, wenn ich mir meine gottverdammte Milch selber aus dem Kühlschrank nehme. Aber im Kühlschrank ist leider auch keine, also fang ich an zu fluchen. Was ist los? sagt sie. Daß die verdammte Milch alle ist und ich keine für meine Wheaties habe, das ist los, sage ich. Tut mir leid, Schatz, sagt sie, ist wohl keine mehr da. Die Kinder trinken sie weg, als ob sie noch nie was von Coca-Cola gehört hätten, ist ja auch gut so, wegen dem Kalzium. Daß keine da ist, seh ich selber, sage ich, aber was soll ich jetzt machen? Du weißt doch, es verdirbt mir den ganzen Tag, wenn ich ohne meine Schüssel Wheaties im Bauch aus dem Haus muß. Und wissen Sie, was sie da gemacht hat?»

«Ich bin gespannt.»

«Sie spaziert da in der Küche rum, den Kleinen an der Brust, okay?»

«Du grüne Neune, wenn ich so was sehen will, gehe ich in den Zoo.»

«Im nächsten Moment zieht sie dem Kleinen die Titte aus dem Mund, beugt sich über meine Schulter und spritzt mir eine ordentliche Ladung Milch auf meine verflixten Wheaties.» Al mimte kurz, was er schilderte.

Tony fing an zu lachen.

«Was soll das, verdammich? frag ich sie, und sie sagt: Was das soll? Du willst Milch. Was glaubst du, was das ist, du Arsch? Das ist Milch. Daß das Milch ist, seh ich selber, sage ich. Ich frag mich nur, was zum Teufel du da mit deinen verflixten Titten in meinem Frühstück machst? Und da sagt sie: Willst du vielleicht sagen, für die Kinder ist es gut genug, aber für dich nicht?»

Tony lachte jetzt aus voller Brust und hustete gleichzeitig, weil er sich an seinem Zigarrenrauch verschluckt hatte. Es klang wie ein leichter Motorradmotor auf Standgas. Er nahm die Brille ab und kniff sich in die Nasenwurzel.

«Sie sagt: Wer von den anderen Männern hat schon eine Frau, die das kann? Sei doch froh. Die Milch ist frisch und kostet dich keinen gottverdammten Cent. Bei dem Haushaltsgeld, das du mir gibst, kannst du von Glück sagen, daß du das nicht jeden Morgen vorgesetzt kriegst, du Geizhals.»

Tony sagte: «Großer Gott, sie ist wirklich eine Marke, Ihre Madonna. Ich liebe sie. Sie sieht zwar aus wie Schlepper-Annie, aber ich liebe Ihr verdammtes Weib, Al.» Er wischte sich die Tränen mit dem Bademantelkragen ab. «Und was war dann?»

Al sagte: «Was dann war? Ich habe die verflixten Wheaties gegessen. Das war dann.»

Beide lachten schallend los. Al faßte sich als erster wieder.

«Ich meine, die Alternative war schließlich, das oder keine Wheaties. Hab ich recht?»

«O Mann», seufzte Tony, als er schließlich seine Brille wieder aufsetzte. «Wie haben Sie das runtergekriegt?»

Al zuckte die Achseln, atypischerweise um eine Antwort verlegen.

«Ach, nun reden Sie schon, Al. Wie hat es geschmeckt?»

Als Gesicht zog sich von der Denkanstrengung in Falten.

Er sagte: «Warm natürlich. Bißchen wie dieses fettarme Zeug in den kleinen Kaffeesahnedingern bei McDonald's. Mir ist Kuhmilch lieber, aber Al junior scheint's zu schmecken. Kann nicht genug davon kriegen.»

«Diese Madonna. Das ist schon eine.» Schon der bloße Gedanke an die mächtige Rothaarige ließ ihn zusammenzukken. Der Himmel mochte wissen, wie sie aussah, wenn sie zu Hause war. Sie sah schon schlimm aus, wenn sie ausgehfein angezogen war. Al dagegen, der bemühte sich, was seine Kleidung anging. Zwar auf eine Art, die nicht Tonys Art war, aber immerhin. Jetzt gerade trug er ein gelbes Gianni-Versace-Hemd, das aussah wie ein seidener Polsterbezug, schwarze Lederjeans, die für jemand wesentlich Dünneren gemacht waren, einen weißen Schlangenledergürtel und rote Cowboystiefel – von dem goldenen Firlefanz mal ganz abgesehen. Nudelli fand, daß Al Cornaro wie ein Nigger-Weihnachtsbaum aussah, auch wenn er nach Miami-Maßstäben für gut gekleidet durchgehen mochte. Die Leute hier in Florida hatten in puncto Kleidung einfach keinen Geschmack, und Al war da keine Ausnahme. Sobald sie irgendwo außerhalb des Sonnenscheinstaats waren, sorgte Tony gewöhnlich dafür, daß Al einen Brooks-Brothers-Anzug mit ordentlichem Hemd und Krawatte trug. Busineßkleidung war nun mal ein Anzug. Nudelli war anglophil. Englische Schuhe. Englische Anzüge. Er kaufte immer nur englische Sachen.

Al sagte: «Ich hab mit Jimmy Figaro geredet.»

«Das alte Schlitzohr.»

«Wir haben ausgemacht, daß er Dave Delano heute vormittag um elf hierherbringt.»

An der Wand hinter Tony hing eine Uhr, aber er hatte keine Lust, sich umzudrehen. «Wie spät ist es jetzt?»

Al sah zu der Uhr empor.

«Halb elf.»

«Was denken Sie?»

«Er und Sie sind immer noch Freunde. Hat er gesagt, sagt Willy. Er will Sie beruhigen. Ich finde, das klingt gut.»

Nudelli nickte nachdenklich.

«Vernünftiger Bursche.»

«Ist ein kluger Zug, mit Jimmy herzukommen. Zeigt, daß er Ihnen nichts nachträgt. Eins muß man ihm lassen, Mumm hat er, der Bursche.»

«Er hat's ja bewiesen, indem er Willy den verflixten Star gestochen hat.»

«Willy ist wohl langsam ein bißchen aus der Übung.»

«Entweder das, oder Delano hat im Knast dazugelernt.»

«Möglich.»

Nudelli sagte: «Und dieser Geschäftsvorschlag.»

«Große Sache, sagt Willy.»

«Er fährt für ein paar Jährchen ein und meint, er kommt als großer Meisterdieb wieder raus, ist es das?»

«Hören Sie ihn an. Vielleicht hat er ja im Gefängnis irgend-was erfahren. Irgendwas ausbaldowert. Fünf Jahre reichen doch jedem, um auf ein paar konstruktive Ideen zu kommen.»

«Mal angenommen, sein Plan gefällt mir nicht? Setzt er mir dann die Pistole auf die Brust oder was? Angenommen, ich helfe ihm nicht, die Sache einzufädeln? Wird er dann zu den Feds gehen und ihnen erzählen, daß ich es war, der Benny Cecchino umgelegt hat? Können Sie mir das mal sagen?»

«Lieber Himmel, Tony, gegen Ihre Horrorphantasien ist Stephen King ja ein Waisenknabe. Delano hat doch die ganzen Jahre den Mund gehalten, oder nicht? Seine Zeit brav abgeses-sen. Wenn Sie ihn hätten umlegen wollen, hätten Sie's doch schon vor fünf Jahren tun können und sich die zweihundert Mille sparen. Was hat sich denn geändert? Das versteh ich nicht.»

«Wollen Sie's wissen?»

«Ja.»

«Okay, ich werd's Ihnen sagen. Vor fünf Jahren wußte ich noch nicht, daß Delano nicht sein richtiger Name ist. Ich dachte, er sei Italo-Amerikaner, wie Sie und ich. Aber dann stellt sich raus, sein Daddy war Russe. Und Sie kennen ja meine Meinung über diese rückständigen Barbaren. Aber was noch schlimmer ist, er ist ein waschechter Jid.»

«Na und? Haben wir etwa noch nie Geschäfte mit Juden gemacht? Das hier ist Miami, Tony. Eine weltoffene Stadt. Juden haben eine Menge zur wirtschaftlichen Entwicklung dieser Stadt beigetragen. Leute wie Meyer Lansky. Und außer-dem ist er, wenn ich richtig informiert bin, nur Halbjude. Seine Mutter war Irin.»

«Unterschätzen Sie niemals einen Juden, Al. Auch wenn's kein hundertprozentiger ist. Beherzigen Sie meinen Rat, und Sie werden ein ganzes Ende länger leben. Verstehen Sie mich nicht falsch. Ich bin kein Antisemit. Ich will Ihnen was erzählen. Vor fast vierzig Jahren, daheim in Jersey City, wissen Sie, was mir da passiert ist? Da habe ich diese scharfe kleine jüdische Braut kennengelernt und mich in sie verliebt. Das Beste, was ich je aufs Kreuz gelegt habe, und Sie haben ja Sindy gesehen. Ich hätte alles für das kleine Miststück getan. Sie sogar geheiratet. Ich hab's gewollt. Sie oft genug gefragt. Ihr einen Ring geschenkt und den ganzen Tinnef. Aber es war immer dieselbe Leier. Ihre Eltern machen da nicht mit, hat sie gesagt. Deine Eltern sollen ja gar nicht mitmachen, habe ich gesagt, wir machen's ganz allein. Aber nein, sie kann keinen Nichtjuden heiraten, hat sie gesagt. Was? hab ich gesagt. Meinst du vielleicht, meine Eltern sind ganz aus dem Häuschen vor Freude, wenn ich ihnen sage, ich will eine Nichtkatholikin heiraten? Meinst du, eine Christusmörderin ist das, was sie sich wünschen? Das glaubst du doch selbst nicht. Aber sie wollte mich immer noch nicht. Sie war in mich verliebt und alles, aber heiraten war nicht drin. Zum Teufel mit Shakespeare. Zum Teufel mit Romeo und Julia und diesem ganzen Zeug. Es war, als ob ich ihr gar nichts bedeutet hätte. Und jetzt frage ich Sie, Al: Welche Sorte Mensch bringt so was fertig? Ich werd's Ihnen sagen. Juden. Für die ist Jüdischsein das Allerhöchste. Ich weiß, wovon ich rede. Romeo und Julia sind Italiener, weil der olle Shakespeare kapiert hat, was Liebe für Italiener heißt. Da gibt es nichts Wichtigeres als die Stimme des Herzens. Aber glauben Sie mir, die schriftstellerische Herausforderung wäre größer gewesen, wenn Julia eine jüdische Prinzessin gewesen wäre. Das wäre ein verdammt großartiges Stück geworden. Ein Stück, das ich gern gesehen hätte.»

Al sagte: «Ich weiß nicht, Tony. Bei Delano geht's nicht drum, daß jemand jemanden aufs Kreuz legen will. Er will ein Geschäft mit Ihnen machen.»

«Für einen Juden ist das doch ein und dasselbe. Und vergessen Sie die Iwans nicht. Delano hat mit einem von denen vier Jahre in der Zelle gesessen. Soll ziemlich gut Russisch gelernt haben, hab ich gehört. Verstehen Sie, Al? Nicht Italienisch, Russisch hat er gelernt. Da muß ich mich doch fragen, aus welcher Ecke er kommt. Ob er mit diesen primitiven Strohköpfen unter einer Decke steckt oder was. Ich habe schon genug Ärger mit Kerlen wie Rocky Envigado und diesen kolumbianischen Arschlöchern, auch ohne es noch mit den Iwans aufnehmen zu müssen. Das ist das Problem in diesem Land. Zu viele verdammte Einwanderer.»

«Willy Four Breakfasts hatte wohl den Eindruck, daß Delano eher bereit war, zu glauben, er sei im Auftrag der Iwans gekommen, als daß Sie ihn geschickt hätten.» Al zuckte die Achseln. «Klingt nicht wie jemand, der mit den Iwans unter einer Decke steckt.»

Nudelli paffte nachdenklich an seiner Zigarre.

«Das stimmt», räumte er ein.

Al sagte: «Hören Sie den Burschen an. Ich meine, Geschäft ist schließlich Geschäft, und da soll man Privatsachen rauslassen, oder nicht?»

«Da haben Sie allerdings recht.» Nudelli beugte sich vor, legte die Hand auf Als Wange und gab ihm einen leichten Klaps.

«Ich behalte nur die Geschäftsinteressen im Auge, Tony.»

Nudelli musterte das feuchte Ende seiner Zigarre und nickte versonnen.

Al sagte: «Ich wußte gar nicht, daß Sie aus Jersey City sind.»

«Egal, ob ich's war oder irgendein anderer armer Teufel.»

«Was ist aus dem jüdischen Mädchen geworden? Dem, in das Sie verliebt waren?»

«Woher zum Teufel soll ich das wissen?»

Jimmy Figaro lenkte den dicken BMW über den Ricken-backer Causeway, gleich südlich von seinem Bürogebäude. Die Straße schwang sich hoch über die Biscayne Bay und gewährte Figaros desinteressiertem Beifahrer einen einmaligen Blick auf die Skyline der Brickell Avenue. Die erste Insel war Virginia Key, einst für die schwarze Bevölkerung Miamis und eine große Kläranlage reserviert. Dann kam Key Biscayne. Nur noch einen Finger am Lenkrad, da auf Key Biscayne alles relaxter ablief, nahm Figaro den Crandon Boulevard in Richtung Cape Florida, bis er dann westwärts in den Harbor Drive einbog. Figaro sah zu Dave hinüber und sagte: «Tonys Haus ist gleich da, wo Richard Nixon gewohnt hat.»

«Tricky Dicky. Das paßt.»

«Sind Sie Demokrat?»

«Wo ist da für einen wie mich der Unterschied?»

«Haben Sie nie gewählt?»

«Doch, klar. Bei der Wahl des Gefangenenvertreters in Homestead. Die Kandidaten waren ein Mörder und ein Vergewaltiger. Ich hab mich für den Mörder entschieden.»

«Wer hat gewonnen?»

«Der Mörder.»

«Und was ist draußen?»

«Draußen ist es egal, wer einen vertritt. Der Mörder oder der Vergewaltiger.»

«Keine besonders differenzierte politische Grundhaltung.»

«Wenn man mal im Knast war, gibt's nur eine politische Grundhaltung, die zählt, und die heißt aufpassen, daß man nie wieder im Knast landet.»

Der Wagen glitt jetzt ruhig durch ein makellos gepflegtes Wohnviertel mit australischen Kiefern und Kokospalmen und einem weißen Palast neben dem anderen, wie lauter Hochzeitstorten.

Figaro wechselte jetzt das Thema und sagte: «Harbor Bayfront Villas ist eine der exklusivsten Adressen von Miami. Tonys Villa liegt direkt an der Bay.»

«Was Sie nicht sagen.»

Figaro bremste ab, bog in eine Privatstraße ein, hielt vor einem Torhäuschen und nannte dem Wächter ihrer beider Namen. Der Wächter sah auf einer Clipboard-Liste nach und winkte den Wagen unter der hochgehenden Schranke durch.

«Diese Gegend hier ist der Gipfel an europäischer Eleganz», schwärmte Figaro.

«Außerhalb Europas vielleicht.» Dave grinste. «Ihnen gefällt's hier echt, was, Jimmy?»

«Wem nicht?» sagte Figaro nickend. «Ich meine, würden Sie nicht gern hier wohnen?»

Sie hielten vor einer zweistöckigen Bayfront-Villa mit voll ausgestattetem Privathafen. Dave registrierte die Dreißig-Meter-Motoryacht, die dort lag, und wandte seine Aufmerksamkeit dann dem Haus zu. Mit seinem Ziegeldach, den Steinsäulen und -bögen und dem Innenhof mit Springbrunnen sah es aus, als hätte man es von einem toskanischen Hügel hierherverpflanzt.

Dave sagte: «Ich hätte allerdings gern das Geld, um hier wohnen zu können. Dann würde ich es nehmen und mich an irgendeinem netten Ort niederlassen, in London oder Paris vielleicht. Miami ist ätzend.»

«Die Geschmäcker sind wohl verschieden.»

«Und Miami ist was für Leute ganz ohne Geschmack.»

Sie stiegen aus, gingen zur Eingangstür und wurden in eine Art Atrium mit Marmorfußboden und einer geschwungenen Steintreppe eingelassen. Einer von Nudellis Bodyguards durchsuchte Dave, dann führte sie ein Butler nach oben in eine opulente mahagonigetäfelte Bibliothek, wo Nudelli und Al Cornaro in einem Geviert aus grünen Ledersofas saßen. Die beiden Männer erhoben sich und kamen über den aquamarin-blauen Bucharateppich auf sie zu, und Dave ließ sich von dem Mann umarmen, der ihm die Finger hatte brechen lassen wollen.

Nudelli sagte: «Hey, Al, sehen Sie sich diesen Burschen an. Fünf Jahre im Bau und sieht aus, als hätte er den Sommer in Palm Springs verbracht. Herrgott, Dave, Sie sehen phantastisch aus. Wie ein gottverdammter Filmstar.»

«Sie sehen auch nicht schlecht aus, Tony», sagte Dave geduldig.

Nudelli patschte sich mit der Hand auf den Bauch.

«Halte mich fit, verstehen Sie. Schwimme jeden Tag. Passe auf, was ich esse. Möchten Sie was essen? Was trinken vielleicht? Wir haben alles da. Sogar ein gottverdammtes Silberservice. Ist wie im Admirals' Club hier.»

«Nein danke, Tony, für mich nichts.»

«Jimmy?»

«Nur einen Kaffee.»

«Miggy?» Nudelli sprach jetzt mit dem Butler. «Zweimal Kaffee.»

Sie nahmen in dem Sofageviert Platz.

Nudelli sagte: «Fünf Jahre.»

Dave sagte: «Fünf Jahre, ja.»

«Gut gemacht.»

«Schien damals das einzig Angemessene, Tony.»

«Dave. Dieses kleine Mißverständnis mit Willy.»

«Ach, vergessen Sie's. So was kommt vor.»

«Schön, daß Sie's so sehen, Dave.»

«Wissen Sie, nach Willys unverhofftem Besuch hab ich mal versucht, die Sache von Ihrem Standpunkt aus zu sehen, Tony. Und ich hab mir gesagt, Dave, hab ich mir gesagt, solange du drinnen warst, wußte Tony immer genau, wo du bist und was du machst. Ist letztlich eine Variante dessen, was Machiavelli über die gemischte Fürstenherrschaft sagt, Tony. Wenn man vor Ort ist, kriegt man Probleme sofort mit und kann gleich damit umgehen; wenn man aber nicht da ist, merkt man erst was, wenn's längst zu spät ist.»

Tony sagte: «Ich habe gehört, Sie haben was für Ihre Bildung getan, richtig? Machiavelli, hm? Klingt wie ein Italiener.»

«Florentiner.»

«An dem Abend, als Sie mit Benny Cecchino zusammen waren –»

«Sie meinen, in dem Lokal, wo Sie ihn erschossen haben?»

«Ja. Worüber haben Sie da mit ihm geredet?»

Dave sagte achselzuckend: «Geschäftliches. Warum sonst hätte jemand mit Benny reden sollen?»

«Hatten Sie Schulden bei ihm?»

«Nein.» Dave grinste. «So weit ist es gar nicht gekommen. Ihr plötzliches Erscheinen hat das geregelt.»

«Sie wissen ja, Benny hatte ein Maul wie ein Granatwerfer.»

Dave sagte: «Ich hab ihn nicht näher gekannt. Aber nach dem, was ich gehört habe, hat er's selbst rausgefordert.»

«Nett, daß Sie das sagen.» Nudelli guckte wehmütig. «Damals war ich noch heißblütiger. Na ja, ist fünf Jahre her. Fünf Jahre sind eine lange Zeit. Ihnen brauche ich das ja wohl nicht zu sagen.»

Dave wartete, daß Nudelli noch mehr sagte, und als nichts kam, beschloß er, zum Zweck dieses von ihm initiierten Treffens zu kommen.

«Wo wir gerade von Geschäften reden, Tony, ich habe da eine Idee, die Sie vielleicht interessieren könnte.» Dave klappte seinen Laptop auf. «Die beste Idee, die Ihnen je zu Ohren gekommen ist.»

«Gute Ideen interessieren mich immer. Stimmt's, Al?»

«Stimmt.»

Nudelli sagte: «Bevor Sie weiterreden, Dave.» Er sah zu Jimmy hinüber, der gerade seinen Kaffee schlürfte. «Für jemanden wie Jimmy ist Information eine Belastung. Je weniger er weiß, desto mehr Freiheit und Bewegungsspielraum hat er zuweilen. Er möchte am liebsten in einem Vakuum arbeiten. Nur das wissen, was er wissen muß. Vor allem, wenn ungesetzliche Aspekte nicht völlig auszuschließen sind. Deshalb meine Frage: Muß Jimmy mithören? Oder sollte er lieber einen kleinen Spaziergang machen?»

«Vielleicht sollte er lieber einen kleinen Spaziergang machen», sagte Dave.

Dave sah Figaro nach, und als er sich wieder seinem Gegenüber zuwandte, dachte er zuerst, Tony habe ein Gebiß, das verrutscht sei, bis er erkannte, daß es sich um ein kleines Gerät aus Stahl und Plastik handelte, das Tony dazu benutzte, seine Gesichtsmuskeln zu trainieren. Als Nudelli Daves Gesichtsausdruck bemerkte, schob er das Ding mit der Zunge in seine hohle Hand. Es sah aus wie eine winzige Krücke.

Nudelli sagte: «Gesichtsgymnastik. Strafft erschlaffte Muskeln und bringt hängende Partien wieder in Form. Ich habe schon reichlich von beidem. Steigert die Kraft der Gesichtsmuskeln in nur acht Wochen um zweihundertfünfzig Prozent. Sie sagen, zwei Minuten täglich reichen, aber ich mache ein bißchen mehr, wegen der ganzen verdammten Sorgen, die ich habe. Meine Frau, die wollte ein Lifting. Kostenpunkt? Zehntausend Eier. Statt dessen habe ich ihr eins von diesen kleinen Wunderdingern für fünfundsiebzig Dollar gekauft.» Er grinste gehässig und steckte das Ding wieder in seine Bakkentaschen. «Also», sagte er, indem er den Mund auf- und zuklappte wie ein Goldfisch. «Schießen Sie los.»

Dave sah auf das Farbdisplay seines Laptops und fand die Datei, die er suchte.

Er sagte: «Drogengelder aufzuspüren ist das neue Hobby der Polizei. Überall auf der Welt sind die Bankgesetze verschärft worden. Das Bankgeheimnis wird zunehmend aufgeweicht, selbst in der Schweiz. Früher konnte man mit einem Koffer voller Geld nach Zürich fliegen und es dort einzahlen, ohne irgendwelche Fragen beantworten zu müssen. Das war einmal. Inzwischen müssen selbst die Schweizer schon Fragen stellen. Eine Zeitlang waren auch Südamerika und die Karibik gute Orte, um Drogendollars unterzubringen.»

Al sagte: «Sind sie immer noch.»

«Wenn man die richtigen Leute kennt. Die kennt aber nicht jeder. Die Kriminellen von heute haben nicht mehr die Connections, die jemand wie Tony hat. Heutzutage ist es das Beste, man kauft eine Bank. Und der weltbeste Ort, um das zu tun, ist die ehemalige Sowjetunion. Unter der Schirmherrschaft der Gosbank, die dem Staat gehört, und der Wnjeschekonombank, was die Außenhandelsbank ist, sind in den letzten Jahren Hunderte von Banken gegründet worden, um von dem neuen russischen Unternehmertum zu profitieren. Ihm Geld zu leihen. Hartwährungsgelder anzunehmen. Es gibt sogar Steuervergünstigungen und Baudarlehen zur Förderung neuer Bankengründungen.»

«Wäre vielleicht ganz nett, eine eigene Bank zu besitzen», sagte Nudelli.

Dave sagte: «Moment. Das ist noch nicht alles. Okay, um es zu tun, um eine neue Bank mit Kapital auszustatten, muß man sein Bargeld nach Rußland schaffen. Das kann ganz schön schwierig sein, vor allem, wenn das Geld aus illegalen Geschäften stammt. Und außerdem ist die Menge Geld, die man als Kapital für eine neue Bank braucht, ganz schön üppig. Ich will Ihnen das anhand eines Vergleichs demonstrieren. Sind Sie Basketball-Fan, Tony?»

«Klar doch.»

«Dann werden Sie sicher wissen, daß der UCF-Topscorer mit siebzehn Punkten pro Spiel Harry Kennedy ist. Und jetzt stellen Sie sich einen Turm aus Zehn-Dollar-Scheinen vor, der einen guten halben Meter breit und einen knappen halben Meter tief ist und so hoch, wie Harry Kennedy groß ist. Der dürfte so knapp zwei Meter messen. Das sind dann erst fünf Millionen Dollar. Bei zehn Millionen wäre der Turm schon an die vier Meter hoch und circa eine Tonne schwer. Das ist schwieriger zu transportieren als jede Droge. Mit dem einen Vorteil, daß der Hund, der Geld riecht, noch nicht geboren ist.»

«Dafür haben sie Weiber», griente Al. «Meine Frau riecht einen neuen Hunderter auf fünfzig Schritt.»

Das gefiel Tony.

«Aber die Moskauer Gangs haben auch den Geldtransport geregelt. Sie befördern das Geld und helfen einem, eine neue Bank aufzumachen. Und das alles für fünfundzwanzig Cent pro Dollar, genau wie wenn man es woanders waschen lassen muß. Sie schaffen das Geld über den Atlantik, durchs Mittelmeer und rauf ins Schwarze Meer. Keine acht Wochen nachdem die Kohle aus Florida abgegangen ist, hat man seine eigene Bank in der russischen Stadt seiner Wahl. Dann kann man das Geld verleihen, neues Geld damit machen und es durch das reguläre Banksystem laufen lassen.»

Al fragte: «Und was ist das Interessante daran? Eine Bank zu haben wäre zwar nett, aber wir brauchen keine Hilfe beim Geldwaschen.»

«Die biete ich auch gar nicht. Worauf ich rauswill, ist folgendes. Ich will einen dieser Hartwährungsexporte einkassieren. Die Moskauer Gangs betreiben, mit Hilfe von ein paar alten KGB-Leuten – und auch ein paar neuen –, eine Bootswerft in Fort Lauderdale. Nur fünf Minuten vom Flughafen. Der Laden ist fünfeinhalbtausend Quadratmeter groß, modernst ausgestattet und kann Motoryachten bis fünfzig Meter Länge aufnehmen. Dort arbeiten Leute, die wirklich was von Bootseinbauten verstehen. Richten ein Boot in Null Komma nichts neu ein. Nur daß es nicht irgendein Boot ist, sondern ihr eigenes. Eins von dem halben Dutzend, das sie besitzen oder chartern. Und die neue Inneneinrichtung? In jeder Kabine ein neues Doppelbett, das buchstäblich aus Geld besteht. Sieht aus wie ein ganz normales Bett und fühlt sich auch so an. Ein bißchen fest vielleicht, aber das ist ja auch kein Wunder, wenn man bedenkt, daß vielleicht zwei Millionen Dollar im Bettkasten stecken.»

Nudelli zog sich den Gesichtsmuskeltrainer aus dem Mund, wischte sich den Speichel von den Lippen und fuchtelte mit dem Gerätchen, als wäre es ein Cocktailstäbchen.

«Moment mal», brummte er. «Wenn Sie aus dem Fenster da gucken, sehen Sie die *Bitch*. Heißt nach meiner ersten Frau. Ist dreiunddreißig Meter lang, schafft vierundzwanzig Knoten und hat einen Aktionsradius von 2000 Meilen. Sie ist ein schwimmendes Luxusapartment, schnittig, seetüchtig und flüsterleise, perfekt fürs Insel-Hopping, aber ich würde nie versuchen, mit ihr den Atlantik zu überqueren. Die Queen Elizabeth Zwo ist sie trotz allem nicht.»

Dave schüttelte den Kopf und sagte: «Das wäre auch gar nicht nötig, Tony. Für circa achtzigtausend Dollar können Sie der *Bitch* eine Passage auf einer speziellen Transatlantikfähre buchen. Genauer gesagt, auf einem der Katschlepper, die für die Firma Stranahan Yacht Transport von Port Everglades aus fahren.»

«Was zum Teufel ist ein Katschlepper?» fragte Al.

Dave betätigte den Trackball seines Computers, öffnete eine Bilddatei auf der Diskette, die er am Vortag erstellt hatte, und drehte das Gerät zu seinem Zwei-Mann-Publikum hin. Die beiden rückten auf die Sofakante vor, um das Bild auf dem

Farbdisplay genauer zu studieren. Vor ihnen stand das Foto eines Zweihundert-Meter-Schiffs, das nicht weniger als achtzehn Luxus-Motoryachten an Bord hatte.

Dave sagte: «Er vereint die Grundform eines Schiffsrumpfes mit der größeren Breite und dem geringeren Tiefgang einer Schute. Aber er bewahrt die Vorzüge beider Elemente hinsichtlich Schwerpunktlage und Tragfähigkeit.»

«Heiliger Strohsack», sagte Al. «Das ist ja unglaublich. So was hab ich noch nie gesehen. Und damit gondeln die wirklich über den Atlantik? Mit diesen ganzen Booten drauf?»

Dave nickte.

Nudelli sagte: «Sieht mir ziemlich riskant aus. Ich meine, wenn ich's als Yachteigner sehe. Einmal ist es ein Risiko, das Boot aus dem Wasser zu hieven. Und dann ist es auch nicht ohne, das Boot während der Überfahrt auf einem offenen Deck zu lassen.»

«Stimmt nicht. Der Katschlepper läßt sich fluten. Wie so eine Art ozeangängiges Schwimmdock. Man fährt sein Boot in Port Everglades rein und vor der Sonneninsel Mallorca im westlichen Mittelmeer wieder raus. Während der Reise ist jedes Boot mit Spezialleinen am Dockboden vertäut, und vor den Tücken des Atlantiks schützen es diese Dockwände hier. Die sind etwa sieben Meter hoch. Unterwegs wirken nur minimale Beschleunigungskräfte auf das Boot ein. Ach ja, und die, äh, Versicherungsprämie für die Überfahrt beträgt nur etwa ein Viertel von dem, was man zahlt, wenn man aus eigener Kraft rüberfährt. Mal angenommen, man könnte es. SYT befördert jedes Boot bis zu sechs Meter Tiefgang, und Höhenbeschränkungen gibt es nicht.»

Nudelli sagte: «Das scheint zu stimmen. Sieht aus, als wäre da sogar ein Schoner dazwischen. Da hat der Großmast gut und gern zwanzig Meter.» Er lehnte sich wieder zurück, und das Sofaleder knarzte unter ihm, als wäre er schon auf hoher

See. «Ganz schön beeindruckend, muß ich zugeben. Aber diese Firma, Stranahan Yacht Transport, haben die irgendwas mit den Rußkis zu tun?» Er steckte sich den Gesichtsmuskeltrainer wieder in den Mund und übte weiter.

«Nein. Ist ein ganz legales Unternehmen. Die Rußkis buchen einen Platz wie alle anderen Leute auch. Zwischen den Booten von lauter gesetzestreuen Bürgern fühlen sie sich sicherer. Und außerdem sucht die Coast Guard ja Stoff und kein Geld. Wenn der Katschlepper in Palma de Mallorca ankommt, fahren sie raus und legen den Rest des Weges aus eigener Kraft zurück. Ihr Endziel ist ein Ort am Schwarzen Meer, wo das Geld dann rausgeholt und auf dem Landweg weitertransportiert wird. Ein weiterer kleiner Innenumbau, und die Yacht kann wieder in Richtung Heimat fahren.»

«Ganz schön viel Vertrauen in eine Bande Rußkis», bemerkte Nudelli. «Sie sagen, Sie wollen einen von diesen Transporten einkassieren. Was sollte die dran hindern, das Geld ihrer Kunden einzukassieren?»

Dave sagte: «Die Tatsache, daß das erste Mal auch das letzte wäre. Und außerdem haben manche dieser Kunden auch keine große Wahl. Heutzutage gibt es nur wenige Möglichkeiten, Drogengeld – und darum handelt es sich ganz überwiegend – zu waschen. Mit Dollars erwischt zu werden ist fast noch schlimmer, als mit Koks geschnappt zu werden. Einige südamerikanische Kartelle machen so viel Geld, daß sie gar nicht wissen, wohin damit. Manchmal vergraben sie's am Ende einfach und lassen es verrotten. So ein Typ in Homestead hat auf diese Art zwei Millionen eingebüßt. Früher konnte man sich noch eine nette Bank in Panama oder Venezuela kaufen. Aber dann haben die Behörden dazugelernt.

Neunundachtzig haben die Großen Sieben eine Sondergruppe zur Bekämpfung der Wäscherei von Drogengeldern eingerichtet. Und da ging es los, daß das Geld in die ehemalige Sowjetunion wanderte.

Nach dem, was ich gehört habe, ist Moskau heute so, wie Chicago in den zwanziger Jahren war. Wenn man das nötige Geld hat, kann man so ziemlich alles kaufen. Bomben, Raketenwaffen, Armeen, ganze gottverdammte Städte. Das ganze Land ist ein einziger riesiger Flohmarkt. Man braucht nur Dollars. Für die Landeswährung kriegt man einen Scheißdreck. Keine Ahnung, wie Uncle Sam die US-Wirtschaft noch im Griff behalten will, wenn so viele Dollars in der Weltgeschichte rumgeistern. Ich meine, wozu ist eine Regierung denn da, wenn nicht dazu, den Geldumlauf zu kontrollieren. Kein Wunder, daß unsere Wirtschaft ein Haufen Scheiße ist. Der Dollar trägt die halbe Welt auf seinem grünen Rücken. Aber zurück zu Ihrer Frage, Tony. Diese Burschen wollen Geschäfte machen. Mit Amerikanern. Südamerikanern. Leuten mit Dollars. Ihnen helfen, eine Bank aufzumachen, damit sie dann zusammen Geschäfte machen können. Gegenfinanzierungen und so was. Kooperation ist der Schlüssel zum Erfolg.»

Nudelli nickte und sagte: «Und wie sieht Ihr Plan aus?»

«Ich brauche eine Yacht, für die ich eine Überfahrt buchen kann. Ich brauche einen zweiten Mann, der mir hilft, die Sache durchzuziehen. Mitten auf dem Atlantik – so weit wie möglich von den europäischen und amerikanischen Marineschiffen entfernt – überwältigen wir die Besatzung des Transportschiffs und die Crews der anderen Yachten. Bei Nacht, wenn sie nichts Böses ahnen. Wir holen das Geld aus den russischen Yachten und verfrachten es auf das Boot, das dem Heck am nächsten liegt. Dann schippern wir raus und zum verabredeten Treffpunkt mit einem Tanker, der in Gegenrichtung unterwegs ist, auf einer völlig legalen Fahrt. Einem, der hierher zurückfährt, vielleicht. Wir schaffen das Geld auf den Tanker und versenken dann die Motoryacht, um unsere Spuren zu verwischen.»

Al sagte: «Was springt dabei raus?»

«Die Russen buchen inzwischen schon zwei oder drei Plätze pro Transport. Drei Yachten à sechs, sieben Kabinen à zwei Millionen.»

«Mein Gott», sagte Al. «Das sind ja gut vierzig Millionen.»

«Möglich», sagte Dave. «Aber ich würde sagen, fünfundzwanzig mindestens.»

«Die werden ganz schön schwer bewaffnet sein, um so ein Sümmchen zu beschützen», sagte Al.

Dave schüttelte abermals den Kopf und kniff die Augen zusammen, weil ihm jetzt die Sonne ins Gesicht schien. Nudelli drehte sich um und wedelte zu dem riesigen Fenster hinüber, das das Biscayne-Bay-Panorama umrahmte. South Miami und Coconut Grove lagen drüben auf der anderen Seite, etwa fünf Meilen weiter westlich. Es war der schönste Blick auf seine Heimatstadt, der Dave je zuteil geworden war.

«Schließen Sie die Sonnenblenden, Al, ja? Dave hat die Sonne in den Augen.»

«Ist schon okay. Ich mag Sonne.»

Aber Al war schon dabei, Lamellenvorhänge vor das Fenster zu leiern.

«Tony haßt die verflixte Sonne», erklärte er. «Der einzige hier in Key Biscayne mit einem Hallenpool.»

«Nach fünf Jahren Homestead kann ich ein bißchen Vitamin D gebrauchen.»

Nudelli spuckte den Gesichtsmuskeltrainer aus und zog Grimassen. Dann sagte er: «Nach fünf Jahren sollten Sie auf Ihre Haut aufpassen. Die Sonne ist nicht mehr das, was sie mal war. Auch die Nigger und sogar die verdammten Orangen müssen sich heutzutage hüten, wegen dem Loch, das diese Idioten in die Ozonschicht gemacht haben. Selbst die Scheißfische kriegen schon Hautkrebs. Hab ich irgendwo gelesen. Stimmt's, Al?»

Al sagte: «Ich hab's Ihnen vorgelesen, aus der Zeitung. Und es waren australische Fische. Keine amerikanischen.»

«Als ob's auf die Nationalität ankäme. In vielem ist Florida wie Australien. Man nennt uns hier nicht umsonst den Sonnenscheinstaat. Beherzigen Sie meinen Rat, Dave. Legen Sie sich einen Hut zu. Früher hat in unserer Branche jeder einen Hut getragen. Selbst die verflixten Cops hatten welche auf. Man konnte viel über einen Mann dran ablesen, wie er seinen Hut trug. Und bei der Sonne, die wir jetzt haben? Glauben Sie mir, Hüte sind wieder im Kommen, und ich meine nicht diese komischen Schirmmützen, mit denen die Nigger und die Spics rumlaufen. Ich meine richtige Hüte. Nach englischer Art.»

«Klingt wie ein guter Rat.»

Al sagte: «Eh uns die Sonne unterbrochen hat, wollten Sie uns gerade erzählen, welche Sicherheitsvorkehrungen die Burschen treffen, um dieses ganze schmutzige Geld zu bewachen.»

«SYT läßt nur zwei Mann Besatzung pro Boot zu. Alles, was drüber ist, wäre nur auffällig. Drei Boote bedeuten also sechs Mann. Es ist allerdings anzunehmen, daß sie bewaffnet sind. Aber mit Hilfe des Überraschungsmoments müßte es uns gelingen, zu zweit mit ihnen fertig zu werden.»

«Mal angenommen, jemand ruft über Funk Hilfe?» wandte Al ein.

Nudelli zog eine ärgerliche Grimasse und sagte: «Mal angenommen, er schaltet die verdammten Funkgeräte gleich mit aus, wenn er die Leute ausschaltet?»

Dave sagte: «So ungefähr hab ich mir das gedacht.»

«Wie haben Sie das alles rausgefunden?»

«Wenn man vier Jahre mit einem Mann in der Zelle sitzt, dann erzählt einem dieser Mann so ziemlich alles. Gergiev hieß er. Cleverer Bursche. Er ist aus St. Petersburg, okay? Und die Jungs dort sind die großen Rivalen der Moskauer Gangs. Jedenfalls, er wußte über diese Transporte Bescheid und hat die ganze Sache ausgeklügelt. Wir wollten das Ding zusammen drehen, aber die Feds haben ihn sofort ausfliegen lassen, als er aus dem Bau kam. Einmal ganz groß absahnen, das war die Idee. Fakt ist, daß ich am Tag meiner Entlassung noch einen Brief von ihm gekriegt habe. Er hat mir geschrieben, daß er hierher zurückzukommen versucht und daß er mich umbringt, wenn ich's ohne ihn probiere. Aber dort in Rußland ist er mir keine große Hilfe, und ich bin nicht der Meinung, daß man die Sache auf die lange Bank schieben kann. Und ich glaube, daß er seine Chancen überschätzt, je wieder ein Visum zu kriegen. Aber jetzt hab ich niemanden, der mir hilft, das Ganze einzufädeln.»

«Und Sie dachten, dieser Mann hätte Willy Barizon zu Ihnen geschickt, richtig?»

«Gergiev sollte ein geeignetes Boot auftreiben und die Finanzen, um es zu kaufen. Ich sollte den Skipper machen. Das seemännische Know-how beisteuern. Das wäre dann sozusagen mein Beitrag gewesen. Ich habe mich mein Leben lang für Boote interessiert. Mein Vater hat auf Yachten gearbeitet. Ab und zu hab ich auch selbst mal ein kleineres Boot gehabt. Habe Segeln gelernt und Navigieren. Sogar den Schein gemacht. Gergiev könnte denken, ich will ihn ausbooten. Aber das stimmt nicht. Er kriegt was von meinem Anteil.»

«Und der wäre?»

«Wenn ich die richtige Starthilfe kriege – das Kapital für das Boot –, fifty-fifty, würde ich sagen. So zwölf bis fünfzehn Millionen für jeden.»

Nudelli fragte: «Was für eine Art Boot brauchen Sie denn?»

«Nicht zu groß, nicht zu klein. Zwanzig Meter oder so. Genügend Platz für die ganze Kohle und eine anständige Spitzenfahrt, für den Fall, daß wir's schaffen, ganz ans Heck zu kommen. Die Hauptsache ist, daß es nach was aussieht. Als ob's den Aufwand wert wäre, es über den Ozean zu verschiffen, verstehen Sie? Ich würde sagen, so in der Größenordnung von anderthalb Millionen.»

Nudelli sagte nichts.

«Die natürlich von meinem Endanteil abgehen», setzte Dave hinzu, um Tony den Handel schmackhafter zu machen. «Plus etwa sechzigtausend für die Überfahrt, die ich am Ende ebenfalls selbst tragen werde –»

Al sagte: «Ein Anderthalb-Millionen-Boot, das Sie einfach zurücklassen oder den Lokus runterspülen wollen. Versteh ich das richtig?»

«Ja, völlig richtig. Ich gehe davon aus, daß die Polizei oder wer auch immer die ersten paar Tage damit zubringen wird, nach dieser Yacht oder nach der, die wir mitgehen lassen müssen, zu suchen. Ich meine, wenn sie überhaupt suchen. Vergessen Sie nicht, es ist illegales Geld. Wenn jemand irgendwas unternimmt, dann werden sie schätzungsweise zuerst auf den Azoren suchen, weil das von da, wo wir zuschlagen, das nächste Land ist.»

«Sie scheinen ja alles gründlich durchdacht zu haben», sagte Nudelli.

Dave sagte achselzuckend: «Ich hatte fünf Jahre zum Denken, Tony.»

«Ist ein verlockender Plan, muß ich zugeben. Ich habe nur ein nicht ganz unwesentliches Problem damit.»

«Und das wäre?»

Nudelli nickte und sagte: «Sie. Sie sind das Problem, Dave. Ich kann Sie mir einfach nicht als Hijacker vorstellen. Haben Sie je jemanden umgelegt?»

«Nein, kann ich nicht behaupten.»

Nudelli sagte: «Ist ja als solches noch keine Schande. Aber

es gehört nun mal zu den Grundtatsachen des Lebens, daß das erste Mal immer das schwerste ist. Stimmt's nicht, Al?»

«Das schwerste, jawohl. Bei einem Job, wie Sie ihn da schildern, wird sich doch keiner plötzlich in einer Situation finden wollen, in der er womöglich zögert, den Finger krumm zu machen.»

Dave überlegte kurz, welche Garantie er für seine Skrupellosigkeit geben könnte. Dann sagte er pointiert: «Ach, übrigens, was macht Willys Auge?»

«Dieser verdammte Stümper», knurrte Al. «Jetzt blickt er noch weniger durch.»

Nudelli sagte: «Na ja, wie Sie mit Willy fertig geworden sind, war schon beeindruckend. Willy ist nicht von Pappe. Aber diese Kerle auf den russischen Yachten, die werden womöglich nicht so einfach klein beigeben. Die sind vielleicht nicht so dumm wie Willy. Vielleicht werden Sie einen oder zwei von ihnen aus dem Weg räumen müssen.»

Dave sagte: «Schon möglich.»

Al sagte: «Eben. Und da liegt unser Problem. Wie die Meinungsforscher über einen Kandidaten sagen würden: Es ist ein Persönlichkeitsproblem.»

Das war kein unbilliger Einwand. Dave hoffte, daß er nie jemanden würde töten müssen, und er war sich mehr oder minder sicher, daß er die Sache mit einem Minimum an Gewalt würde durchziehen können. Aber das war wohl kaum das, was jemand wie Tony Nudelli hören wollte. Er wollte eine überzeugende Demonstration von Kaltblütigkeit, und alles, was Dave einfiel, war Harry Lime. Was hätte Harry diesem Typen erzählt?

«Ob ich bereit bin, einem Menschen das Leben zu nehmen? Die Frage scheint mir berechtigt», sagte er in einem Ton, von dem er hoffte, daß er so lässig-mokant war wie der von Harry. Dave stand auf, ging um die Sofas herum zur Sonnenblende, starrte zwischen den Lamellen hindurch und spielte seine Szene. Er hoffte, daß Al und Tony keine Film-Fans waren.

«Was soll ich sagen? Außer, daß das ein veralteter Standpunkt ist. Wo gibt's denn Menschlichkeit und Mitleid auf dieser Welt. Sehen Sie sich doch das Treiben der Herren an, die die Welt regieren. Sie müssen zugeben, daß ich dagegen noch ein Waisenknabe bin. Die haben ihren Fünfjahresplan, und ich habe meinen.» Er drehte sich lakonisch lächelnd zu den beiden um. «Die Toten sind doch am glücklichsten. Hier versäumen sie nicht viel, die armen Hunde.»

Er fand, daß er das ganz passabel gebracht hatte. Leicht, mokant, skrupellos, inklusive einer oberflächlichen Selbstrechtfertigung. Wenn er angefangen hätte zu erzählen, was für ein harter Bursche und geborener Killer er sei, hätte ihm Nudelli das schlicht nicht abgekauft. Er war selbst ein zu alter Hase in diesem Metier, um etwas allzu Plattes zu fressen. Natürlich war Dave kein Orson Welles. Aber Tony Nudelli war schließlich auch kein Joseph Cotten. In einem hatte Tony allerdings recht. Dave hätte die Szene noch besser hingekriegt, wenn er einen Hut gehabt hätte. Um sich besser in die Rolle einfinden zu können. Einen schwarzen Homburg, wie der von Harry.

«Ich fände es wirklich schade, wenn Sie nicht mitmachen würden», setzte er effekthalber noch drauf. «Ich kann in Miami sonst keinem Menschen mehr trauen.»

Das Florida Department of Law Enforcement – die Kriminalabteilung der State Police – hatte Kate eine Spur zu dem Boot geliefert, mit dem Rocky Envigado vermutlich die nächste Ladung Kokain über den Atlantik zu verschiffen gedachte. Von seiner Dienststelle in Pompano Beach aus hatte das FDLE zwei einschlägig bekannte Gestalten, Juan Grialva und Whittaker McLennan, wegen Verdachts der Beteiligung an einem Versicherungsbetrug überwacht. Wie sich herausstellte, traf sich einer der beiden mit einem Iren namens Gerard Robinson, der im Breakers Hotel in Fort Lauderdale residierte. Bei der Durchsicht einer Liste der von Robinson geführten Telefongespräche fand das FDLE eine Nummer auf der Isle of Man. Da die Isle of Man eine britische Steueroase ist, glaubte das FDLE, auf etwas gestoßen zu sein, und erbat die Hilfe des National Criminal Intelligence Service in London. Der NCIS teilte mit, die Nummer gehöre einer Firma namens Keran Properties, für die sich New Scotland Yard schon seit längerem interessiere. Keran wurde von einer lokalen Anlageberatungsfirma, Pater, Hall & Green, betrieben, die ihrerseits unter Beobachtung stand, da, einem Tip zufolge, ein notorischer Cannabis-Schmuggler, der derzeit in einem spanischen Gefängnis saß, Direktor bei Keran sein sollte. Der NCIS teilte dem FDLE ferner mit, daß Jeremy Pater, einer der Partner von Pater, Hall & Green, ein Haus auf den britischen Virgin Islands besitze und Teilhaber einer florierenden Yachtagentur namens Azimuth Marine Associates sei. Geschäftsführer von Azimuth war ein gewisser Alonzo Avila. Ein Foto von Pater, Avila und einem unbekannten dritten Mann wurde per E-Mail an das FDLE geschickt, das wiederum die FBI-Computerkartei in Miami konsultierte, um so möglicherweise den dritten Mann zu identifizieren.

Pater, Avila und Azimuth Marine waren nicht aktenkundig. Der dritte Mann hingegen wohl. Es war Chico Diaz, Rocky Envigados verläßlichster Ober-*Sicario*. Als Kate von den Ermittlungen des FDLE Kenntnis erhalten hatte, ging sie sofort zu Kent Bowen.

«Du lieber Himmel, Kate, wollen Sie mir das alles noch mal vortragen?» gähnte ihr Vorgesetzter.

«Es ist ein bißchen kompliziert, Sir», gab Kate zu.

«Kompliziert? Es klingt wie eine Folge von *Soap*. Muß das sein, Kate?»

«Na ja, Sir, Azimuth Marine ist eine der führenden Firmen im Bereich Yachtmanagement und -marketing. Betreuung von Luxusyachten, Charter-Marketing, Crew-Vermittlung, alles, was dazugehört. Sie haben Niederlassungen in fast allen wichtigen internationalen Yachthäfen, von Fort Lauderdale bis Hongkong.»

Bowens Gesicht nahm einen gequälten Ausdruck an. «Kate? Nur das Fazit bitte. Mit Rücksicht auf meine Arterien.»

Kate spürte, wie sie zornrot wurde. Noch nie hatte sie einen Vorgesetzten mit einer so lockeren Dienstauffassung gehabt. «Nur das Fazit» war nicht die Devise des FBI. Auf der FBI-Akademie in Quantico war stets großer Wert auf die Erstellung eines detaillierten Gesamtbilds bei der Ermittlungsarbeit gelegt worden. Ein Ermittlungsvorgang war doch keine Kontoaufstellung, die sich zu einer eindeutigen Gewinn- oder Verlustsumme bilanzieren ließ. Und jetzt dieses überhebliche Arschloch …

«Wir glauben, daß wir das Boot gefunden haben, Sir.»

«Ach? Warum haben Sie das nicht gleich gesagt, Kate?»

«Weil ich davon ausgegangen bin, daß Sie exakt nachverfolgen wollen, was mich zu der Annahme bringt, daß wir es gefunden haben, Sir. Den ganzen Denk- und Schlußfolgerungsprozeß –»

«Das hier ist das FBI, Kate. Nicht das MIT. Hinreichend, das ist unser Kriterium. Hinreichende Zweifel, hinreichender Verdacht, hinreichendes Dies und Jenes. Exaktheit ist was für Laffen im weißen Kittel mit einem Rechenschieber im Arsch.

In der Zeit, die es kostet, sich von ‹hinreichend› bis ‹exakt› zu hangeln, ist uns der Fisch womöglich längst durch die Lappen gegangen.»

«Jawohl, Sir.»

«Sie vermuten also, daß dieser Azimuth-Laden Rocky Envigado eine Motoryacht beschafft hat, ist das richtig?»

«Jawohl, Sir.»

«Und wie kommen Sie darauf?»

Kate biß sich auf die Lippe und sagte: «Es gibt da eine Offshore-Firma namens San Ferman, mit Sitz auf Grand Cayman, und wir vermuten schon lange, daß sie von Rocky kontrolliert wird. Vor etwa drei Monaten hat Azimuth dieser Firma ein Boot verkauft. Wir haben herausgefunden, daß sich dieses Boot, die *Britannia*, derzeit in einer Werft hier in Miami befindet, Sir. Am Stranahan, Höhe Thirteenth Street. Das Boot wird observiert. Wir haben einen Beobachtungsposten in einem Zimmer des Harbor-View-Krankenhauses, denn von dort hat man einen hervorragenden Blick –»

«Auf den Hafen, klar.»

«Und auf die Bootswerft. Aber wir konnten bisher noch nicht feststellen, ob die Drogenfracht schon an Bord ist.»

Bowen nickte nachdenklich und fragte: «Was wird denn an dem Boot gemacht?»

«Tja, Sir, seit es im Trockendock liegt, wurden neue Benzintanks eingebaut, das Cockpit erweitert, neue Leitungen verlegt, die Klimaanlage erneuert, Naiad-Stabilisatoren angebracht und eine ganze Menge Arbeiten am Rumpf vorgenommen.» Mit einem dünnen Lächeln setzte sie hinzu: «Wir haben wohl hinreichenden Grund zu der Annahme, daß die neuen Spezialtanks der Ort sind, wo sie das Kokain zu verstecken gedenken.»

«Die Tanks, hm?»

«Na ja, da ist nur eins, Sir. Ich habe ein paar Berechnungen angestellt, ausgehend von der Größe des Boots und der Motorkraft. Die *Britannia* ist siebenunddreißig Meter lang und besitzt zwei Detroit-Motoren à zweitausend PS. Damit hätte sie einen Aktionsradius von etwa zweitausendfünfhundert Meilen. Sie käme also nicht bis Nordafrika und nicht mal bis zu den Kanaren, die rund 3500 Meilen von der Küste Floridas entfernt sind.»

«Aber mit den Spezialtanks –»

«Könnte man ihren Aktionsradius durchaus so weit strecken. Vielleicht sogar auf viertausend Meilen. Aber dann hätte man ein anderes Problem. Wohin mit dem Koks? Angenommen, die Tankerweiterung hat den Zweck –»

«Schon gut», schnappte Bowen. «Ich hab's kapiert. Sie kann nicht so weit kommen *und* den Stoff in den Tanks transportieren.» Bowen nahm einen Briefbeschwerer von seinem Schreibtisch und warf ihn von einer Hand in die andere wie einen Baseball. «Hören Sie, ich habe selbst ziemlich viel über diese Sache nachgedacht und bin da auf etwas gekommen.»

«Ach?» Es klang ein bißchen überraschter, als ihr lieb sein konnte.

«Ja. Wollen Sie's hören?»

Kate zuckte die Achseln. Sie hatte den Rest ihrer Theorie bezüglich der Treibstofftanks der *Britannia* noch nicht vorgetragen, aber andererseits war ihr klar, wie wenig Kent Bowen von Booten verstand und wie wenig sie es sich leisten konnte, ihm zu widersprechen. Also sagte sie: «Natürlich. Erzählen Sie.»

«Na ja, ich habe mir so meine Gedanken gemacht.»

Guter Anfang.

«Wie wir wissen, können sie Kokain pressen, färben, mit Zellulose versetzen, ja sogar mit Glasfaser vermengen, um ein hartes Material zu erzielen, das sich beliebig formen läßt.»

«Ja-a-a.»

«Na ja, wissen Sie noch, damals, vor ein paar Jahren? Die Hundetransportboxen?»

Kate nickte geduldig. Bowen sprach von einem Drogenfund, den FBI-Leute 1992 gemacht hatten. Ein kolumbianisches Drogenkartell hatte fünfzig Hundetransportboxen aus Kokain hergestellt. Zermahlen und chemisch aufbereitet, hatten die Boxen einen Marktwert von beinahe einer halben Million Dollar gehabt.

«Angenommen, Rocky Envigado hat eine Methode ausgeknobelt, dasselbe mit einem Bootsrumpf zu machen? Polyurethan? Glasfiber?» Bowen zuckte die Achseln, um Kate Raum zu lassen, die Genialität ihres Chefs mit einem bewundernden Ausruf zu würdigen. Aber statt dessen sah sie verdutzt drein, als hätte sie die Brillanz seiner Idee noch nicht voll erfaßt. «Sie haben doch selbst gesagt, daß in diesem Trokkendock an der Thirteenth Street Arbeiten am Rumpf vorgenommen wurden.»

Kate sagte: «Wissen Sie was? Darauf wäre ich nie gekommen. Nie im Leben. Das ist eine phantastische Idee.»

Taub für Kates Sarkasmus, erklärte Bowen: «Ganz schön schlau, was? Ich meine, überlegen Sie mal.» Er gab einen entzückten kleinen Glucker von sich. «Verdammt, Kate, bei näherem Hinsehen ist es ziemlich plausibel.»

«Ach, ja?»

«Zum Beispiel: die meisten Yachten sind weiß, oder? Ist doch die perfekte Tarnung für eine Tonne Kokain. Mannomann, eine Motoryacht aus schierem Kokain. Das nenne ich ein echtes Speed-Boot.»

Kate lächelte verkniffen und fragte sich, wie viele Kalauer er noch aus dieser hirnrissigen Theorie herauswringen würde.

«Der ideale Bootsbaustoff, schneeweiß und recycelbar.»

Sie ließ ihn ein, zwei Minuten weiterschwadronieren, ehe sie beschloß, ihn wieder auf den Teppich zu holen.

Sie sagte: «Ja, das ist zweifellos eine interessante Möglichkeit. Wenn auch eine ziemlich entlegene. Aber nehmen wir mal an, es wäre machbar, den Atlantik zu überqueren, ohne dazu überhaupt Treibstoff zu benötigen. Natürlich bräuchte man immer noch genug Diesel, um die eingebauten Kammern für das Kokain zu bedecken. Aber angesichts der Maße der Yacht und der Lage des Maschinenraums, nämlich achtern –»

«Achtern? Was ist achtern?»

«Seemannssprache. Bedeutet, zum Heck hin gelegen.» Sie hielt kurz inne und setzte dann hinzu: «Zum hinteren Bootsende.»

«Oh, achtern, klar, ich weiß schon.»

«Angesichts dieser Gegebenheiten und der Innenkonstruktion – nur leichtes Alublech mit Hartschaumkern – könnte man meiner Schätzung nach bis zu tausend Kilo Koks einlagern und immer noch so viel Diesel tanken, wie das Boot ursprünglich fassen sollte.»

Bowen grinste unbehaglich, wohl wissend, daß das nicht sein Terrain war. Er legte den Briefbeschwerer auf den Tisch zurück und sagte: «Was wollen Sie sagen?»

«Nur, daß sie diesmal vielleicht, statt aus eigener Kraft via Bermudas und Azoren rüberzufahren, einen Transatlantik-Yachttransport benutzen wollen. Das ist so eine Art Überseefähre. Für teures Plastik. Wenn man zum Beispiel seine 24 Fußbreit zum Filmfestival nach Cannes bringen will, wird man sie vermutlich über den Atlantik verfrachten lassen. Das wäre die perfekte Tarnung für jemanden wie Rocky Envigado. Sein Boot Fender an Fender mit dem, was hier in Florida als High-Society firmiert.»

Bowen sagte: «Ich hatte ja keine Ahnung –»

Soviel jedenfalls stimmte mit Sicherheit.

«– daß Sie so viel von Booten verstehen, Kate.»

«Bevor Howard – mein Mann –, bevor wir uns getrennt

haben, waren wir ziemlich viel mit seinem Sportfischerboot unterwegs.»

Kate lächelte, als sie an all die Fische dachte, die sie zusammen gefangen hatten – Marlins, Thunfische und gelegentlich sogar mal einen Hai –, und an das 26-Meter-Boot Marke Knight & Carver, das sie besessen hatten. Berichtigung, das er besessen hatte. Die *Dice Man*. Mit Köderkasten, Gefrierbox und professioneller Angelausrüstung – von den drei großen, mit erlesenem hawaiischem Koaholz getäfelten Kajüten gar nicht zu reden – war die *Dice Man* eine wahrhaft luxuriöse, aber absolut wettkampftaugliche Sportangelplattform. Ihr war gar nicht bewußt gewesen, wie sehr sie das Boot vermißte. Sie vermißte es ganz eindeutig mehr, als sie Howard vermißte.

Sie sagte: «Er lebt seit unserer Trennung dort. Auf dem Boot.»

«Tja, ich bin aus Kansas», sagte Bowen. «Ich schätze, das ist so weit weg vom Meer, wie's hier in den Staaten nur geht.»

Sie sagte: «Ich war noch nie in Kansas.»

«Ist so ein Rechteck auf der Landkarte. Bißchen wie ein Bilderrahmen. Würde man schwer an der Silhouette erkennen, wenn's als Frage in einer Gameshow käme. Florida dagegen – Sie sind doch aus Florida, oder?»

«Titusville.»

«Florida ist der Staat mit der unverwechselbarsten Silhouette in der ganzen Union.»

«Das stimmt», sagte Kate. Wenigstens in einem waren sie sich einig.

«Wissen Sie, woran ich denken muß, wenn ich diese Silhouette sehe, Kate?»

Kate schüttelte den Kopf.

«An eine Pistole. Kurzer Lauf, breiter Griff. Bißchen wie Ihre Ladysmith. Immer, wenn ich diesen Umriß auf einem

Straßenschild sehe, erinnert er mich an den Grund meines Hierseins.»

«Und der wäre, Sir?»

«Verbrechensbekämpfung. Das hier ist die Verbrechenshauptstadt der Vereinigten Staaten. Wußten Sie das nicht?»

Aber Bowen wartete die Antwort gar nicht ab.

«Vor allem wegen dieses ganzen Gesindels aus Cuba, Haiti, der Dominikanischen Republik und so weiter, das sich hier niedergelassen hat.»

«Ich finde das ein bißchen –»

Er sagte: «Titusville. Das liegt weiter die Küste rauf, richtig?»

«Stimmt.»

«Hatten Sie's immer schon mit Booten?»

«Seit *Gemini 8.*»

«*Gemini 8?* Was hat das damit zu tun?»

«Als ich klein war, sind wir immer mit dem Boot meines Vaters rausgefahren, um die Raketenstarts vom Kennedy-Raumfahrtzentrum zu beobachten. Von dort draußen hatte man den besten Blick weit und breit. Ja, ich hatte so ziemlich mein Leben lang mit Booten zu tun.»

Bowen sagte: «Okay, Sie verstehen was von Booten. Aber ich verstehe was von Polizeiarbeit. Sie haben ja vermutlich schon gehört, daß ich Deputy Sheriff in Dodge City war, bevor ich zum FBI gegangen bin.»

Kate nickte matt.

«Das ist natürlich schon ein paar Jährchen her. Und in Dodge war schon aufgeräumt, bevor ich hinkam.» Er gab wieder dieses vertraute Glucksen von sich, das Kate hassen gelernt hatte. «Dafür hat der olle Wyatt Earp schon gesorgt. Einer der Gründe, weshalb ich zum FBI gegangen bin, war, von dort wegzukommen. Aber nicht, ehe ich dieses Handwerk auf die harte Art und Weise gelernt hatte. Auf der Straße. Dem einzigen Ort, wo man wirklich einen Riecher entwickelt. Und im Moment sagt mir eben dieser Riecher, daß wir meiner Theorie zumindest nachgehen sollten. Von wegen dem Bootsrumpf aus Kokain und so weiter. Sie sagen, Sie verstehen was von Booten?»

«Jawohl, Sir.»

«Dann möchte ich, daß Sie mit ein paar Bootsbauern reden und prüfen, ob so was möglich ist. Ich habe gehört, was Sie über die Tanks gesagt haben, Kate. Aber ich glaube, da verrennen Sie sich in einer Sackgasse. Diese Burschen sind sehr viel erfinderischer, als Sie's ihnen zutrauen, Kate. Man darf den Gegner nie unterschätzen.»

Kate lächelte ihn an, als er sich vielsagend an die Schläfe tippte. Ihren Boß zu unterschätzen schien langsam schon fast ein Ding der Unmöglichkeit.

Er sagte: «Über die Grenzen des Gegebenen hinausdenken. Das ist es, was sie tun. Und was ich tue. Diese Kerle denken nicht innerhalb der allgemeinen Normen. Und wir auch nicht, Kate. Wir auch nicht. Und wenn Sie dann festgestellt haben, daß es möglich ist – und es würde mich, offen gestanden, sehr wundern, wenn dem nicht so wäre – , dann können Sie ja vielleicht mit ein paar Leuten unauffällig diese Bootswerft aufsuchen und sich den fraglichen Bootsrumpf mal genauer anschauen. Ich möchte wetten, Sie finden irgendeine Anomalie.»

«Anomalie.» Kate verkniff sich gerade noch eine Bemerkung, von der sie wußte, daß sie sie später bereuen würde. Sie hatte sagen wollen, ja, da ist allerdings eine Anomalie. Normalerweise kriege ich als Vorgesetzten jemanden, der ein Hirn in seinem verflixten Kopf hat.

Als sie an diesem Abend durch die banyangesäumten Straßen von North Miami heimwärts fuhr, hörte sie Magic 102,7, einen Oldies-Sender, und dort kam ein alter Stones-Song, den sie immer schon geliebt hatte. Und obwohl es ein Song war,

den sie wohl tausendmal gehört hatte und Wort für Wort auswendig konnte, mußte sie feststellen, daß sie beim Mitsingen
noch immer an Kent Bowen dachte und daran, wie sie ihm beweisen würde, daß *er* auf dem Holzweg war.

*Time is on my side.*

9

In Daves Suite klingelte das Telefon. Es war Jimmy Figaro.

«Haben Sie einen Paß?»

«Den haben Sie», sagte Dave.

«Ich?»

«Ich mußte ihn vor dem Prozeß abgeben. Wissen Sie nicht
mehr?»

«Wenn Sie's sagen. Meinen Sie, er ist noch gültig?»

«Hm, ich glaube schon.»

«Okay, ich lasse Carol danach suchen und rufe dann wieder an.»

«Gut, daß Sie mich dran erinnert haben. Ich hätte Sie sowieso darauf ansprechen müssen. Heißt das, die Sache läuft?»

«Ich weiß von keiner Sache.»

«Oh, ja, ich vergaß. Der Herr Anwalt weiß ja nur, was er
wissen muß.»

«Ich weiß nur das, was Al Cornaro mir gesagt hat.»

«Und das wäre?»

«Daß Sie und er nach Costa Rica fliegen.»

«Costa Rica? Was gibt's denn in Costa Rica?»

«Ziemlich guten Kaffee, sagt man. Vielleicht könnten Sie
mir ja ein paar Bohnen mitbringen?»

«Wer bin ich, Jimmy? Starbucks oder was?»

«Und außerdem noch ein Boot. Al sagt, ich soll Ihnen sagen, er hat ein Boot für Sie gefunden.»

«Wunderbar. Hat er gesagt, was für ein Boot?»

«Das *Love Boat*. Woher zum Teufel soll ich das wissen? Ich bin Anwalt, kein Herman Melville.»

«Na ja, melden Sie sich wieder, Ishmael. Wegen der Paßgeschichte, okay?»

San José, die Hauptstadt von Costa Rica, lag tausend Meilen südlich von Miami; zweieinhalb Flugstunden in einem American-Airlines-Jet voller Touristen, allesamt auf der Suche nach schwieriger Brandung und schnellem Sex.

Dave kehrte von der Toilette zu seinem Erster-Klasse-Platz zurück und sagte: «Dieser Flieger. Ist ja wie *Big Wednesday* dahinten.»

«Big was?»

«Surf-Film. John Milius. Alles über die perfekte Wellenabfahrt.»

Al grunzte und machte es sich mit seinem dritten Wodka-Martini in seinem Sitz bequem. «Die perfekte Abfahrt? Wissen Sie, was das für mich ist? Das ist, wenn Madonna mit den Kindern für sechs Wochen zu ihrer Mutter fährt.»

«Madonna ist Ihre Frau?»

«Ganz recht.»

«Macht's Ihnen was aus, wenn ich Sie was Persönliches frage?»

«Solang's Ihnen nichts ausmacht, wenn Sie eins in die Fresse kriegen, falls ich Ihre Frage taktlos finden sollte.»

«Warum sind Sie immer noch mit ihr verheiratet? Sie machen doch die ganze Zeit nur Witze über sie.»

Al sagte: «Das ist so ein Eheding. Das verstehen Sie nicht. Wir kommen ziemlich gut miteinander aus, sie und ich. Sie stellt keine Fragen, also erzähl ich ihr keine Lügen. Dieser Trip nach Costa Rica zum Beispiel. Was ich dort mache? Vielleicht ein paar hübsche *ticas* aufreißen und mit ihnen ins Bett steigen? Sie wird mich nicht fragen. Und nicht mal an meinen Fingern schnüffeln, wenn ich wieder zurück bin. Das ist so ein stillschweigendes Abkommen zwischen uns. Ein Modus vivendi, wenn Sie verstehen, was ich meine. Und außerdem, selbst wenn ich sie loswerden wollte, würd's nicht gehen. Ich bin katholisch. Die Ehe ist unauflöslich. Die wird man nie wieder los. Wie den Herpes.» Al gab ein obszönes Lachen von sich und trank sein Glas aus.

Dave sagte: «Schön, daß es noch wahre Liebe gibt.»

«Wahre Liebe statt Ware Liebe. Wie in *True Romance*.» Al schwenkte sein leeres Glas in Richtung der Stewardeß und lachte wieder. «Das ist es doch, was die meisten von diesen abgestandenen Beach-Boys dahinten wirklich suchen. Wahre Liebe. So erstaunlich es klingen mag. Die Anzeigenseiten drüben in CR sind voll mit Annoncen von irgendwelchen amerikanischen Schwachköpfen, die eine nette kleine *tica* fürs Leben suchen.»

«Dann sind Sie also schon dort gewesen?»

«In CR? Tausendmal.»

«Und was suchen Sie, Al?»

«Ich? Mir genügt's, wenn mir der Schwanz gelutscht wird.»

Dave sah aus dem Fenster.

«Ist was?» fragte Al. «Was dagegen?»

«Nein, gar nichts.»

«Prostitution ist legal in CR. Das ganze verdammte Land ist ein einziger riesiger Sex-Supermarkt.»

Dave nahm den *New Yorker*, den er sich am Flughafen gekauft hatte, aus der Sitztasche und begann zu blättern.

Al sagte stirnrunzelnd: «Ich denk mir, einer, der gerade aus Homestead kommt, müßte doch scharf auf ein gutes Nümmerchen sein. Sind Sie dort drinnen zur Schwuchtel geworden oder was?»

Dave sagte: «Nein, ich bin dort drinnen nicht zur Schwuchtel geworden. Aber Leute, die was gegen Schwuchteln haben, kaschieren meist ihre Angst vor ihren eigenen homosexuellen Wünschen. Wie ist das bei Ihnen, Al?»

Al sagte achselzuckend: «Sie haben recht. Ich bin homosexuell.» Wieder das obszöne Lachen. «Ich bin eine Lesbe in einem Männerkörper. Soll heißen, ich steh drauf, wenn's zwei Mädels miteinander treiben, eh sie's mit mir treiben. Ich schätze, das trifft so in etwa meine sexuellen Wünsche.»

Dave lachte und sagte: «Ich, ich bin eher wie diese Schwachköpfe, von denen Sie gesprochen haben. Die mit den Anzeigen. Die auf der Suche nach wahrer Liebe. Ich schätze, das trifft so in etwa meine.»

«Ihr Pech.»

Al schlug das *Penthouse*-Heft auf, das er sich am Flughafen gekauft hatte, und begann in der Nase zu bohren. Geistesabwesend betrachtete er seine Fingerspitze und runzelte die Stirn, als er Blut daran sah. Im nächsten Moment tropfte noch mehr Blut in einschußlochgroßen Tropfen auf die Zeitschrift, sein cremefarbenes Polohemd und seine helle Hose.

«Scheißnasenbluten», stöhnte Al.

Er versuchte vergebens, den Strom zurückzudämmen, indem er zuerst seinen Papieruntersetzer in das eine und dann den von Dave in das andere Nasenloch stopfte. Erst, als die Stewardeß mit einem weiteren Drink und einer Papierserviette kam und Als Sitz in die Liegeposition zurückklappte, ließ das Bluten schließlich nach.

Dave sah auf den flach zurückgekippten Mann neben sich und seufzte.

«Mist», sagte er. «Das erste Mal, daß ich aus den Staaten rauskomme, und ich muß ausgerechnet mit Jake La Motta reisen.»

Auf der Taxifahrt vom Juan-Santamaria-Flughafen in die Stadt bekam Daves Reiselust den ersten Dämpfer.

«Mist», beschwerte er sich. «Irgendwas hat mich ins Bein gestochen.»

«Wahrscheinlich nur ein Moskito», sagte Al.

«Ein Moskito?»

Er war bis jetzt nicht auf die Idee gekommen, für diese Reise medizinische Vorbeugemaßnahmen zu treffen, und Al hatte ihm auch nichts Derartiges geraten. Aber jetzt konsultierte Dave sicherheitshalber den *Fodor's Guide* für Costa Rica, den er in Miami am Flughafen erworben hatte. Das Gesundheitskapitel trug nicht gerade zu seiner Beruhigung bei.

«Verdammte Scheiße», sagte er und knallte das Buch zu.

«Was ist?»

«Malaria», beschwerte er sich. «Dieses Land ist eine einzige gottverdammte Brutstätte. Von all den anderen Scheißkrankheiten ganz zu schweigen.»

«Und?» Al klatschte einen Moskito auf seiner blutfleckigen Wange platt.

«Ich bin nicht geimpft, Al. Und ich habe keine Lust auf Anämie, Nierenversagen, Koma und Tod.»

«Wer braucht schon Impfungen? Die meisten von diesen Mittelchen nützen doch sowieso nichts. Hab ich in der Zeitung gelesen. Sie haben nur diesen sogenannten Plazeboeffekt. Heißt, von der Wirkung her könnte man genausogut grüne M & Ms fressen. Man fühlt sich nur physisch sicherer, zwischen lauter kranken Spics und Insekten und diesem ganzen tropischen Scheiß. Und die Mittel, die wirken, schädigen dafür den Organismus. Schauen Sie sich doch an, was aus diesen Army-Ärschen geworden ist, die bei Desert Storm dabei waren. Sie haben alles mögliche Zeug genommen, und jetzt sind viele gesundheitlich total am Arsch. Also regen Sie sich ab. Außerdem sind wir sowieso nicht so lange hier, daß sich irgendwas von diesem ganzen Vorbeugequatsch lohnen würde.»

«Scheiß drauf. Sobald wir im Hotel sind, gehe ich los und suche mir eine Apotheke. Herrgott, ich verstehe nicht, wie Sie das alles so auf die leichte Schulter nehmen können. Ich meine, eine Anopheles, und das war's, Mann.»

«In dem Hotel, wo wir wohnen, gibt's keine Schlangen. Glauben Sie mir, der Schuppen ist erstklassig.»

«Keine Schlangen. Anopheles. Das ist eine Moskitoart, Al. In dem Buch hier steht, im ganzen Land wimmelt's davon.»

«Sie lesen zu viele Bücher.» Al kramte in seiner Bordtasche. «Cool bleiben, okay? Natürlich hab ich was gegen die Biester mit, nur sicherheitshalber.» Er reichte Dave eine Tube mit wohlduftender Creme. «Da, bitte. Schmieren Sie sich davon was auf Ihren kostbaren Arsch.»

Dave las die Aufschrift und war fassungslos.

«Avon-Moisturiser für superzarte Haut? Das soll ich nehmen?»

«Das wirkt. Ich nehm das immer mit, wenn ich hierherkomme, und ich bin noch nie gestochen worden.»

«Al, ich will die Insekten abschrecken und nicht dafür sorgen, daß sie eine weiche Landung auf meiner superzarten Haut erwartet.»

«Glauben Sie mir, das Zeug bringt's. Die Biester können's nicht ausstehen.»

«Was paßt ihnen denn nicht? Die Werbung? Das Markenimage?»

«Fragen Sie mich nicht, warum, aber es wirkt, okay? Marines, die hierherkommen, um den Dschungelkrieg zu üben, nehmen das Zeug seit Jahren. Besser als DEET oder sonst irgendeins von diesen Anti-Insekten-Mitteln, sagen sie. Und das hab ich nicht aus einem verflixten Buch.»

Das Hotel L'Ambiance stand unter amerikanischer Leitung und war sehr komfortabel: eine alte Kolonialvilla im Barrio Otaya von San José. Daves Zimmer war mit Antiquitäten möbliert und wesentlich größer und schöner, als er gedacht hatte. Zu bemängeln hatte er nur, daß er, wenn er die französischen Fenster zum Balkon hin öffnete, die Tiere im eine Straße weiter nördlich gelegenen Simon-Bolivar-Zoo hören und riechen konnte. In dieser Hinsicht war es wie eine Zweigniederlassung von Homestead.

Sobald er ausgepackt hatte, ging er los und kaufte sich in einer Apotheke Mefloquin. Das beruhigte ihn schon etwas, und nach einem guten Essen und ausgezeichnetem Wein fühlte er sich dem Land und seinem Reisegefährten gegenüber aufgeschlossen genug, um sich von letzterem zu einem Besuch in der angeblich besten Bar von San José animieren zu lassen.

Das Key Largo, saloonartig eingerichtet, mit einer ovalen Bar und Live-Musik, befand sich ebenfalls in einer hübschen alten Kolonialvilla. Es war proppenvoll von geselligen Gringos und einem scheinbar unerschöpflichen Reservoir an dollarhungrigen *ticas*, die gutenteils noch halbwüchsig waren. Al fand einen freien Tisch, orderte zwei Flaschen *guaro* und ließ Dave sitzen und die Atmosphäre in sich aufsaugen, während er sich auf die Suche nach weiblicher Gesellschaft machte. Ein paar Minuten später war er wieder da, im Schlepptau nicht nur eine, sondern vier der bestaussehenden Nutten, die Dave je zu Gesicht bekommen hatte. Eine davon, eine Blondine mit einem engen pinkfarbenen Baumwolltop und sehr großen Titten, setzte sich neben Dave und erklärte ihm lächelnd, sie heiße Victoria. Er merkte, wie sein Blick zur Balkendecke emporwanderte, als eine lasziv aussehende Brünette seinen anderen Arm ergriff und ihn um eine Zigarette bat. Als sein Blick wieder von der Decke herabwanderte, landete er auf Als Gesicht, in dem schon jetzt freudige Erregung stand.

«Was hab ich gesagt? Ist der Laden nicht toll? Immer, wenn ich hierherkomme, hab ich das Gefühl, ich bin gestorben und im Fickhimmel wieder aufgewacht.»

Dave kramte eine Marlboro für die Brünette hervor, warf einen kurzen Seitenblick auf das pinkfarbene Top und sah dann wieder Al an. Grinsend sagte er: «Pink. War immer schon meine Lieblingsfarbe.»

Er gab dem Mädchen, das Maria hieß, Feuer und rauchte dann selbst eine. Die übrigen drei Mädels bedienten sich bereits von dem *guaro*. Wider all seine Vorsätze begann Dave sich zu amüsieren.

Al prostete ihm mit dem lokalen Feuerwasser zu und sagte: «Die sprechen hier alle ziemlich gut Englisch, deshalb hoffe ich, Sie können decodieren, was ich jetzt sage. Die Damen hier sind für den menschlichen Konsum geeignet, wenn Sie verstehen, was ich meine. Vergessen Sie die Verkehrssicherheitsprobleme. Okay? Was die tun, ist hierzulande legal, also müssen sie sich in regelmäßigen Abständen vom Gesundheitsamt checken lassen. Jedenfalls ist alles geregelt. Das ganze Paket ist gekauft und bezahlt, ob Sie Ihre Anteilsoption wahrnehmen oder nicht. Das ist im Sinn aller Beteiligten. Schließlich müssen die Mädels ja ihren Lebensunterhalt verdienen. Also, die Entscheidung liegt bei Ihnen, Sportsfreund. Denen hier ist das eine so recht wie das andere.» Al kippte das Glas *guaro* in einem Zug hinunter, als er sah, daß Dave immer noch grinste. Er setzte hinzu: «Ob Sie ihnen ein Gedicht vortragen oder Ihren Schwanz vorführen, ist Ihre Sache. Seien Sie nur nett zu ihnen, das ist alles.»

Dave prostete zuerst Al und dann den beiden Mädels neben sich zu.

«Klar, ich werde mich von meiner besten Seite zeigen.»

Al gab ein obszönes Lachen von sich und sagte: «Dann wird's wohl doch nicht auf das Gedicht rauslaufen.»

Es war schon einiges nach eins, als Al verkündete, er werde jetzt mit seinen beiden *tica*-Freundinnen ins Hotel abziehen, bevor er zu betrunken für weitere Vergnügungen sei. Dave hatte die Gesellschaft von Victoria und Maria genossen. Es war ein leichter, lockerer Abend gewesen, und er hatte keine Lust, Al durch eine offene Demonstration von Prüderie zu beleidigen. Aber im Leben war man entweder ein Gimpel, der sich von Nutten ausnehmen ließ, oder man war keiner, und Dave hatte schon vor langem beschlossen, keiner zu sein. Also befand er jetzt, daß es das beste sei, mit dem Strom zu schwimmen und die beiden Mädels abzuwimmeln, sobald sich Al mit seinen beiden Freundinnen in die Präsidentensuite des Hotels zurückgezogen hätte.

Was denn auch geschah. Es ging ganz ohne Vorwürfe und ohne beleidigtes Getue ab. Die Mädchen akzeptierten es so selbstverständlich, wie sie vorher Als Einladung akzeptiert hatten. Nachdem sie mit dem Taxi abgefahren waren, nahm Dave eine ausgiebige kalte Dusche und sagte sich, daß er das Richtige getan hatte. Fünf Jahre Homestead schienen Erniedrigung genug für ein Menschenleben. Jetzt wollte er sich gut fühlen, wie jemand, der selbst bestimmte, was er tat und ließ. Und dafür mußte man stark sein. Sich und seine Begierden im Griff haben. Ein Hurenbock zu sein vertrug sich damit nicht.

Er zog einen Bademantel über und trat auf den Balkon hinaus. Über dem Rauschen des fernen Verkehrs hörte er das Brüllen einer Großkatze, eines Löwen oder Tigers, aus dem nahen Zoo. Er stellte sich das Tier vor, wie es in seinem kleinen Käfig auf und ab wanderte, und für einen Moment war da wieder seine Zelle in Homestead. Doch während er noch das schreckliche Schreien dieses gefangenen Wesens hörte, das sich in sein Verzweiflungsritual ergab, hin und her, hin und her, für immer die Gitter entlang, begriff er zum erstenmal seit seiner Entlassung, was es hieß, frei zu sein.

«Nette Nacht verbracht?»

Das war eine gemeine Frage, da Al wie ein jämmerlicher Haufen Scheiße aussah. Sein normalerweise dunkles Gesicht war blaß und schweißfeucht, seine Augen boshaft-klein und verquollen. Er hätte kaum schlimmer aussehen können, wenn sein Kopf eine Zeitlang auf einem Pfahl irgendwo im Dschungel gesteckt hätte.

«Du meine Güte, Al, Sie sehen aus wie ein gottverdammter Filmstar», äffte Dave spöttisch Tony Nudelli nach. «Wie Ernest Borgnine an seinem freien Tag.»

Al flüsterte heiser: «Wo zum Henker bleibt Chico mit dem Geländewagen?»

Vor ihnen lag eine Dreistundenfahrt nach Quepos an der Pazifikküste. Draußen, im spanischen Innenhof des Hotels, wartete ihr Fahrer in einem Range Rover. Al kletterte langsam auf den Rücksitz, stieß einen tiefen Seufzer aus, der fast schon ein Stöhnen war, und schloß die blutunterlaufenen Augen.

Nach einer halben Stunde Fahrt bereute Dave, der vorn neben Chico saß, daß er nicht auch hinten eingestiegen war. Fast schon hämisch belehrte ihn Chico, daß Costa Rica die höchste Verkehrstotenrate der Welt habe.

«Aber keine Sorge», setzte er hinzu. «Range Rover ist sehr gutes Auto für costaricanische Straßen. Ist englisches Auto, aber hält was aus. Ich glaube, Straßen in England vielleicht sind so schlecht wie hier. Und englische Autofahrer auch. Aber ist kein Problem in Range Rover. Das hier ist Auto, das sagt, geh aus dem Weg, *hombre*.»

Der Highway Three vom zentralen Hochland von San José runter zur Küste war eine zweispurige Asphaltstraße mit steilen Gefällstrecken und scharfen Kurven. In einigermaßen gutem Zustand war er nur bis Carara. Von da an reduzierte Chico die Geschwindigkeit auf die Hälfte, mit Rücksicht auf die vielen Schlaglöcher, von denen manche bei einem weniger robusten Vehikel einen Achsbruch gezeitigt hätten. Ein vulkangroßer Krater schleuderte sie alle drei gegen das Wagendach und riß Al aus seinem Holzhammerschlaf.

Eine Sekunde später sagte er: «Laßt mich raus.»

Chico drehte den Kopf, sah die Gesichtsfarbe seines Passagiers, fuhr jäh rechts ran und hielt in der Nähe einer dampfenden Morastsuppe.

Al öffnete die Tür, vergaß die Höhe des Wagens und purzelte mehr hinaus, als daß er ausstieg.

Chico sah ihm nach, wie er zum Rand des Sumpfes wankte, kurbelte dann lachend das Fenster herunter und rief ihm nach: «Achtung vor Krokodile und Boas!» Er sah Dave an und verdrehte die Augen. «Aiii. Die Boas. Sind schlimmer als Krokos. Sehr aggressiv.»

«Aber nicht giftig.»

«Vielleicht, Señor Dave, aber Zähne sie haben trotzdem. *Solche* Zähne. Wenn ich habe die Wahl zwischen Biß von Boa und von Viper, ich immer werde nehmen die Viper.»

Al blieb schwankend stehen, beugte sich vornüber, die Hände auf den Knien, und begann zu kotzen. Dave stieg aus, um zu pinkeln, und schlenderte dann zu Al hinüber.

«Sind Sie okay?»

Al kotzte immer noch, und Dave fühlte seine Nasenlöcher angewidert prickeln, als eine intensive Wolke von Nagellackgeruch zu ihm herüberwehte. Es war der *guaro*. Das Zeug kam so unverdünnt aus Al heraus, als kippte jemand eine Flasche aus.

«Okay?» Al würgte ein bitteres Lachen hervor. «Bin literweit davon entfernt», sagte er atemlos und kotzte dann weiter.

Dave sagte: «Dieses Geräusch müßte mal jemand aufnehmen. So ein Sound-Effects-Mensch vom Film. Letzte Nacht kam im Hotelfernseher dieser eine Film mit Mel Gibson. Am Schluß reißen sie ihm die Gedärme raus und verbrennen sie vor seinen Augen. Da hätten sie Sie im Aufnahmestudio brauchen können, Al. Das ist ein wahrhaft mittelalterliches Geräusch. Könnte der Beginn einer neuen Karriere für Sie sein.»

«Das Wichtige beim Kotzen ist ... daß man nicht aufgibt ... eh man fertig ist ... sonst bringt's nicht, was es bringen soll ...» Erneutes Kübeln. «Reine Ausdauersache.» Er rülpste, gab einen weiteren Schwall von sich und spuckte dann ein paarmal aus. «Nur nicht aufhören ... eh alles draußen ist ... sonst muß man ...» Ein letztes Würgen. «... Sonst muß man nur wieder von vorn anfangen ...»

Keuchend, als hätte er gerade einen Hundert-Meter-Sprint hinter sich, richtete Al sich auf, holte tief und zittrig Luft und grinste verzerrt.

Dave schluckte unsicher und sagte: «Heiliger Strohsack, Al, Sie sollten für Amerika kotzen.»

Dave wußte sehr wenig über das Boot, das sie hier abholen sollten. Und sooft er fragte, sagte Al, er solle abwarten. Doch kurz vor Quepos, auf einer Straße, die so staubig war, daß Chico mit Licht fuhr, sagte Dave: «Ganz schöner Aufwand für ein verflixtes Boot.»

«Wissen Sie nicht? Wer kein Geld hat, hat auch nicht zu mäkeln.»

«Ja, schon, aber gucken Sie sich dieses Kaff an.»

Sie passierten gerade ein Gewirr von Häusern, die auf Stelzen standen und durch eine Art freitragendes System aus Planken und Wellblech verbunden waren.

«Was für ein Boot sollen wir hier schon finden? Einen gottverdammten Bananendampfer. Oder vielleicht einen Sampan. Meine Fresse.»

Die unbefestigte Straße führte an dem Fischerdorf vorbei und durch einen ausgedehnten Mangrovensumpf.

«Ein gottverdammtes Propellerboot, das ist es, was man hier braucht», beschwerte sich Dave und schlug ärgerlich nach etwas, was seinen Hals hinaufkrabbelte.

«Ich hab Ihnen doch gesagt, Sie sollen das Avon-Zeug nehmen. Mich hat noch nichts gestochen.»

«Das Biest, das Sie sticht, würde vermutlich an Alkoholvergiftung krepieren.»

Al sagte achselzuckend: «Geht mir schon wieder besser. Ein schönes kaltes Bier wär gar nicht zu verachten.»

Dave sah ein Krokodil, durch den Rover aufgestört, in brackiges Wasser gleiten.

«Horror», murmelte er finster. «Der totale Horror.»

«Wovon zum Teufel reden Sie? Regen Sie sich ab, okay? Wir sind gleich da.»

Die Straße führte südwärts durch ein tristes Küstenkaff.

«Das ist Quepos», grinste Chico. «Der Ort. Ist nicht großartig, no?» Er bog kurz vor einer Brücke in eine große Hafenanlage ein. «Aber hier ist besser. Hier ist viel gebaut. Jede Menge *gringo*-Touristen. Kommen zum Fischen. Dezember bis August. Schnappbarsch. Amberfisch.»

Und plötzlich sah Dave, weshalb sie hier waren, denn die ganze Bucht starrte von den Marlinhochsitzen und Flybridges Dutzender Sportfischer, die zum Teil wohl eine Million Dollar oder mehr wert waren.

Er sagte: «Okay. Schon besser.»

«Wahoo, Thunfisch. Aber vor allem sie kommen für Marlin und Seglerfisch.»

«Was hab ich gesagt?» sagte Al.

«Ist mehr windgeschützt hier als Guanacaste-Küste. Aber gehen Sie ja nicht schwimmen. Ist alles verseucht. Und außerdem Strömung und gottverdammte Haie.»

Al lachte. «Schwimmen? Scheiß drauf.»

«Warum sind Sie dann nach Quepos gekommen?»

Dave sagte: «Um ein Boot abzuholen.»

«Zum Fischen», setzte Al rasch hinzu.

Dave sah Al stirnrunzelnd an. Al schüttelte den Kopf, als wollte er jeden Widerspruch unterbinden.

«Die meisten *gringos* kommen hierher mit lauter Ruten und viel Ausrüstung. Aber Sie –»

«Ist uns alles am Flughafen gestohlen worden», sagte Al.

«Kein Problem. Ich kann Geschäft empfehlen. Dort Sie kriegen alles, was Sie wollen. Und für guten Preis.»

«Danke, nicht nötig. Wir haben von San José aus ein voll ausgerüstetes Boot gebucht. Bei einer Chartergesellschaft namens Vera Cruz. Irgendwo nördlich der Brücke, das ist alles, was ich weiß.»

Chico fragte bei einem Andenkenshop, und man wies sie zu einer auf Stelzen ins Wasser gebauten *ranchita* direkt vor der Brücke, die nach Quepos hineinführte. Während Al Chico bezahlte, spazierte Dave die Marina entlang, froh, dem Wagen entronnen zu sein und ein bißchen frische Luft schnappen zu können. Zwischen einem dichtbewaldeten Hügel und einem morastigen Strandstück gelegen, schien Quepos ein seltsamer Ort für eine Bucht voller Luxusyachten. Ein paar Kinder radelten auf uralten Mountainbikes den Quai auf und ab, vor einer Zeile von Läden und Restaurants. Als Al durch die Tür des Vera-Cruz-Gebäudes spähte, kam eins der Kinder herbei und erklärte Dave, der Vera-Cruz-Gringo sei essen gegangen. Dave gab dem Kleinen einen Fünf-Colón-Schein und sagte dann Al Bescheid.

Al nickte zum Restaurant hinüber und sagte: «Okay, essen wir auch was. Mein Magen fühlt sich an wie ein Basketball-korbnetz. Und außerdem sind da noch ein paar grundlegende Dinge, die ich klarstellen möchte. Zum Beispiel, was Sie verdammt noch mal zu tun und zu lassen haben, bis ich was andres sage. Okay?»

«Eine so freundliche Einladung, Al, kann ich ja wohl kaum ausschlagen.»

«Bleiben Sie einfach bei dieser Haltung, und wir werden prima miteinander auskommen.»

Sie gingen in das Restaurant und bestellten schon mal ein paar *cervezas* pro Nase, während sie die Speisekarte studierten. Nach einem Weilchen entschied sich Dave für den Reis mit Bohnen, während Al mit einem höhnischen Lachen Schildkröte verlangte.

Er sagte: «Himmelherrgott, ich wollte, mein Petey könnte zugucken, wie ich das hier esse. Diese verfluchten Ninja Turtles, mit denen er immer spielt, die machen mich noch verrückt. Ich hasse diese kleinen grünen Scheißviecher. Ich hasse den Song, ich hasse die Sendung und diese Typen. Leonardo, Donatello. Ich frage Sie, was für eine Welt kriegen diese Kids vorgesetzt? Wenn sie in dem Glauben aufwachsen, Michelangelo wär eine Scheißschildkröte und kein berühmter Maler.»

«Ich wußte gar nicht, daß Sie so kunstinteressiert sind», sagte Dave.

«Alle Italiener interessieren sich für große Maler. Das gehört zu unserem Erbe. Sobald ich heimkomme, werde ich ihm sagen, ich habe eine Scheißschildkröte gegessen.»

«Wird ihn das nicht schockieren?»

«Klar wird's ihn schockieren, und das ist gut so. Hören Sie, Sie haben keine Kinder, Sie verstehen das nicht. Dank Hollywood gibt es so gut wie kein Tier mehr, das nicht als süße kleine Zeichentrickfigur rumgeistert. Wale, Rehe, Karnickel, Elefantenbabys, Krebse, Schildkröten.»

«Schildkröten sind doch was anderes. Das sind Reptilien.»

«Egal. Daddy, du darfst Bambi nicht essen. Hey, Sohn, guck, was ich mache.»

«Aber wozu soll das gut sein?»

«Es ist eine Lektion, dazu ist es gut. Indem man das Tier

ißt, lehrt man das Kind was über die reale Welt. Die Hälfte aller Probleme, die die Kids von heute haben, hängen mit ihrer verdammten Phantasiewelt zusammen. Schlag deine Zähne in die Realität. Du mußt Biß haben. Das ist es, was ich damit sage. Gedankenfutter. Hilft ihnen, erwachsen zu werden. Als ich klein war, hab ich meinen Vater andauernd Hühner und Truthähne schlachten sehen. Meine Kinder haben noch nie gesehen, wie was Eßbares getötet wird. Nicht mal ein Fisch. Da stimmt doch was nicht. Ich hab vielleicht nicht die Möglichkeit, das Tier selbst umzubringen wie mein Alter. Aber ich kann immerhin einen erzieherischen Akt draus machen, es zu essen, wenn sich die Gelegenheit bietet.»

«Sie sind ja ein wahrer Doktor Spock.»

«Diese Tierschutzspinner. Die meisten sind mit diesem ganzen Quatsch von den lieben, süßen Tierchen groß geworden. Ich will zwei Dinge für meinen Sohn. Ich will, daß er weiß, wer der echte Michelangelo war. Und ich will nicht, daß er Vegetarier wird. Vegetarismus ist was für Schwuchteln.»

Dave sagte: «Michelangelo war eine Schwuchtel.»

«Wer sagt das?»

«Alle. Gucken Sie sich doch den *David* an.»

«Quatsch. Okay, wenn Michelangelo eine Schwuchtel gewesen wäre, hätte ihn dann der Papst die Decke der Sixtinischen Kapelle ausmalen lassen? Wohl kaum.»

Dave merkte, daß Al wohl nicht so schnell zu überzeugen sein würde. Also sagte er nur grinsend: «Lesbe im Männerkörper, das war's doch, hm?»

Froh, das Thema wechseln zu können, sagte Al lachend: «Ja, Sie hätten die beiden mal sehen sollen. Sie haben sich von vorn bis hinten geleckt. Das seh ich gerne. Das ist so ein wunderschöner Anblick. Mann, ich wette, Michelangelo hätte das auch gemalt, wenn er damit durchgekommen wär. Und Sie? Wie war's denn bei Ihnen?»

«Gut», sagte Dave. «Sie waren gut.»

Al wartete auf Details, und als keine kamen, sagte er stirnrunzelnd: «Okay, also, die Sache läuft so, Klugscheißer. Wir sind hier, um so eine Art Pfändung vorzunehmen. Der Kerl, dem das Boot gehört, das ich gechartert habe, ist ein gewisser Lou Malta. Malta schuldet Tony einen Mordshaufen Geld. Mit Zinsen und allem über eine Million. Vor sechs Monaten war Malta noch in Fort Lauderdale und hat brav seine Rechnungen gezahlt, und alles war in bester Butter. Und dann? Verpißt er sich urplötzlich hierher. Verschwindet einfach spurlos. Aber so ein verdammter Zufall! Einen Tag nachdem Sie Tony Ihren Plan unterbreitet haben, wissen Sie, was da passiert? Der Privatschnüffler, den Tony beauftragt hat, Malta aufzustöbern, schickt eine E-Mail mit der exakten Nachsendeadresse des alten Knaben. Als wenn's Gottes Fügung wäre, daß Sie dieses Boot für Ihre Kaperfahrt kriegen sollen. Malta kennt meine Nase nicht, aber es ist wohl trotzdem besser, wir erzählen ihm kein so verdächtiges Zeug, wie daß wir geradewegs aus Miami kommen. Halten Sie einfach den Mund und helfen Sie mir ein bißchen, und das Boot ist für den ganzen langen, heißen Sommer Ihrs.»

«Und Malta? Haben Sie vor, ihn umzulegen, Al?»

«Nur, wenn er's partout will.»

«Weil ich Ihnen dabei nämlich nicht helfen werde.»

«Glauben Sie mir, Blut steht heute nicht auf dem Speiseplan.»

«Auch nicht zu pädagogischen Zwecken?»

Al zuckte die Achseln. «Wie gesagt, nur, wenn er mich dazu zwingt.»

«Und wenn ich Ihnen nicht helfe?»

«Dann hab ich ein Boot und keinen, der's heimschippert. Und Sie haben kein Boot, um Ihren Geldtransport zu kapern. Von Ihrem Rückflugticket mal ganz abgesehen.»

Dave hätschelte das kalte Bierglas einen Moment in den Händen und fragte sich, ob er wirklich eine Wahl hatte.

«Was für ein Boot ist es denn?»

Al zog seine Brieftasche heraus, entfaltete eine Schwarzweißkopie und streckte sie über den Tisch. «Eine echte Schönheit. Siebenundzwanzig Meter lang, sechs sechzig breit, zwei Meter Tiefgang. Zwei 1500-PS-Motoren und fünfunddreißig Knoten Maximum.»

Dave bemerkte den Namen am Heck des abgebildeten Boots. «*Juarista*», sagte er. «Vera Cruz. Paßt.»

«Das ist alles, was ich weiß. Und die Farbe. Es ist weiß.»

Dave sagte: «Weiß ist gut.» Er ließ etwas Bier seine Kehle hinabgluckern. «Dreckempfindlich, aber trotzdem, gute Tarnung. So fallen wir zwischen den anderen Booten nicht so auf.» Er lächelte und faltete die Kopie zusammen. «Kann ich das hier behalten?»

«Schenk ich Ihnen.»

«Und wie soll das Ganze laufen, Al? Könnte doch sein, daß Malta nicht bereit ist, sein Boot einfach so kampflos herzugeben. Und dann der Papierkram. Wir brauchen tadellose Papiere, um das Boot auf den nächsten SYT-Transport zu kriegen.»

«Der Papierkram ist schon geregelt worden, als das Boot noch in Fort Lauderdale lag. Kreditsicherheit für Tony. Tony hat Malta Geld geliehen, als ihn die Banken nicht mal mehr mit der Feuerzange anfassen wollten. Aber trotzdem, ich verstehe Ihr Argument. Wir sind fern der Heimat, und Malta könnte glauben, daß ihm das gewisse Freiheiten gibt. Ich will Ihnen sagen, was wir tun werden. Wir fahren raus, als wären wir einfach nur irgendwelche Touristen. Wir verdrücken uns ein Stück weg, an irgendein abgeschiedenes Plätzchen, hoffe ich mal, und werfen unsere Köder aus, als wollten wir wirklich nur fischen. Und dann unterbreite ich ihm eine detaillierte

Expertise, was sein Arsch noch wert ist, wenn er meint, er kann sich an Tonys Portefeuille vergreifen.»

«Wie so eine Art Investment-Analyst. Verstehe.» Dave trank das erste Bier aus und machte sich ans zweite. «Okay, dabei helfe ich Ihnen. Unter einer Bedingung.»

«Ich dachte, das hätten wir schon gehabt. Keine Toten.»

«Das auch. Aber noch was. Ich will, daß Sie mir das Reden überlassen.»

«Warum, zum Henker? Glauben Sie vielleicht, ich kann eine simple Pfändung verbal nicht bewältigen?»

«Ich glaube, daß Sie das sehr gut hinkriegen. Ich mache mir nur Sorgen wegen dem Teil mit der Expertise.» Dave zuckte die Achseln und zündete sich eine Zigarette an. «Sie sind zu konfrontationsorientiert.»

«Das hier ist eine Pfändungsmaßnahme, Mann, keine AA-Gruppe. Geben Sie mir auch eine Zigarette.» Al zündete sie ärgerlich an.

«Stimmt, aber Sie müssen sich in die menschliche Psyche reindenken, Al. Wenn Sie den Kerl mit Worten attackieren, wird er negativ reagieren, genau wie wenn Sie ihm eine Knarre an die Schläfe setzen.»

«Er kann von Glück sagen, wenn ich nicht sein verdammtes Hirn übers Deck puste.»

«Aber verstehen Sie denn nicht? Wenn Sie ihn verbal zu hart angehen, provozieren Sie ihn womöglich, was Dummes zu tun. Und wenn er was Dummes tut, ist eine gewaltsame Wende der Dinge so gut wie garantiert.»

«Sind Sie plötzlich unter die Psychoklempner gegangen?»

«Ich habe das im Gefängnis andauernd erlebt. Wie die Typen durchgeschraubt sind und wie manche Wärter sie durch bloßes Zureden wieder runterholen konnten. Wir wollen das Ding doch friedlich durchziehen, ich jedenfalls. Dann müssen wir mit Zartgefühl vorgehen.»

«Oh, na klar.» Al lachte. «So spricht der Mann, der Willy Barizon mit einem Füller das Auge ausgestochen hat. Das nenn ich Zartgefühl.»

«Kennen Sie nicht das Sprichwort: Die Feder ist mächtiger als das Schwert? Na ja, Willy hatte zwar kein Schwert, aber zwei Knarren. Ich würde sagen, ich habe so viel Zartgefühl walten lassen wie irgend möglich.»

«Sagen Sie das Willy, wenn Sie ihn das nächste Mal sehen und er Sie nur halb.»

«Das sind meine Bedingungen.»

«Okay, okay, Sie übernehmen das Reden. Was weiß ich? Vielleicht sind Sie ja Warren Christopher oder was.»

Sie aßen zu Mittag und gingen dann wieder nach draußen. Auf dem kurzen Weg zum Vera-Cruz-Gebäude sah Al im Andenkenshop etwas, was er seinem Sohn Petey mitbringen wollte. Es war ein Baby-Hammerhai, etwa eine Elle lang, in einem Glas mit Formaldehyd.

Dave sah zu, wie Al über zwanzig Colón für die Kuriosität hinblätterte, und fragte: «Was ist das? Ein Lehrmittel?»

«Er wird begeistert sein. Petey liebt Haifische.»

«Heißt das, Sie wollen ihm das Ding da schenken, oder haben Sie vor, es an seinem Geburtstag zu verspeisen?»

Al lächelte verkniffen. «Sie und Ihr großes Maul. Ein Wunder, daß Sie die fünf Jahre überlebt haben.»

Die *Juarista* war in der Tat eine Schönheit. Beim Ablegen erläuterte ihnen Lou Malta auf der geschlossenen Flybridge die Konstruktionsvorteile des Boots.

«S-sie ist in San Diego gebaut», erklärte er in seiner stotternd-gedehnten Sprechweise. «Man beachte den niedrigen

Schwerpunkt und die tiefe V-Bauweise. Das bedeutet, daß sie immer schön ruhig liegt, bei jeder See. Meines Wissens ist auf diesem Boot noch keinem schlecht geworden. Nicht mal von Pepes Kochkünsten. Natürlich hat sie auch Bugstrahlruder und Flossenstabilisatoren, was die Manövrierbarkeit verbessert, aber das Entscheidende ist der Rumpf. Und mit der Trimmklappe dort unterm Spiegel geht das Umsteuern so glatt und trocken vonstatten, als ob Sie an Land wären. Was sagten Sie noch mal, wo Sie wohnen?»

Dave sagte: «L. A.»

«L. A., aha. Und wo da?»

«Wechselnd.»

«Mmm. Wechselnd. Das ist gut. Ich steh auch auf Abwechslung.» Er kicherte. «Fragen Sie Pepe. Tja, Sie haben sich eine ziemlich gute Jahreszeit ausgesucht, um hier auf Marlin und Seglerfisch zu gehen. Der Januar ist normalerweise der beste Monat hier.» Er musterte sie von Kopf bis Fuß. «Wieviel Erfahrung haben Sie denn mit der Sportfischerei?»

«Genug», sagte Al.

Malta erklärte achselzuckend: «Na ja, egal. Pepe und ich, wir haben's hier an Bord mit allen Erfahrungsniveaus zu tun. Vor ein paar Wochen waren wir mit diesen drei Typen aus New York auf Wahoos. Und ich schwör's, ich hab mit eigenen Augen gesehen, wie einer von ihnen den Fisch mit seinem Handy totschlagen wollte.» Er kicherte wieder. «Ich schwör's, das war das Komischste, was ich je gesehen habe. Stimmt's, Pepe?»

Pepe grinste und sagte: «Stimmt, Lou.»

Pepe war ein hübscher schwarzer Junge von etwa dreizehn Jahren, in einem marineblauen T-Shirt mit Nike-Logo und Baggy-Jeans, Marke Guess. Er stand unten im Cockpit, machte Leinen los und lächelte Malta strahlend an, sobald sich ihre Blicke trafen. Costa Rica hatte eine große Schwulenszene, und Al und Dave konnten unschwer erkennen, daß Pepe Maltas *cachero* war. Malta selbst, in himmelblauen Lycra-Radlerhosen und einem weißen Garfield-T-Shirt, war ein merkwürdiger Typ. In den Vierzigern, mit Rod-Stewart-Frisur, rosig-glattem Gesicht, randloser Brille mit blauem Gestell und einem großen goldenen Ohrring mit einem Kapselanhänger, passend zu dem, der an seinem molligen Hals baumelte, wirkte er eher wie ein Friseur denn wie ein Sportfischer-Skipper.

«Pepe wird Ihnen eine Ausrüstung zusammenstellen. Wir haben praktisch alles da, was Sie brauchen, obwohl Sie das leichteste Gepäck haben, das mir hier unten je bei Touristen begegnet ist. Sieht aus, als hätte der Wind Sie hergeweht. Stimmt's, Pepe?»

«Stimmt, Lou.»

«Wie ich schon sagte», knurrte Al, «uns ist in San José ein Haufen Gepäck gestohlen worden.»

«Costa Rica ist ein sehr schönes Land», sagte Malta. «Das P-Problem ist nur: Es ist so schön, daß es einen in trügerischer Sicherheit wiegt. Hier gibt es überall Diebe.»

Dave sagte: «Das ist anderswo auch nicht anders.»

«Das schon. Aber ich muß doch sagen.» Malta schnalzte entrüstet mit der Zunge, seufzte tief und schüttelte indigniert den Kopf. «Die Angelausrüstung eines Mannes ist doch was Heiliges. Stimmt's, Pepe?»

«Stimmt, Lou.»

«Aber Sie sind doch versichert?»

«Klar», sagte Al. «Und Sie? Sind Sie versichert?»

Malta registrierte den leisen drohenden Unterton.

«Ach, auf diesem Boot sind Sie schon sicher, stimmt's, Pepe? Wir haben hier allen Komfort. Fernseher und Video in jeder Kabine. Klimaanlage. Wir haben sogar ein Verdunstungssystem, damit Ihre strammen Muskeln schön kühl bleiben, wenn Sie im Angelstuhl sitzen. Wird ganz schön heiß da draußen, wenn man einen richtig Großen dran hat. Ich gebe sogar ein bißchen Patschuliöl in den Verdunstungstank, damit es gut riecht. Ich weiß nicht, wie's Ihnen geht, aber Fisch ist nicht gerade meine bevorzugte Duftnote. Und Pepe ist ein ganz ordentlicher kleiner Koch, egal, was ich eben gesagt habe. Und damit mein ich nicht, daß er gerade mal mit der Mikrowelle umgehen kann. Er kocht Ihnen so ungefähr alles, was Sie wollen. Pepe weiß, was Männer lieben. Wir haben reichlich Vorräte an Bord. Sagen Sie ihm einfach Bescheid, wenn Sie auf irgendwas Besonderes Lust haben. Solange es nur was mit Fisch ist.» Er kicherte wieder. «War nur ein Scherz. Wir haben massenhaft Steaks im Kühlschank. Und jede Menge Bier. Möchten Sie ein Bier?»

«Bier wäre nicht übel», gab Dave zu.

«Ach, was bin ich gedankenlos! Sie wollen doch sicher Ihre Kabinen sehen. Natürlich haben Sie jeder einen eigenen Schlafraum mit Bad. Nur zu, meine Herren, schauen Sie sich um, solange ich das Bier hole. Und beachten Sie bitte den Salon. Er ist mein ganzer Stolz. Habe ihn selbst entworfen. Das Glasdekor ist original Lal-Lalique.»

Al und Dave gingen hinunter. Das Boot war wirklich so luxuriös, wie Lou Malta verheißen hatte. Und mit zwei Meter dreißig Raumhöhe in Salon und Kabinen auch beeindruckend großzügig. Der Stil war nicht ganz nach Daves Geschmack – zu überladen –, aber man sah, daß keine Kosten gescheut worden waren, um die *Juarista* mit allen erdenklichen Extras auszustatten.

Dave sagte: «Hey, Al. Dieses Boot ist eine ganze Menge mehr wert als eine Million. An die drei dürfte realistischer sein.»

«Und?» Al interessierte sich wesentlich mehr für Lou Maltas Schlafquartier als für sein eigenes. Er inspizierte die mit

Zedernholz ausgekleideten Schubladen und Einbauschränke, lachte höhnisch und sagte: «Wie ich's mir gedacht hab.»

«Was?»

Al sah an die verspiegelte Decke und spuckte dann auf die seidenen Laken, die Maltas Doppelbett bedeckten.

«Er fickt diesen Jungen. Mein Petey ist nicht viel jünger als dieser Pepe.»

«Na und? Die beiden Mädchen, mit denen Sie letzte Nacht im Key Largo zu tun hatten, waren auch nicht viel älter als Pepe. Fünfzehn vielleicht oder höchstens sechzehn.»

«Quatsch. Aber selbst wenn, ist das bei Mädchen was ganz anderes. Erstens werden Mädchen früher reif. Und zweitens war das normaler Sex.»

«Sagten Sie nicht, Sie hätten die beiden miteinander rummachen lassen?»

«Das war zu meinem Vergnügen, nicht zu ihrem. Das zählt nicht. Das war doch so, wie wenn zwei Schauspielerinnen eine Lesbenszene für einen Film spielen. Mit mir als Kamera. Ich mache sie doch nicht schwul. Aber das hier –» Er bückte sich, um ein Magazin vom Kabinenboden aufzuheben, und Dave erhaschte gerade noch einen Blick auf ein paar Fotos von älteren Männern beim Sex mit Knaben, ehe Al das Heft angewidert wegwarf. «Das ist was ganz anderes.» Er sah Dave wütend an. «Oder vielleicht nicht?»

Dave sagte achselzuckend: «Ich finde immer noch: ganz schön viel Boot gegen einen Kredit von einer Million.»

«Tja, das ist nun mal das Wesen von Sicherheiten. Wissen Sie denn nicht? Wir befinden uns in einer Rezession. Die Finanzspielräume sind eng.» Er lachte hämisch. «Was man vom Arschloch dieser Tunte mit Sicherheit nicht sagen kann.»

«Ich sollte wohl besser raufgehen und ihm die schlechte Nachricht beibringen, bevor wir zu weit draußen sind», sagte Dave.

«Tun Sie das. Je eher diese beiden Schwuchteln von dem Kahn hier verschwunden sind, desto beser. Dieses Schwein hat Heftchen und Videos in seiner Kommode, von denen noch Hannibal Lecter Alpträume kriegen würde.»

Lou Malta rang die Hände und jammerte: «Was soll ich machen?»

Dave und Malta saßen an den beiden Enden eines L-förmigen Sofas im Salon des nunmehr still dahindümpelnden Boots. Malta war bei seinem zweiten Pink Gin, der allerdings groß genug war, um auch gleich noch einen dritten und vierten abzugeben.

«Packen Sie ein paar Sachen zusammen», erklärte ihm Dave. «Und die tausend Dollar, die wir angezahlt haben, können Sie auch behalten. Wir werden wenden und in Richtung Quepos zurückfahren. Sobald die Küste in Sicht ist, können Sie und Pepe das Schlauchboot nehmen und an Land rudern.»

«Aber das Boot hier. Das ist mein Leben.»

Dave sagte: «Jetzt nicht mehr. Jetzt sollten Sie sich an die Tatsache halten, daß Ihnen Ihr Leben noch geblieben ist. Sie haben vielleicht kein Boot mehr, aber Sie leben noch. Wenn es nach diesem Gorilla da oben ginge, Lou, wissen Sie, was dann wäre? Dann würden Sie durchs Maul gegafft und für ein gottverdammtes Erinnerungsfoto hochgehievt und anschließend den Haien zum Fraß vorgeworfen.»

Malta erschauerte sichtlich und leerte sein Glas.

«Großer Gott, wirklich?»

«Wirklich. Er ist ein gewalttätiger Mensch. Und er arbeitet für einen noch gewalttätigeren Menschen. Tony Nudelli? Ich hab selbst gesehen, was der mit Leuten machen kann.»

«Ich hatte ja keine Ahnung … daß Tony so sauer sein würde.»

«Klar wußten Sie das, Lou. Sie wußten es ganz genau.»

«Na ja, ich schätze, ich hab's gewußt», sagte Malta. «War wohl ziemlich dumm von mir, was?»

«Ja, das war es, Lou.»

Malta erhob sich ein wenig unsicher vom Sofa und ging in Richtung der Treppe, die zu den Kabinen hinunterführte.

«Ich hole nur meine Tasche.»

«Lou? Sie werden doch nicht noch irgendwas Dummes tun? Zum Beispiel mit einer Knarre aus dieser Kabine wieder rauskommen? Das ist genau das, was der Gorilla da oben will. Einen Vorwand, um Sie und Pepe umzulegen. Verstehen Sie mich?»

«Ja, Sir.»

«Braver Junge.»

Dave stand auf und folgte Malta ans obere Ende der Treppe. Er hatte keine Ahnung, ob Al eine Waffe trug. Daß er im Flugzeug keine hatte mitnehmen können, hieß noch lange nicht, daß er jetzt keine hatte. San José wirkte wie die Sorte Ort, wo man leicht eine Kanone kaufen konnte, ganz ohne lästige Fragerei. Und Al war nicht der Typ, der irgendwas dem Zufall überließ. Ebensowenig wußte er, ob Malta eine Waffe hatte. Aber wenn er, Dave, einen Mann wie Nudelli übers Ohr gehauen hätte, einen Mann, der den Kredithaien ihr Geld lieh, dann hätte er sichergestellt, daß er immer eine Waffe in erreichbarer Nähe wüßte. Vermutlich sogar zwei oder drei. Also folgte er Malta nach unten und beobachtete ihn sicherheitshalber durch die Kabinentür. Lou starrte in eine leere Sporttasche, als fragte er sich, was er mitnehmen solle.

Dave sagte: «Los jetzt, wir haben nicht den ganzen Tag.»

«Schon gut, schon gut, ich tue mein Bestes für Sie, Sie unmenschlicher Kerl.»

«Für mich?» Dave schüttelte ungläubig den Kopf und gähnte. Das war der Dank dafür, daß er dem Mann das Leben rettete.

Malta begann Sachen in die Tasche zu stopfen: Brieftasche, Paß, Schmuck, eine Flasche Obsession for Men, Walkman, Kulturbeutel, Handy.

«Das Handy lassen Sie wohl besser hier», sagte Dave.

«Oh, k-klar. Okay. Aber kann ich nicht einfach die Karte rausnehmen und dalassen? Ohne die –»

Allmählich doch ungeduldig, sagte Dave: «Lou. Würden Sie das Scheißhandy jetzt einfach weglegen?»

Malta zuckte die Achseln, starrte einen Moment fast ungläubig auf den Inhalt seiner Tasche und zog dann den Reißverschluß zu. «Ich bin fertig», sagte er betrübt und kam durch die Tür.

Dave grunzte, weil er dringend pinkeln mußte. Er sagte: «Gehen Sie rauf an Deck und sagen Sie Pepe, daß Sie beide von Bord gehen. Ich komme sofort.»

Als Dave ein paar Minuten später auf das Achterdeck hinaustrat, blinzelte er grimmig in die gleißende Pazifiksonne und sog die frische Seeluft tief in seine Lungen. Dort unten herrschte ein dekadenter Geruch, nach Obsession und nach etwas anderem, was er lieber nicht genauer identifizieren wollte. Al hing über der Reling und guckte runter ins Cockpit, das der Austragungsort des Kampfs Mann gegen Fisch war. Als er Dave hörte, drehte er sich um, und Dave sah zum zweitenmal in sechsunddreißig Stunden Blut auf dem hellen Polohemd seines Reisegefährten.

Dave schüttelte den Kopf und sagte: «Schon wieder das verdammte Nasenbluten?»

Im nächsten Moment hörte er ein lautes Klatschen, als ob jemand ins Wasser spränge. Er fuhr bugwärts herum und sagte instinktiv: «Wo ist Malta?»

«Er hat mich angegriffen», sagte Al achselzuckend und warf ein scharfzackiges Etwas über Bord. Es war ein Teil des

Glases, das das Hammerhaibaby für Petey beherbergt hatte. Der tote Fisch lag jetzt zu Daves Füßen auf dem Teakholzdeck, umgeben von zahllosen Blutflecken, die wie lauter glänzendrote Münzen aussahen. Al rieb sich den spärlich behaarten Hinterkopf und sah ein wenig bedröppelt drein.

Dave runzelte die Stirn, weil er ahnte, daß irgend etwas nicht stimmte. «Al? Wo zum Teufel ist diese Schwuchtel?»

«Der Mann ist sprechbehindert», sagte Al und zeigte mit dem Daumen zum Cockpit hinter seinem Rücken. «Er ist tot.»

Lou Malta lag in einer sich ausbreitenden Blutlache wie etwas, das sie gerade aus den Tiefen des Meeres emporgezogen hatten. Seine Beine zuckten krampfhaft, als könnte ihn ein kräftiges Abschnellen ins lebenserhaltende Naß zurückkatapultieren. Das scharfkantige Glas war mit solcher Wucht durch seine Kehle gefahren, daß sein Hals von der Rasurgrenze bis zum Rückgrat durchtrennt war.

«Heiliger Strohsack», rief Dave aus. «Was ist passiert?»

«Was sollte ich machen? Er wollte mir den Schädel einschlagen, diese miese Schwuchtel.»

Ein Universalschlüssel lag wie zur Bestätigung unweit des Hammerhaibabys auf dem Achterdeck. Maltas Tasche stand innen an der Salontür, als hätte er sie dort abgestellt, bevor er in finsterer Absicht hinausgetreten war. Aber Dave war mißtrauisch. Möglich, daß Al den Schraubenschlüssel selbst dort hingelegt hatte, bevor er mit dem Reiseandenken auf Malta losgegangen war. Aber andererseits war das nicht gerade die geeignetste Mordwaffe. Wenn Al vorgehabt hätte, Malta zu töten, hätte er doch wohl etwas Handlicheres gewählt. Etwas, das nicht als Mitbringsel für seinen Sohn gedacht gewesen war.

Lou Malta hörte auf zu zucken, bevor Dave zu ihm gelangte. Es war offensichtlich, daß da nichts mehr zu tun war.

Dave sagte: «Wer ist dann über Bord gesprungen?»

«Der Junge, schätz ich. Hat wohl gesehen, wie ich seinen Lover erledigt habe, und gedacht, er sei als nächster dran.»

«Kein ganz unlogischer Schluß.»

Dave stieg auf die Flybridge hinauf, um das Wasser rings um die *Juarista* besser überblicken zu können, und sah etwa fünfzig Meter weiter eine kleine Gestalt energisch in Richtung Küste schwimmen. Er setzte sich in den helledernen Steuersitz, ließ die Motoren an und ergriff das Rad.

Al brüllte zu ihm hinauf: «Was machen Sie da?»

«Pepe auffischen. Es sind fünf Meilen bis zur Küste, gegen den Sog. Das schafft er nie.»

Unten auf dem Cockpit-Deck sagte Al gar nichts. Statt dessen machte er sich daran, Lou Maltas Leichnam über das Heck zu hieven, wobei er ihn pausenlos eine miese Schwuchtel schimpfte.

Dave zog dicht an Pepe heran, drosselte die Motoren herunter und warf dem Jungen dann eine Rettungsleine zu. Aber nach dem, was er an Bord gesehen hatte, war Pepe zu verängstigt, um den Rettungsgürtel zu ergreifen.

«Komm schon, Pepe», rief Dave. «Schnapp dir die Leine. Niemand bringt dich um, Junge, ich versprech's dir.»

Pepe trat einen Moment lang Wasser und schüttelte den Kopf. Er sagte: «Is nich, Mann» und schwamm wieder los.

Dave ging zum Steuersitz zurück, gab kurz Gas und nahm es dann wieder weg. Als er wieder herauskam, sprach er auf spanisch mit Pepe, erklärte ihm sanft, der andere Mann habe Lou nicht töten wollen, es sei ein Unfall gewesen und überhaupt habe Lou zuerst angegriffen. Im Zweifel für Al. So vergingen zehn Minuten, und Pepe war immer noch zu verängstigt, um die Leine zu ergreifen.

«Schmeißen Sie ihm das Schlauchboot runter, und lassen Sie uns verdammt noch mal verschwinden», drängte Al.

Plötzlich sah Dave etwas anderes kurz neben Pepe auftauchen. Es sah aus wie ein harmloser Tarpon, dachte er. Achtzig bis hundert Pfund, ein ordentliches Exemplar. Schöne Silberfarbe, große Rückenflosse. Als er begriff, was es war, waren schon andere da, angelockt durch Maltas blutenden Leichnam.

Dave blieb das Herz stehen, und er schrie zu dem Jungen hinunter: «Paß auf, Pepe. Komm da raus. Schnapp dir die Leine, Herrgott noch mal.»

Pepe, der die Haie offenbar nicht bemerkt hatte, schüttelte den Kopf, als bestätigte Daves Ausbruch nur, was er schon die ganze Zeit befürchtet hatte. Als er begriff, warum Dave so geschrien hatte, war es bereits zu spät.

Als spürten sie, daß Malta ihnen nicht entkommen würde, konzentrierten sich die Haie ganz auf den schwimmenden Jungen. Dave konnte nur dastehen und entsetzt zuschauen, wie die Haie Pepe attackierten – wie eine Peinigerhorde auf dem Schulhof, erst einer, dann noch einer, dann alle auf einmal, mit einem hörbaren Kieferklicken, das Dave in jeder vibrierenden Nervenfaser spürte. Pepe schrie, schlug um sich, rang nach Luft, schluckte Wasser und verschwand kurz in dem schäumenden rötlichen Wirbel. Und in dem Moment erkannte Dave, welche Haiart es war. Hammerhaie. Größere, tödlichere Versionen des Haibabys, das noch immer auf dem Deck lag. Dave schauderte – es war wie eine grimmige Racheaktion. Pepe tauchte nur noch einmal auf. Wasser und Blut schossen aus seinem schreienden Mund, und an einem Arm fehlte bereits die Hand. Er schüttelte immerfort den Kopf, als könnte er einfach nicht glauben, was da geschah, und Dave war schon beinahe erleichtert, als der Junge schließlich endgültig unter Wasser verschwand.

Al rief: «Haben Sie das gesehen, Mann? Haben Sie gesehen?» Er lachte, als weidete er sich kaltherzig an der Horror-

szene vor seinen Augen, als wäre sie nur Teil irgendeines blut-
rünstigen Billigfilms. «Wie im *Weißen Hai*, Mann. Heiliger
Strohsack, ich hätte nie gedacht, daß ich so was mal sehe. Das war
echt irre.» Er schüttelte den Kopf. «Ich hab's ja gewußt. Ich hab's
gewußt. Nur nie einen Fuß in das Scheißwasser setzen.» Und
wie ein Mann, der einer Geburt und nicht dem Tod eines Kindes
beigewohnt hat, zündete er sich eine dicke Macanudo an.

Dave sah in das schäumende Gebrodel aus Haien, Wasser
und jungem Blut, bis er sicher war, daß Pepe nicht wieder auftauchen würde, und schnitt dann den einst weißen, jetzt aber
leuchtendroten Rettungsgürtel los. Langsam stieg er von der
Flybridge hinab. Ihm war übel. Als er den Babyhammerhai
auf den Planken liegen sah, trampelte er grimmig auf dem
T-förmigen Kopf herum und schleuderte den Fisch dann wütend ins Meer.

Al stand immer noch auf dem unteren Deck, auf der blutigen Stelle, wo Lou Malta gelegen hatte. Die Zigarre, die zwischen seinen Zähnen klemmte, ragte auf das haiverseuchte
Wasser hinaus wie das Geschütz eines Kriegsschiffs. Dave
sprang die Cockpittreppe hinunter, schnappte Al die dicke Zigarre aus dem Mund und schmiß sie dem Hammerhaibaby
hinterher.

«Was zum Henker –?»

«Sie verdammter Hornochse», fauchte Dave. «Sind Sie
völlig bescheuert? Maltas Leiche ausgerechnet in diesem Moment ins Wasser zu schmeißen – da hätten Sie den Haien
gleich eine E-Mail schicken können. Verdammte Scheiße, die
Biester müssen gedacht haben, es ist Thanksgiving.»

Al sah ausweichend in die Gegend.

«Okay, tut mir leid», brüllte er zurück. «Hab nicht dran
gedacht.»

«Und wo wir gerade dabei sind, mußten Sie Malta umbringen? Was ist mit unserer Abmachung?»

«Er ist mit dem Schraubenschlüssel auf mich losgegangen. Ich hab das Glas gepackt und an der Reling zerdeppert und hab's ihm damit gegeben. Ich wollte ihn nicht töten. Nur ein bißchen ritzen.»

«Ritzen? Sie haben ihm praktisch den Kopf abgesäbelt.»

«Na ja, daß es ihn erwischt hat, tut mir nicht leid. Scheißkinderficker. Mein Petey ist nicht viel jünger als dieser Pepe.»

«Der ist jetzt gar nicht mehr. Ihretwegen ist Pepe tot. Ihretwegen, Al, ist Pepe grade eben von den Scheißhaien gefressen worden. Ihretwegen waren dieses Boot und Lou Malta vermutlich das Beste, was Pepe in seinem Leben gekriegt hat. Denken Sie mal darüber nach, wenn Sie Ihre nächste Prämium-Zigarre rauchen.»

Langsam und trotzig zog Al eine neue Macanudo aus der Tasche seiner blutbefleckten Hose, lutschte sie ab, als wäre sie sein Zeigefinger, und zündete sie dann an. Er paffte Dave ins Gesicht und sagte: «Okay, ich denke. Und was jetzt?»

Dave sah Al haßerfüllt an, fand diesen Haß mehr als erwidert. Er wandte sich kopfschüttelnd ab, angeekelt von Als coolem Getue.

Er sagte: «Hauen wir ab. Wir haben eine weite Fahrt vor uns.»


Die Brücke der *Juarista* war vollelektronisch, und Dave brauchte eine knappe Stunde, um sich mit dem Kartenplotter, dem Radarsystem und dem Autopiloten vertraut zu machen. Doch sobald er den Kurs auf Panama und den Kanal eingegeben hatte, gab es kaum noch etwas anderes zu tun, als ab und zu einen Blick auf die Displays zu werfen. Mit fast 15 000 Litern Benzin im Tank, einem Frischwasserbereiter mit einer Tageskapazität von über 2000 Litern und einem Gefrierschrank voller Lebensmittel waren sie bis Miami absolut autark.

Es waren vierundzwanzig Stunden bis Panama City und

Kanaleinfahrt, und Dave, der den Schauplatz der Bluttat möglichst schnell möglichst weit hinter sich lassen wollte, beschloß, alle Zwischenhäfen zu meiden und die Nacht durchzufahren. Froh, sich Als unberechenbarer Gesellschaft entziehen zu können, blieb Dave auf der Flybridge und genehmigte sich nur ab und zu ein, zwei Stündchen Schlaf auf dem Sofa. Al verschwand in seiner Kabine, wo er Bier trank, Spielfilmvideos guckte und mehrere Mikrowellenmahlzeiten verzehrte, ehe er schließlich gegen Mitternacht einschlief und erst am frühen Nachmittag, kurz vor der panamaischen Küste, wieder erwachte. Die Fahrt durch den Kanal dauerte volle anderthalb Tage, und Dave befand, daß dies wohl die interessantesten sechsunddreißig Stunden waren, die er in den letzten fünf Jahren erlebt hatte. Drei Schleusensysteme – Gatun, Pedro Miguel und Miraflores – hievten die Schiffe, die von der Pazifikseite in den Kanal einfuhren, über eine Art Wassertreppe auf das Niveau der Karibikseite. Pumpen waren dabei nicht im Spiel. Allein die Schwerkraft besorgte den nötigen Wassertransfer.

Nachdem ihn Dave oft genug lautstark aufgefordert hatte, an Deck zu kommen und sich dieses moderne Weltwunder anzusehen, tauchte Al schließlich aus seiner Kabine auf, in einem Dolphins-Trikot, Cutoff-Jeans und einer Wolke von Schweiß- und Biergeruch. Er nickte wenig enthusiastisch, als Dave ihm erklärte, was für ein Wunder der Technik dieser Kanal war, und schien auch durch die unmittelbare Nähe so vieler großer Schiffe nicht weiter beeindruckt.

Al sagte: «Was springt für sie dabei raus?»

«Für wen?»

«Für die verflixten Panamaer, wen sonst?»

«Der Kanal steht unter internationaler Verwaltung.»

«Ach? Und was haben die davon?»

«Sie nehmen natürlich Gebühren für die Durchfahrt.»

«So wie die Autobahngebühren am Florida-Turnpike?»

Dave grinste und sagte: «So ähnlich. Nur, daß es ein bißchen mehr als einen Vierteldollar kostet.»

«Wieviel?»

«Die Gebühr richtet sich nach der Tonnage des Schiffs.»

«Wieviel?»

«Okay, sie haben mal einem Typen, der durch den Kanal
schwimmen wollte, sechsunddreißig Cents abgeknöpft. Und
das war 1928. Also raten Sie mal, was es heute für ein Boot wie
dieses hier kostet?»

«Was ist das hier? *Heiteres Familienquiz*? Woher zum
Henker soll ich das wissen? Fünf, zehn Dollar? Wieviel?»

Dave kostete die Vorstellung aus, wie Al gleich reagieren
würde. Schließlich sagte er: «Eintausend Dollar.»

«Reden Sie keinen Scheiß. Das kann nicht sein.»

«Ich schwör's.»

«Tausend Dollar? Sie wollen mich verarschen.»

Dave streckte Al die Quittung hin. «Die Durchschnittsge-
bühr für einen großen Frachter liegt so bei 30 000 Dollar.»

«Leck mich. Und das zahlen die?»

«Sie haben keine andere Wahl. Es sei denn, sie wollten um
Kap Hoorn schippern.»

«Scheiße, Mann, das nenn ich Erpressung.» Al guckte unbehaglich zu dem großen Öltanker empor, der neben ihnen in
der Pedro-Miguel-Schleuse lag. «Das ist der arschteuerste
Pay-Kanal, der mir je begegnet ist», sagte er und verschwand
wortlos in seiner Kabine, um den US-Militärsender weiter-
zugucken.

Dave vermutete, daß Als Verhalten vor allem aus Angst er-
wuchs. Auf dem Grund einer Dreizehn-Meter-Schleuse, in
die Millionen Liter Wasser strömten, konnte einen schon eine
gewisse Klaustrophobie überkommen. Er hatte einen Nord-
nordwestkurs nach Cancún auf der mexikanischen Yucatán-

Halbinsel festgelegt, eine Strecke von gut neunhundert Meilen. Von dort wollte er auf Nordnordostkurs an der Nordküste Cubas vorbeifahren. Auf diese Weise, so hoffte er, würden sie einigermaßen in Landnähe sein, falls sie je etwas Schlimmeres erwarten sollte als die mäßig rauhe See, die der Wetterbericht momentan ankündigte. Das Boot war zwar mit Gyrogale-Quadrafin-Stabilisatoren ausgerüstet, aber um Zeit zu gewinnen und auch um Al für die Sache mit Pepe zu bestrafen, vermied Dave deren Einsatz. Er selbst war ausgesprochen seefest. Al nicht, soviel hatte er schon erraten, und als die Küste von Honduras hinter ihnen lag, war Al so grün wie eine nasse Dollarnote.

Als Dave ihn das dritte Mal in achtzehn Stunden kotzen sah, diesmal über die Reling, grinste er sadistisch. «So langsam haben Sie wohl ganz Mittelamerika vollgekotzt. Ich muß schon sagen, Sie sind mir ein feiner Tourist, Al. Wie ein Tiger, der sein Revier mit Pisse markiert. Nur daß Sie anscheinend Kotze bevorzugen.» Er schaute zurück zu der Stelle, wo sich jetzt ein paar Möwen an Als Mageninhalt gütlich taten. «Aber die Möwen scheinen Sie zu mögen. Oder zumindest Ihr Frühstück.»

«Sie und Ihr großes Maul schon wieder.» Al kollabierte auf der Flybridgebank und schloß gequält die Augen.

«Groß?» Dave betastete prüfend seine Lippen. «Sie meinen geräumig, weil es nicht halb voll Kotze ist? Ja, da haben Sie wohl recht.» Er sah auf eins der Displays vor sich, da der Autopilot gerade eine kleine Kurskorrektur vornahm und sie gleichzeitig im Navigationscomputer speicherte. Dann atmete er tief und demonstrativ euphorisch ein, stand auf, reckte sich und sagte: «Hey, Al? Macht Ihnen die Seeluft keinen Appetit? Ich schätze, ich werde jetzt mal nach unten gehen und mir ein ordentliches Mittagessen genehmigen. Im Moment könnte ich gerade eine ganze Platte Felsenaustern niedermachen.»

Al schluckte laut und sagte: «Ich werde Sie gleich niedermachen, wenn Sie nicht endlich Ihr verdammtes Maul halten.»

«Keinen Hunger, hm?»

«Wie lang noch», stöhnte Al, «bis wir in Florida sind?»

Dave sah auf den unteren Teil des Displays, wo die Echtzeit-Anzeige von Position, Kurs, Abdrift und berechneter Ankunftszeit jede Sekunde aktualisiert wurde.

«Tja, laut unserem Hal hier dürfte es noch etwa vierzig Stunden dauern, bis Sie Ihr malerisches Miami wiedersehen. Das heißt, wenn wir nicht noch richtig schlechtes Wetter kriegen. Was uns ein Weilchen aufhalten könnte. Aber ich glaube nicht, daß es sich noch groß ändert. Wie's aussieht, sollten Sie und Ihre Innereien sich wohl besser an diese Art Seegang gewöhnen.»

Al lächelte grimmig. «Und Sie Klugscheißer sollten sich besser an meine Gegenwart gewöhnen. Ich hab's Ihnen vielleicht noch nicht verraten, aber ich werde bei dem Atlantik-Unternehmen Ihr Anstandswauwau sein.»

Dave lachte verächtlich. «Sie? Da ist ja ein besoffenes Kamel noch seefester.»

Al schüttelte den Kopf, als fühlte er sich zu mies, um sich noch eine Beleidigung einfallen zu lassen, die er dem Jüngeren in das gesund aussehende, sonnengebräunte Gesicht schleudern konnte. Gereizt sagte er: «Was wollen Sie überhaupt mit dem ganzen Geld?»

«Komische Frage aus Ihrem Mund. Als ob eine Nutte der andern Promiskuität vorwirft.»

Al stand abrupt auf, lief, eine Hand auf den geblähten Mund gepreßt, aus der Flybridge und beugte sich über die Reling. Während er draußen war, gab sich Dave ein paar philosophischen Betrachtungen hin. Er dachte an sein Vorhaben und an das Geld, aber hauptsächlich dachte er darüber nach, wo er jetzt war: auf hoher See, vor sich nichts als den Bug des Boots, kein übles Boot, mußte er sagen – es war wohl schon den Aufwand wert, dafür extra nach Costa Rica zu reisen. Zwei Menschenleben war es vielleicht nicht wert, aber so was wie das, was in Quepos passiert war, konnte wohl niemand vorhersehen. Er genoß jetzt die Reise, um so mehr, als er wußte, wie sehr Al darunter litt.

Al kam in die Flybridge gewankt und wischte sich den Mund mit dem Ärmel seines Footballtrikots ab. Er setzte sich an den Kartentisch und trank einen Whiskey, in der Hoffnung, der werde seinen Magen beruhigen.

Dave sagte: «Ich habe über Ihre Frage nachgedacht, Al.»

«Hä? Welche Frage?»

«Was ich mit dem ganzen Geld will.»

«Sie hatten schon recht. War eine dämliche Frage.»

«Lesen Sie je Bücher, Al?»

«Bücher?» Al trank seinen Whiskey aus und goß sich neuen ein. Er überlegte, ob er, wenn er betrunken wäre, wohl nichts mehr von der Seekrankheit merken würde. «Ich habe in meinem ganzen Leben nur drei Bücher gelesen. Jedenfalls nur drei, an die ich mich erinnern kann. Eins war der *Hoyle* übers Glückspiel. Das zweite war das *Handbuch für den Jaguarfahrer*. Ich habe einen Jaguar. Einen Kompressor-XJR. Wunderschöner Wagen. Und das dritte war ein Buch über die römischen Kaiser. Aber normalerweise, wenn mich ein Buch anmacht, warte ich auf den Film.»

«Sie sollten mehr lesen, Al. So gut wie alle Reisen, die ich in den letzten fünf Jahren unternommen habe, haben sich zwischen Buchdeckeln abgespielt. Deshalb, um auf Ihre Frage von eben zurückzukommen: Ich will mir selbst eine Yacht kaufen und ein paar von diesen Orten mit eigenen Augen sehen, verstehen Sie?»

«Madonna will unbedingt nach Europa. Aber mir reicht Vegas.»

«Eins von den Büchern, die ich gelesen habe, war *Die sieben Säulen der Weisheit*. Von Lawrence von Arabien.»

«Starker Film.»

«Es geht darum, wie er sich in die leere Weite der Wüste verliebt hat. Das will ich auch. Mich in ein paar leere Weiten verlieben.»

«Ich könnte Sie mit einer Cousine von mir bekannt machen. Totale Leere, verpackt in Superoberweite.»

«Die Wüste. Oder vielleicht die Wildnis. Das australische Outback. Der Yukon. Und natürlich die See. Ich liebe die See.»

Al schüttelte den Kopf und schnitt eine angewiderte Grimasse. «Ich hasse die verdammte Scheißsee.»

«Die Yacht, die ich mir kaufen will, ist was anderes als dieses Ding hier, Mann. Ich will ein richtiges Boot, mit Segeln. Nicht zu groß, sonst braucht man zu viele Leute. Zwei Mann, mich eingeschlossen, das wär gerade das richtige. Ich hab ein Bild von so einem Boot hier. Wollen Sie's mal sehen?» Dave zog ein zusammengefaltetes Stück Papier aus der Tasche, faltete es auseinander und zeigte es Al. Es war ein Foto, das er aus einer alten Nummer von *Showboats International* herausgerissen hatte. Er sagte: «Das nenn ich ein Boot. Eine Fünfundzwanzig-Meter-Ketch, Klippersteven, Weinglasheck, Sprossenfenster, Scheelkiel. Kostet nun mal erheblich mehr als zweihundert Mille. Ein Boot, um sich die Welt anzugucken.»

Al guckte auf das Bild und schob es dann Dave wieder hin. «So viele Segel? Sieht nach harter Arbeit aus.»

«Darum geht's ja, Al. Ich und die See.»

«Die See ist ein kaltes Luder. Die Sorte Miststück, von dem man nur die Finger lassen kann. Man weiß von Anfang an, wenn man sich auf sie einläßt, dann wird sie einen fertigmachen, und man wird's für den Rest seines Lebens bereuen.

Aber man tut's trotzdem und redet sich ein, vielleicht läuft's ja gar nicht so. Aber es läuft so. Sie benimmt sich höchstens noch mieser, als man's für möglich gehalten hat. Sie ist kalt, sie ist herzlos, sie ist brutal, und es kümmert sie einen Scheiß, was mit einem ist. Ein männermordendes Biest, das ist sie, die Scheißsee, Mann.»

Dave sah Al anerkennend an. Lächelnd sagte er: «Wer hätte das gedacht? Hey, Al, Sie sind ja auch ein Romantiker.»

Kent Bowen parkte seinen Jimmy und marschierte die lang-gezogene Böschung zum Eingang des Hotels hinauf. Das Hyatt Regency befand sich in Top-Lage von Fort Lauderdale, am Westende der Seventeenth Street Causeway-Brücke. Von der Drehcocktailbar, dem Pier Top, aus, konnte man meilen-weit in die Runde blicken, und Bowen hatte allen Grund, freundlich an diesen Ort zurückzudenken. Hier, im Pier-Top, hatte er am Valentinstag letzten Jahres Zola gefragt, ob sie ihn heiraten wolle. Als sie seinen Antrag angenommen hatte, wa-ren sie in ein Beach-Motel am Bayside Drive gefahren und hat-ten sich dort ein Zimmer für die Nacht genommen, um ihre Liebe zu vollziehen. Bowen, der schottischer Abstammung war und sich als einen sparsamen, nüchternen Menschen sah, warf normalerweise nicht gerade mit Geld um sich, aber dieser Abend zählte eindeutig zu den vollkommensten seines Lebens.

Er trat durch die Eingangstür des Hotels und strebte zum Aufzug, wobei er nur einmal kurz stehenblieb, um sich eine Nummer von *Luxury Florida Homes* zu kaufen. Zu sehen, wie die andere Hälfte in Floridas exklusivsten Wohnlagen lebte, beflügelte wie nichts sonst seine Träume beim Erwerb seines wöchentlichen Lotterieloses. Nicht, daß er je mit Geld um sich werfen würde, wenn er gewann. Bowen sah sich gern als jemanden, der seinen – noch ausstehenden – Reichtum diskret nutzte. Genuß in Unauffälligkeit. Jetzt, von Kopf bis Fuß in Tilley Endurables gewandet, fühlte er sich so unauffällig, wie es der Aufgabe entsprach, sich unbemerkt unter die Hotelgäste zu mischen.

Bowen fuhr mit dem Lift in das Stockwerk unter dem Pier Top, umrundete die Halle und steuerte auf die Ostseiten-Suite zu, in der der Beobachtungsposten untergebracht war. Vor der Tür schaute er kurz nach rechts und links, bevor er vorsichtig anklopfte. Ein paar Sekunden vergingen, dann wurde die Tür bei vorgelegter Kette geöffnet.

Kate Furey hätte beinahe laut losgelacht. Vor allem wegen des Huts.

«Hi, ich bin's», sagte Bowen, als trüge er ein Weihnachtsmannkostüm.

«Klar sind Sie's», sagte sie und ließ ihn ein.

Bowen trat durch die Tür und sah sich um, bevor sie ihn ins Schlafzimmer führte.

«Hallo.»

Am Fenster, hinter einem Arsenal hochpotenter Kameras auf Stativen, grunzten zwei gelangweilt wirkende Männer eine Art Antwort. Ein dritter, der Kopfhörer trug und vor einem regelrechten Soundstudio aus Abhörgeräten saß, sagte nichts, weil er gar nicht mitbekommen hatte, daß jemand hereingekommen war. Kate verzichtete auf das Vorstellungsritual. Sie wußte, Bowen erwartete keine sozialen Artigkeiten. Höchstwahrscheinlich hatte ihn die Hoffnung auf ein Gratismittagessen von Miami hergetrieben.

«Nettes Zimmer», sagte er. «Sehr nett sogar.»

Kate zuckte die Achseln, als ließe sie das persönlich ziemlich kalt, und sagte: «Eigentlich nennt sich das hier Suite.»

«Eine Suite? Großer Gott, Kate, was kostet das?»

«Genauso viel wie ein Zimmer. Ich habe hier Prozente.»

«Wieso?»

«Weil mein Hoffentlich-bald-Exmann das Hotel in einem Schmerzensgeldprozeß vertreten hat. Wenn ich mich recht erinnere, ging es um irgendeinen Trottel, der sich oben in der Drehcocktailbar verletzt hatte. Das Ding ist ganz schön geschmacklos, aber die Aussicht ist toll. Deshalb kommen sie ja wohl auch alle hierher. Die Schickimickis.» Kate lachte mit unverhohlener Verachtung. «Damit sie was zu reden haben, während sie einen auf romantisch machen. Sie sollten mal einen Blick reinwerfen, bevor Sie wieder gehen.»

Bowen sagte steif: «Danke, hab ich schon mal getan.»

Kate kicherte. «Diese Leute halten das Ding vermutlich für total *soigné*, aber ich bin mir vorgekommen wie im Inneren einer Billig-Sportuhr.»

«So billig wohl kaum, möchte ich meinen», sagte Bowen pikiert.

«Kann man wohl sagen», mischte sich einer der Männer an den Kameras ein. «Gestern abend hab ich zehn Eier für die mieseste Margarita aller Zeiten geblecht.»

Kate sah Bowen an. «Man sieht von hier oben nicht mehr viel, wenn es dunkel ist», sagte sie entschuldigend.

«Wird wohl so sein.»

Kate sagte: «Ich könnte Ihnen ein paar Fotos zeigen, aber momentan können Sie auch die Live-Aktion verfolgen.»

Bowen klatschte beschwingt in die Hände. «Dann wollen wir mal ein Auge werfen.»

Die mächtigen Teles waren auf den Portside Yachtclub am anderen Ufer des Stranahan gerichtet, wo einige der größten und teuersten Boote von Fort Lauderdale lagen. Der Kameramann, der sich als Margarita-Kenner geriert hatte, führte Bowen die Kameras vor wie ein Verkäufer in einem Foto-Shop.

«Hier, das Fünfhunderter-Objektiv, da haben Sie einen prima Blick auf das ganze Boot und alles, was sich auf dem Anleger tut.»

Bowen fegte sich den Tilley-Hut vom Kopf und preßte ein Auge an den Sucher. Mit ihren dreiunddreißig Metern gehörte die *Britannia* bei weitem nicht zu den größten Booten auf den Liegeplätzen. Nicht, wo ein Trump verkehrte. Und im Vergleich zu der dreistöckigen Fünfzig-Meter-Megayacht neben ihr wirkte sie geradezu winzig. Aber mit ihrer großen Flybridge und den ästhetischen Linien war sie ein elegantes Boot. Und wohl auch ein ganz spaßiges, wenn der kleine Motorflitzer, die Wasserbikes, Jetskis und der Hobiecat an Bord irgendwas zu sagen hatten. Von der nackten Insassin des Whirlpools auf der Flybridge ganz zu schweigen.

Bowen sagte grinsend: «Das lasse ich mir gefallen. Wer ist die schaumgeborene Venus da?»

Kate seufzte gequält und sagte: «Soweit wir wissen, heißt sie Gay Gilmore.»

«Garys Schwester, was?» wieherte Bowen. Das Mädchen im Whirlpool verrieb ein paar Schaumblasen auf seinen Brüsten. «Hey, Babe, hier bin ich.»

«Sie ist aus Neuseeland. Bis vor ein paar Wochen hat sie illegal als Stripperin in einem Schuppen an der Collins gearbeitet. Im Moment scheint sie gerade die Hauptmieze des Skippers der *Britannia* zu sein.»

Der Margarita-Mann sagte: «Den können Sie durch das Achthunderter hier sehen. Heißt Nicky Vallbona. Der häßliche Vogel auf dem Achterdeck.»

Widerstrebend beugte sich Bowen an die andere Kamera und erblickte einen dunkelhaarigen Mann mit einem Bleistiftbärtchen. Er sagte: «Recht haben Sie. Das ist wirklich ein häßlicher Vogel.»

«Er ist sauber, soweit es uns angeht», sagte Kate.

«Was reizt so ein Mädel nur an so einem Affen?» sinnierte Bowen.

Der zweite Kameramann regte sich jetzt, um seine Zigarette auszudrücken. Er schnaubte verächtlich und sagte: «Das Boot, würde ich meinen. Das gefällt der Kleinen wohl mindestens so gut wie er. Sie kommt und geht so ziemlich, wie's ihr paßt. Lungert immer in diesem Whirlpool rum. Ich glaube, sie ist ziemlich populär bei den Leuten, die droben im Pier Top durch das Fernrohr gucken. Dürfte inzwischen schon eine regelrechte Touristenattraktion sein.»

Bowen kehrte wieder an die erste Kamera zurück, um Gay Gilmore etwas eingehender zu betrachten.

«Also, mir gefällt das Boot neben der *Britannia* besser», sagte der Margarita-Mann. «Das gehört Sean Connery.»

«Null-Null-Sieben hat ein Boot hier in Fort Lauderdale?» Bowens Stimme verriet Erregung. «Irgendwelche Schnappschüsse vom großen Meister selbst?»

Die beiden Kameramänner wechselten einen schuldbewußten Blick und schüttelten synchron die Köpfe.

«Nein», log der eine.

Bowen sagte: «Aber recht haben Sie. Ist ein nettes Boot. Sean Connery, hm? Meine Vorfahren stammten übrigens auch aus Schottland, Edinburgh. Genau wie seine.»

«Ich schätze, das ist nicht das einzige, was Sie verbindet», sagte Kate.

Aber Bowen war viel zu absorbiert von Connerys Boot und dem nackten Mädchen auf der *Britannia*, um Kates Sarkasmus wahrzunehmen.

Kate sagte: «Ich bin Ihrer Theorie nachgegangen, Sir. Bei Palmer Johnson Yachts, hier in Miami. Das ist einer der größten Rumpfhersteller in Florida. Der Mann, mit dem ich gesprochen habe, ein gewisser Louis Madrid, hat gemeint, es sei wohl schon möglich, aus gepreßtem Kokain einen Rumpf herzustellen, der vielleicht sogar echt aussehen würde, wenn man ihn mit einer Polyurethanschicht überzieht. Aber mit der Funktionstüchtigkeit wäre es wohl nicht weither.»

Bowen hatte sich wieder an das Achthunderter-Tele gesetzt, um Gay Gilmores nackten Körper näher zu inspizieren. Sie streichelte sich jetzt überall, fast als wüßte sie, daß sie beobachtet wurde. Ihm kam der Gedanke, daß sie möglicherweise eine Art Ablenkungsmanöver darstellte, damit alle nur auf den Whirlpool guckten und nicht woandershin. Aber diverse Kameraschwenks ergaben, daß es sonst nicht viel zu sehen gab. Außer Vallbona, der in sein Handy sprach.

«Möchte wissen, mit wem unser Nicky da telefoniert», murmelte Bowen.

«Momentan gerade mit seinem Buchmacher», sagte Kate. Bowen sah überrascht auf.

«Das können Sie wirklich von hier oben aus feststellen?»

«Aber sicher doch. Wir haben eine Cellmate-Anlage», sagte Kate. «Wir haben da ein Telefonat mitgeschnitten, das Sie besonders interessieren dürfte.»

Sie ging zu dem Mann mit dem Kopfhörer hinüber und tippte ihm sanft auf die Schulter. Der Mann, bärtig und fahl, als bräuchte er dringend Luft und Sonne, lüpfte den Kopfhörer von seinen berufsgerecht großen Ohren.

«Colin, das ist Kent Bowen, der ASAC, der diese Operation leitet. Könnten Sie ihm mal die SYT-Aufnahme vorspielen?»

«Klar doch, Kate.»

Colin zog seinen Laptop heran, öffnete ein Menü und wählte eine Datei aus der Liste der Aufnahmen, die er gemacht hatte. Der Cellmate war über ein SCSI-Kabel mit dem Laptop und über eine parallele Schnittstelle mit einem Digitalrecorder verbunden. Der Cellmate selbst sah aus wie ein größeres Handy mit ein paar Extratasten.

«SYT-Datei kommt», sagte Colin und drückte die Return-Taste seines Laptops.

Kate sagte: «Die erste Stimme, die Sie gleich hören, das ist der Typ von der Transportgesellschaft, Juan Sedeno. Die zweite ist Nicky Vallbona.»

Bowen nickte, zog sich einen Stuhl heran und lauschte dem Band, das jetzt zu laufen begann:

*«Stranahan-Yachttransporte.»*

*«Ich möchte einen Platz für mein Boot buchen, auf Ihrem März-Transport nach Palma de Mallorca. Von Port Everglades.»*

*«Verstanden, Sir. Ihr Name, der Name Ihres Boots und der Name des Eigners?»*

*«Ich heiße Nicky Vallbona und bin Skipper der* Britannia. *Der Eigner ist Azimuth Marine Associates auf den britischen Virgin Islands.»*

*«Virgin Islands ... Und die Maße Ihres Boots?»*

*«Länge vierunddreißig Meter, Breite über alles sieben Meter dreißig und Konstruktionstiefgang eins achtzig.»*

*«Eins achtzig ... Bugkorb?»*

*«Nein.»*

*«Badeplattform?»*

*«Ja, einen Meter lang.»*

*«Ein Meter. Wie wird das Beiboot transportiert?»*

*«An Bord.»*

*«Hmm. März, sagen Sie ...»*

*«Ja.»*

*«Okay, wir können Sie unterbringen, Mr. Vallbona. Die Kosten belaufen sich auf circa 93 500 US-Dollar. Inklusive Verladen, Taucher-Service, Vertäuen und Sichern, Kiel- und Kimmpallen, Überfahrt für zwei Mann Besatzung sowie Versicherungen.»*

«*Klingt prima.*»

«*Haben Sie unser Buchungsformular, Mr. Vallbona?*»

«*Ja.*»

«*Könnten Sie es bitte ausfüllen und uns so schnell wie möglich rüberfaxen?*»

«*Kein Problem. Mache ich gleich.*»

«*Danke für Ihren Anruf. Wiederhören, Mr. Vallbona.*»

«*Wiederhören.*»

Das Gespräch war zu Ende, und das Band schaltete sich automatisch ab.

«Möchten Sie's noch mal hören?» fragte Colin.

Bowen sagte: «Wozu? Ist doch klar, oder? Das Boot ist offensichtlich nicht seetüchtig, weil der Rumpf vermutlich aus reinem Kokain besteht. Also tun sie das, was ich von Anfang an vermutet habe. Lassen es von jemand anderem über den Atlantik verfrachten. Ist auch gleichzeitig die perfekte Tarnung. Man stelle sich das vor. Rocky Envigado, Fender an Fender mit dem, was hierzulande als High-Society firmiert.»

Als Kate hörte, wie Bowen ihre Theorie – oder jedenfalls die Hälfte – für sich reklamierte, spürte sie, wie sich ihre Kiefermuskeln anspannten. Sie wollte ihn dran erinnern, ihm sagen, er sei ein solcher Armleuchter, daß es sie ganz krank mache. Aber er redete immer weiter und weiter, wie so ein Dummschwätzer von Politiker im Fernsehen. In einer idealen Welt hätte sie nach der Fernbedienung greifen und die Stummtaste drücken können. Oder ihm die Fernbedienung einfach in sein blödes Maul rammen und mit dem Absatz ihres Schuhs in den Rachen hämmern. Aber statt dessen konnte sie sich nur abwenden, um ihren Zorn zu verbergen.

«Die Frage ist nur, was wir jetzt machen», fuhr Bowen fort. «Ob wir die Sache der spanischen Polizei überlassen oder selbst irgendeine Undercover-Aktion einleiten.» Er hielt inne und sah sich um. «Was denken Sie, Kate?»

Kate räusperte sich und versuchte, aus der Woge von Aggression, die sie überschwemmt hatte, hervorzupaddeln. Aber die Antwort kam dennoch bitter und sarkastisch heraus.

«Ich? Was ich denke?» Ein hohles Lachen brach aus ihrer Kehle. «Ich sage Ihnen, was ich denke, damit Sie's mir später wiedererzählen können? Ist es das, worauf Ihre Frage abzielt?»

Bowen sagte stirnrunzelnd: «Ist irgendwas, Kate?»

Wenn sie schon mal ausfallend wurde, kriegte er es gar nicht mit. Kate schüttelte mitleidig den Kopf, so wie sie es angesichts eines Hunds getan hätte, der an einem heißen Tag im Auto eingesperrt war.

Aber Bowen schaffte es, auch das zu mißdeuten. Er sagte: «Gut. Weil der März nämlich schon vor der Tür steht. Wir haben keine Zeit zu verlieren.»

Kate fragte sich, wie Bowen eigentlich ASAC geworden war und ob es wohl eine Behindertenquote für hirnamputierte Sheriffs aus Kansas gab. Ruhig sagte sie: «Ich hätte da ein paar Ideen.»

«Also los, lassen Sie hören.»

Sie führte ihn nach nebenan ins Wohnzimmer, deutete auf ein großes hufeisenförmiges Sofa und ging zur Minibar.

«Was zu trinken?»

«Nur eine Cola light.»

Kate brachte zwei normale Colas mit Eis und stellte sie auf einen Tisch, der aus einer Glasplatte auf einem korinthischen Säulenkapitel bestand. Nicht nur das Pier Top war geschmacklos, auch das Mobiliar der Zimmer. Aber das galt für fast alles in Florida. Man brauchte nur mal in das Heft von *Luxury Florida Homes* zu gucken, das Kent Bowen mit sich herumtrug.

«Was dagegen, wenn ich rauche?» sagte sie. Sie nahm ein

Päckchen Doral vom Tisch und zündete sich eine an, ohne die Antwort abzuwarten.

«Nur zu», sagte Bowen und zuckte zusammen, als sie die erste Ladung Rauch inhalierte.

Die Zigarette noch zwischen den Fingern, strich sie sich das dunkle Haar aus dem Gesicht und sammelte ihre Gedanken. Dann sagte sie: «Okay, *ich* habe mir folgendes gedacht.»

Bowen nickte und sagte: «Ist angekommen.»

«Was?»

«Mir war ganz entfallen, daß Sie diejenige waren, die prophezeit hat, daß Rocky diesen Yachttransport benutzen würde. Tut mir leid.»

Kate zuckte die Achseln. Vielleicht war er ja doch nicht ganz so schlimm. «Vergessen Sie's», sagte sie. «Ist nicht wichtig. Wichtig ist nur, daß wir den Burschen das Handwerk legen. Hier und in Europa, richtig?»

Bowen sah skeptisch drein. «Ich kann nicht behaupten, daß es mich sonderlich interessiert, was in Europa passiert. Aber sagen Sie das bitte keinem von den Verbindungsleuten, mit denen Sie sich so gut stehen. Das wäre schlecht für die diplomatischen Beziehungen.»

«Ich käme nie auf die Idee, irgendeinem von ihnen irgendwas zu erzählen, was ich nicht weitererzählen soll», sagte sie, und obwohl es überaus aufrichtig klang, fragte sie sich doch, ob Bowen sie immer noch einer Affäre mit dem Niederländer verdächtigte. Sie nahm einen weiteren lebensgefährdenden Zug von ihrer Doral und setzte hinzu: «Nichtsdestotrotz hat unser Vizedirektor kürzlich offiziell erklärt, er sei der festen Meinung, jede Hilfe, die wir den Europäern in ihrem Drogenkrieg leisten, helfe uns gleichzeitig selbst, unseren eigenen zu gewinnen.»

Das war Bowen neu. «Ach ja?»

«Stand letzten Monat in der Auslands-Infomappe.»

Bowen lächelte blasiert. «Ach, das …»

«Und daraufhin gab es ein Memo unseres SAC hier in Miami. Presley Willard hat dem Vizedirektor erst vor zwei, drei Wochen versichert, daß wir hier alles tun würden, um diese Initiative zu unterstützen.»

Bowen, der nichts von diesem Memo wußte, schloß kurz die Augen und sagte: «Ich erinnere mich.» Er trank ein paar Schluck von seiner Cola und begann einen Eiswürfel zu zerkauen, als handelte es sich um Erdnußkrokant. Jetzt war es an ihr zusammenzuzucken.

«Ich sehe Ihren Punkt, Kate.»

«Dann sollten wir meiner Meinung nach die Drogen auf der gesamten Strecke im Auge behalten. Es bringt nichts, dem Transport nur freundlich hinterherzuwinken, wenn er Port Everglades verläßt.» Kate zeigte aus dem Fenster. «Dieses Boot da darf keine Sekunde aus unserem Blickfeld verschwinden. Was heißt, wir müssen uns mit einem eigenen Boot auf dem Transport einbuchen. Zwei Crew-Leute, die in ständigem Funkkontakt mit einem U-Boot der US-Marine und drüben dann mit den Briten und Franzosen stehen. An Bord haben wir Gelegenheit, uns Rockys Boot aus der Nähe anzugucken, was uns bisher nicht möglich war. Und wir können ein wachsames Auge auf das ganze Geschehen haben, für den Fall, daß sie das Dope noch auf See umladen wollen. Vielleicht sogar auf ein anderes Boot auf demselben Transport. Nur um uns irrezuführen.»

Bowen, der das nicht bedacht hatte, schluckte die Eissplitter hinunter und verzog das Gesicht.

«Ihre Idee da – klingt teuer. Erstens mal, wo wollen Sie ein geeignetes Boot hernehmen? Und zweitens, wer soll den Transport bezahlen? Sie haben doch gehört, was das kostet. Neunzigtausend Dollar. Ich kann mir nicht vorstellen, daß der SAC Spesen in dieser Höhe bewilligt.»

Kate sagte lächelnd: «Tatsache ist, daß ich das Boot schon gefunden habe. Oder besser gesagt, Sam Brockman hat es für mich gefunden. Anscheinend hat die Coast Guard vor drei Tagen vor Key West ein verlassenes Boot aufgebracht, das, wie sich rausstellte, voller Dope war. Natürlich kommt es irgendwann zur behördlichen Versteigerung, aber jetzt liegt es erst mal hier in Miami und steht für ein Undercover-Unternehmen zur Verfügung. Die Coast Guard hatte eigentlich selbst eine Aktion geplant, aber die ist nicht durchgekommen, und deshalb bieten sie uns jetzt das Boot an. Es ist ideal für unsere Zwecke, Sir. Achtundzwanzig Meter, zweiundzwanzig Knoten Dauerfahrt und modernste Ausstattung. Ich spreche von einer echten Luxusyacht, Sir. Und was das Geld betrifft, habe ich da auch schon eine Idee.»

Bowen sagte: «Jetzt kommen Sie mir wohl mit diesem letzten Schwung Golfstrom-Geld?»

Die Operation Golfstrom war eine Undercover-Aktion gewesen, die das Einsatzbüro von Miami zu Beginn der neunziger Jahre gegen eins der größten Geldwäscheunternehmen Floridas gestartet hatte. Eine Gold- und Juwelenhandelsfirma in Miami, die von einem der größeren kolumbianischen Kartelle betrieben worden war, hatte Millionen Dollar über die Bank of Credit and Commerce International gewaschen, ehe diese 1991 von der Bank von England dichtgemacht worden war. Wochen vor dem Kollaps der BCCI hatte die Juweliersfirma große Barsummen abgehoben und auf Bankschließfächer im ganzen Staat verteilt. Auch jetzt noch, Jahre später, wurden immer wieder Schließfächer voller Bargeld von Bowens Abteilung entdeckt – das letzte erst vor ein paar Tagen bei einer Liberty City Bank, mit zweihunderttausend britischen Pfund darin.

Kate sagte achselzuckend: «Warum nicht? Es existiert noch nicht mal ein Bericht.»

«Das Geld muß abgerechnet werden.»

«Natürlich. Irgendwann.»

«Was ist ein britisches Pfund heutzutage wert?»

«Etwa einen Dollar fünfzig.» Kate spitzte die Lippen und guckte nachdenklich. «Umgerechnet hunderttausend Dollar davon im Tausch gegen den europäischen Marktwert von eintausend Kilo Koks? Ich würde sagen, eine gute Investition.»

«Und jetzt, vermute ich mal, werden Sie mir erzählen, daß Sie die geeignetste Person für dieses kleine Unternehmen sind?»

«Natürlich. Wieso nicht?»

«Na ja, zum einen haben Sie noch nie verdeckt gearbeitet.»

«Auf der High-School war ich eine ziemlich gute Schauspielerin.»

«Das bezweifle ich nicht.»

Kate sagte: «Bei der Undercover-Arbeit geht es doch hauptsächlich darum, gut zu lügen. Was soll denn daran so schwer sein? Männer tun das doch ständig.»

«Und zweitens sind Sie eine Frau.»

«Ist das ein Einwand, Sir, oder lediglich eine qualifizierte Vermutung?»

«Jetzt werden Sie doch nicht gleich so stachlig wie eine Haarbürste, Kate. Ich habe einfach nur den Eindruck, daß diese Motoryachten in der Regel mit Männern bemannt sind. Daher das Wort.»

Kate inhalierte tief, die Augen ob des Qualms und des sexistischen Vorurteils angewidert zusammengekniffen. Seit wann mußte ein Yachtskipper ein Mann sein? Frauen waren schon solo um die Welt gesegelt. Es hatte weibliche Piraten gegeben. Inzwischen gab es sogar schon ein paar weibliche Admirale bei der US-Marine, während Kent Bowen seinerseits nicht so wirkte, als könnte er auch nur einen Stuhl um seinen Schreibtisch manövrieren.

«Nur zu Ihrer Information», sagte sie scharf. «Zufällig ist eins der anderen Boote, die auf diesem Transport sein werden, ausschließlich mit Frauen bemannt.»

Bowen grinste. «Sind das Amazonen oder was?»

«Das Boot gehört Jade-Films.»

«Jade-Films? Den Pornoleuten?»

Kate guckte ostentativ erstaunt. «Sie kennen sie?»

Bowen sagte obenhin: «Stand mal was in *Newsweek*, glaube ich. Ging um die Sex-Industrie.»

«Den Artikel habe ich gelesen», sagte sie. «War ziemlich gut. Aber soweit ich mich erinnere, war da von Jade-Films nicht die Rede.»

«Ach, Kate», sagte Bowen nervös. «Ich bin nicht die Sorte Mann.»

Das ist keiner, dachte sie. Bis einem zufällig mal die Rechnung der Kabel-Gesellschaft in die Hände fällt, und dann war es nur ein harmloser kleiner Spaß.

Bowen sagte: «Was treibt die denn über den Atlantik?»

«Das Filmfestival in Cannes.»

«Cannes?»

«Das ist in Spanien», sagte Kate, wohl wissend, daß Cannes tatsächlich an der französischen Mittelmeerküste lag.

«Ich weiß, wo das ist. Cannes. Das ist so was wie die Oscar-Verleihung, stimmt's?»

«Nur edler.»

Bowen lachte höhnisch. «Wenn Jade-Films auch dabei ist? Das kann ich mir kaum vorstellen.»

«Dabei schon, aber nicht im Wettbewerb um die Goldene Palme. Cannes ist so eine Art Marktplatz für alles, was mit der Filmindustrie zu tun hat. Und da gehört Jade-Films auch dazu. Aber worum es mir ging, war die Tatsache, daß da diese hochpotente Dreiundfünfzig-Meter-Doppelschrauben-Megayacht ist, die ausschließlich von Frauen bedient wird.»

«Hochpotent, hm?» griente Bowen.

Kate lächelte geduldig und wartete auf die zotige Pointe, von der sie wußte, daß sie kommen würde.

Er sagte: «Schön, so ein befriedigendes Hobby, was?»

Kate lächelte weiter, als Bowen sein Beavis-&-Butthead-Lachen losließ, und gab sich alle Mühe, belustigt auszusehen. Dann drückte sie ihre Zigarette aus, als wäre er es, den sie im Aschenbecher zerquetschte, und ließ ihren Blick seitlich weggleiten, als glitschte er von seiner schmierigen Person ab. Aber nur *er* konnte ihren Plan so weit absegnen, daß er Presley Willard, dem Leiter des Einsatzbüros von Miami, unterbreitet werden konnte. Sei nett, ermahnte sie sich. Verärgere ihn nicht. Er ist vielleicht ein Arschloch, aber du brauchst deine Schuhspitze da nicht reinzurammen. Sei entgegenkommend. Das da ist der Trottel, der dir einen Gratis-Trip nach Europa verschaffen kann. Wahren Abenteuern entgegen.

«Wie haben Sie das überhaupt rausgefunden?» fragte er. «Daß Jade-Films auch mit auf dem Transport sein wird?»

«Genau so, wie wir das mit Rockys Boot rausgefunden haben. Wir haben sämtliche SYT-Telefonate abgehört. Ich dachte, wir sollten ein bißchen was über die Leute wissen, die mit an Bord sind. Hören Sie, Sir, Sie haben selbst gesagt, wir müssen uns beeilen. Es ist bald März, und es gibt nur noch eine begrenzte Zahl von Plätzen auf dem Transport. Wenn wir zu lange zögern, ist das Ganze nur noch eine tolle Idee, die uns vielleicht etwas hätte bringen können.»

Bowen stand auf und ging ans Fenster. Südlich der Brücke lag Port Everglades, der tiefste Hafen Floridas. Ehemals unter dem Namen Marbel Lakes bekannt, war er nur ein flaches Sumpfgebiet im breiten Teil des Florida-East-Coast-Kanals gewesen, bis Präsident Calvin Coolidge einen Schalter umgelegt hatte, der die Sprengladungen für die Schaffung einer Zufahrtsöffnung hochgehen lassen sollte. Nur, daß die Fernzündung von Washington aus nicht funktioniert hatte, so daß jemand vor Ort die Sprengung hatte auslösen müssen. Auch so eine tolle Idee, die nicht funktioniert hatte. Normalerweise war Bowen tollen Ideen gegenüber skeptisch. Aber er mußte zugeben, Kates Vorschlag, ein eigenes Boot bei SYT einzubuchen, war gut.

Draußen im Hafen konnte Bowen so viele verschiedene Arten von Booten sehen, wie es Fischarten gab. Kriegsschiffe, Coast-Guard- und Polizeiboote, Inselfrachter aus der Karibik, Schlepper und Tanker, Kreuzfahrtschiffe voller Touristen, die sich alle fragten, ob sie wohl in Miami überfallen werden würden, Segelboote, Schoner, Barkassen und Motoryachten. Alles, abgesehen vielleicht von einem bemannten Faß.

Parfümduft ließ ihn den Kopf wenden. Kate stand dicht hinter ihm und streckte ihm ein Fernglas über die Schulter. Er setzte es an die Augen und ließ sich von ihr die Hafenanlagen erklären.

«Gegen den Uhrzeigersinn betrachtet, haben Sie da zuerst die Passagier- und Frachtterminals. Dort fährt auch unser SYT-Schiff ab. Dann das Zollgebäude. Benzinlagertanks. Das hier ist das größte Benzinlager im ganzen Süden, wußten Sie das?»

Kate führte ihm vor, wie gut sie den Hafen kannte. Das war ihre Art, ihm klarzumachen, daß sie etwas von Booten verstand und daß sie die qualifizierteste Person für die eben von ihr umrissene Operation war. «Die vier rot-weißen Schornsteine da? Die kann man von See her meilenweit sehen. Die Leute auf den Yachten benutzen sie als Navigationshilfe. Sie gehören der Elektrizitätsgesellschaft von Florida. Links davon dann die Hafenverwaltung, das World Trade Center und weitere Frachtterminals. Noch weiter zu uns rüber, das ist das Navy-Center für Unterwasserkriegsführung.»

Bowen dachte: Sie riecht so gut, wie sie aussieht. Könnte

vielleicht ganz lustig sein, mit ihr undercover zu arbeiten. Das hübscheste Mädchen im ganzen Einsatzbüro. Sie beide gemeinsam an Bord einer Luxusyacht? Vielleicht würde er ja sogar bei ihr landen können. Hatte er nicht immer schon den Verdacht gehabt, daß sie etwas für ihn übrig hatte? Daß sie nur deshalb so widerspenstig war, um zu verschleiern, daß sie sich in Wahrheit heftig zu ihm hingezogen fühlte. Warum sonst sollte jemand so mit einem Vorgesetzten reden wie sie mit ihm? Und es war ja nicht anzunehmen, daß sie auf dem Boot viel zu tun haben würden. Wie sie selbst gesagt hatte, ging es doch nur darum, ein Auge auf Rockys Boot zu haben und Funkkontakt zu einem Marine-U-Boot zu halten. Dort im Hafen lag sogar ein U-Boot. Was sollte schon schiefgehen?

Kate sagte: «Ich bin mir nicht sicher, wie das U-Boot heißt, aber der Flugzeugträger dort, das ist die USS *Theodore Roosevelt*. Ach ja, und das da dort draußen auf der Landzunge? Das ist ein Restaurant, das Burt Reynolds gehört.»

«Burt Reynolds? Echt?»

Kate zog eine Grimasse, während sich Bowen eifrig bemühte, das im Pueblostil erbaute Haus, in dem das Restaurant untergebracht war, schärfer ins Visier zu kriegen. Er war ein solcher Einfaltspinsel, ein solcher Tourist, als hätte er Kansas gestern erst verlassen.

«Burt Reynolds», wiederholte er tumb.

«Na ja», gab sie zu. «Ich bin mir nicht sicher, ob es ihm immer noch gehört. Ich meine, jetzt, nachdem er Bankrott angemeldet hat.»

«Wissen Sie, damals in den Siebzigern, war er so ziemlich mein Lieblingsschauspieler.»

Kates Grimasse wurde noch ausgeprägter. Du liebe Güte, das schlug dem Faß den Boden aus. Da saß sie hier mit dem einzigen Menschen auf der ganzen Welt, dem *Ein ausgekochtes Schlitzohr* gefallen hatte.

Bowen sagte: «Tja, ich schätze, ich werde Presley wohl schon davon überzeugen können, daß das ein guter Plan ist.» Er gab ihr das Fernglas wieder.

«Großartig.»

«Zwei Mann, sagten Sie?»

«Zwei Crew-Leute.»

«Eine Undercover-Operation ist nie ohne Gefahren», sagte er pompös. «Aber es kann durchaus sein, daß wir unterwegs auch ein bißchen Spaß haben werden.»

Kate schluckte. «Wir?»

Bowen sah auf seine Billig-Sportuhr.

«Warum gehen wir nicht rüber zu Burt und erörtern das Ganze beim Lunch?» sagte er.

«Zu Burt?» Sie fragte sich, ob er das mit dem Bankrott überhaupt gehört hatte.

«Es ist doch noch in Betrieb, oder nicht?»

«Ja, schon. Okay. Wenn Sie unbedingt wollen», sagte Kate. Sie fragte sich, ob es wohl zu dem Sprichwort «Kein Unglück ist so groß, daß es birgt kein Glück im Schoß» auch ein Gegenteil gab.

Während sie in Bowens Jimmy in Richtung A-Dock und Restaurant fuhren, tröstete sie sich mit dem Gedanken, daß es ihr ja vielleicht gelingen würde, ihn abzuschrecken – ihm das ganze Unternehmen so zu vermiesen, daß ihn die Lust verließ. Vielleicht konnte sie ja ein Bild von einer Atlantiküberfahrt zeichnen, das noch ein, zwei Wellenberge schrecklicher war als Géricaults berühmtes Meisterwerk *Das Floß der Medusa*. Zum Lunch ein paar wohlausgewählte Details, die ihm das Landrattenherz in die Hose rutschen lassen würden. Bis sie das Burt & Jack's erreichten, war Kate schon wieder guter Dinge, und sie achtete nicht weiter auf die Nachrichtenmeldung von einem Fluglotsenstreik im Radio. Aber auch bei genauerem Hinhören wäre sie wohl kaum davon ausgegangen, daß der Streik länger als ein paar Tage dauern würde und daß er irgendwelche Auswirkungen auf die März-Überfahrt des SYT-Transporters *Grand Duke* haben könnte. Im Moment hatte sie nur eins im Kopf, und das war, Kent Bowen irgendwie von dieser Seereise abzubringen, ohne sich seine generelle Unterstützung in dieser Sache zu verscherzen. Beim Betreten des Restaurants war sie bereit, ihrem Boß eine Story aufzutischen, gegen die sich der Sturm in *Die Caine war ihr Schicksal* wie ein lindes Frühlingslüftchen ausnehmen würde.

## 12

Inspiriert von der Skulptur, die Jimmy Figaro für seine Kanzlei erworben hatte, kaufte sich Tony Nudelli eine Bronzestatue für seine Poolhalle. Eine lebensgroße Marilyn Monroe, so wie man sie von dem berühmten Szenenfoto aus dem *Verflixten siebten Jahr* kannte, die weiten weißen Röcke in der Abluft des U-Bahn-Schachts erstarrt.

«Hübsch», sagte Al. «Hat echt Stil.»

«Freut mich, daß sie Ihnen gefällt», sagte Nudelli. «Hat mich ein gottverdammtes Vermögen gekostet. Und noch einiges dazu. Die kleinen Verbesserungen, die ich habe vornehmen lassen, waren fast so teuer wie die ursprüngliche Figur.»

Al runzelte die Stirn und inspizierte Marilyn etwas genauer. Das Nackenträgerkleid, der große Busen, der ekstatisch-verzückte Ausdruck auf dem Blondchengesicht. Sie sah genau so aus, wie er sie aus dem Film in Erinnerung hatte. Bis hin zu den rotlackierten Zehennägeln. Schließlich kapitulierte er und sagte: «Okay, ich geb's auf. Ich kann keinen Unterschied entdecken. Worin genau bestehen denn diese kleinen Verbesserungen?»

Nudelli grinste. «Schauen Sie ihr mal unters Kleid», riet er.

«Sie wollen mich veräppeln.» Aber Al bückte sich, linste zwischen Marilyns Beine und wieherte laut los. Das weiße Höschen, das sie im Film angehabt hatte, war verschwunden. Was da statt dessen war, sah so täuschend echt aus, als wäre sie eine Tisch-Stripperin, die einem ihre entblößte Möse ins Gesicht streckte, damit man ihr einen Schein unter den Strumpfhalter klemmte. Alles da, bis hin zu der Furche im Schamhaar.

Noch immer lachend, sagte Al: «Also, das nenn ich ein echtes Conversation piece.»

«So hab ich's mir gedacht.»

«Sie ist wunderbar, Tony. Einfach klasse.»

«Ich erwäge, sie auf irgendeine Art Tisch stellen zu lassen. Der hier geht nicht, für Glas ist sie zu schwer. Aber ich will mir diese kleinen Extras angucken können, wann immer mich die Lust überkommt.» Er zündete sich eine Zigarre an und beobachtete zufrieden, wie Al sich hinhockte, um noch einmal genauer hinzuschauen.

«Darf ich ihre Pussy anfassen?»

«Bedienen Sie sich.»

Al streckte den Arm aus, preßte die Handfläche auf Marilyns Genitalbereich und lachte dabei wie ein Halbwüchsiger. Er sagte: «Ich hätte nie gedacht, daß ich noch mal dazu komme, es Marilyn mit dem Zeigefinger zu besorgen.»

«Sie und Bobby Kennedy.»

«Und Jack nicht zu vergessen.» Er sang: «Happy birthday, Mister President.»

«Sieht aus, als ob's ihr gefällt, Al.»

«Ich hab's immer schon verstanden, Frauen zu beglücken. Es muß nur richtig aus dem Handgelenk kommen. Mann, fühlt sich das toll an.»

«Wer sagt da, moderne Kunst taugt nichts?»

«Ich nicht. Von mir werden Sie keine Beschwerden hören.»

Um Tonys willen beschnupperte Al prüfend seinen Zeigefinger, staubsaugte mit jedem Nasenloch einmal über dessen ganze haarige, knotige Länge, als handelte es sich um die erlesenste Zigarre aus Tonys Rosenholzhumidor. Er sagte: «Schade, daß sie nicht auch geruchsecht ist.»

«Ich arbeite dran.» Nudelli deutete mit seiner Cohiba auf den Stuhl vor sich. «Setzen Sie sich, Al. Es gibt ein paar geschäftliche Dinge zu bereden.»

«Dachte ich mir schon.»

«Diese Positionsangaben, die Delano Ihnen genannt hat. Ich habe die Jungs auf meinem Boot mal auf ihren Seekarten nachsehen lassen. Scheint ein Punkt nordwestlich der Azoren zu sein, am Mittelatlantischen Rücken. Jedenfalls habe ich alles arrangiert. Genau so, wie Delano gesagt hat. Ein Frachter, der aus Neapel kommt, wird Sie an diesem nautischen Punkt treffen. Die *Ercolano*. Sie hat Stückgut geladen. Loses Zeug wie Drahtspulen, Bauholz, Stahlträger, Krempel, der zu groß für Container ist. Vor allem aber italienischen Marmor für die Luxusbäder und Gourmetküchen Amerikas. Darauf komme ich gleich noch mal. Schiffsagent der *Ercolano* in Neapel ist eine Firma namens Agrigento. Ich habe mit diesen Leuten schon öfter zusammengearbeitet, und sie sind für unsere Zwecke absolut verläßlich. Dem Kapitän wurde gesagt, er werde an dieser Stelle ein in Seenot geratenes Boot finden und solle Passagier und Fracht aufnehmen. Das Geld wird er in einem Marmorsarkophag verstecken, der auf dem Weg zu irgendeinem toten Krösus in Savannah ist.»

Al nickte. «Verstanden.»

«Sie werden sicher bemerkt haben, daß ich ‹Passagier› gesagt habe. Einzahl, nicht Mehrzahl. Womit ich Ihren höchstpersönlichen Arsch meine, Al.» Tony paffte an seiner Zigarre und sah für einen Moment sinnierend drein. «Wie Sie's anstellen, ist Ihre Sache, mein Lieber, aber ich möchte nicht, daß Delano zusammen mit dem Geld hierher zurückkommt. Der langen Rede kurzer Sinn, ich möchte ihn tot wissen. Ich nehme an, lebend brauchen Sie ihn nur, bis Sie den Punkt erreicht haben, wo Sie die *Ercolano* treffen sollen. Wenn ich Sie wäre, würde ich ihn vorm Umsteigen auf die *Ercolano* erledigen und dann die Yacht versenken, wie er's geplant hat. Nur mit dem Unterschied, daß seine verflixte Leiche mit untergeht.»

Tony hielt kurz inne und musterte Als breites, offenes Gesicht, weil ihm wohl klar war, daß Al und Delano sich auf der Rückfahrt von Costa Rica ziemlich gut kennengelernt haben mußten. Er studierte einen Moment das glutrot-graue Ende seiner Zigarre, wegen der Wärme, die er auf seinen Wangen spürte, und sagte dann: «Irgendein Problem damit?»

Al schüttelte den Kopf. «Nicht das geringste. Delano ist ein Klugscheißer. Auf der Rückfahrt von CR hat er mich die ganze Zeit drangsaliert. Ein paarmal hätte ich ihn am liebsten auf der Stelle abgeknallt. Wissen Sie, was ich zu ihm gesagt habe? Ich hab ihm gesagt, es wundert mich, daß ihn in Homestead niemand umgelegt hat.» Wieder ein resigniertes Kopfschütteln. «Wird sicher noch schlimmer werden.»

«Was?»

«Wie er mit mir umspringt. Jetzt ist ja gerade dieser Fluglotsenstreik, Sie wissen doch?»

Tony sagte: «Erinnern Sie mich bloß nicht daran. Wegen dieser Idioten mußte ich den Zug nach New York nehmen. Das ganze Land geht den Bach runter.»

«Leider gibt's nach Europa keinen Zug. Wie's scheint, sind viele Yachtbesitzer, die dieses Frühjahr über den Atlantik wollen, auf die Idee gekommen, den Streik zu unterlaufen und sich mit ihren Booten rüberschippern zu lassen.»

«Und?»

«Und deshalb hat Delano den Leuten von SYT gesagt, er sei der Eigner und ich die Besatzung. Er wird mich die ganze

Zeit rumkommandieren. Mich schuften lassen, als wär ich sein gottverdammter Sklave.»

Tony verkniff sich das Lachen. Er sagte: «Bedenken Sie eins, Al. Zu einem fixen Mundwerk gehört meistens auch ein fixes Hirn. Vergessen Sie nicht, er ist Jude, und Juden sind clever. Machen Sie nicht den gleichen Fehler wie Willy Einauge. Unterschätzen Sie diesen Itzig nicht.»

Al nickte unwirsch. «Klar.»

«Und lassen Sie sich nicht provozieren. Da steckt vielleicht Absicht dahinter. Also immer schön cool bleiben und die andere Backe hinhalten. Denken Sie an zwei Dinge, Al, wenn er anfängt, Sie zu schikanieren. Erstens, wenn das alles vorbei ist, können Sie ihm sein Klugscheißermaul für immer stopfen. Und zweitens, Sie kriegen seinen Anteil an dem Geld. Das macht das Kreuz doch schon leichter zu tragen, oder? Was sagen Sie dazu?»

Al sagte: «Stimmt. Danke, Tony.»

«Noch eins. Passen Sie auf, daß Sie nicht derjenige sind, der reingelegt wird. Der Atlantik ist groß, Al. Und die jüngste Geschichte lehrt uns, daß auf einem Ozean eine Menge schiefgehen kann.»

«Das brauchen Sie mir nicht zu sagen», sagte Al. «Dieser Junge, von dem ich Ihnen erzählt hab –»

«Wenn etwas schiefgeht …» Nudelli paffte und betrachtete versonnen die zwischen ihnen hängende Rauchwolke, als überlegte er, welches Kaliber Drohung er wählen solle. Der Rauch driftete langsam unter Marilyns weißen Bronzerock und verlieh ihrer berühmten Pose etwas Infernalisches. Er war Marilyn tatsächlich einmal begegnet, nicht lange vor ihrem Tod, als sie mit Sam Giancana zusammengewesen war. Nettes Mädchen. Schade um sie. Nur, daß es nicht Sam Giancana gewesen war, der ihrem vorzeitigen Tod nachgeholfen hatte.

Er sagte: «Wenn irgendwas schiefgeht, können Sie sich auf

eins verlassen. Daß ich genauso brutal sein kann wie jeder von diesen verdammten Kennedys. Joe inklusive.»

Sie waren nie eine besonders innige Familie gewesen. In Daves Augen waren sie eigentlich gar keine Familie gewesen.

Das Übliche. Ein Vater, der trank. Das war der Russe in ihm. Eine Mutter, die sich aus dem Staub machte. Das war die Irin in ihr. Und die Schwester, mit einem ungewollten Kind im Bauch und einem Freund, der sie nicht heiratete. Na ja, das konnte man Nicky kaum vorwerfen. Nick Rosen hätte Lisa wahrscheinlich schon geheiratet, wenn ihm nicht jemand vorher die Kehle durchgeschnitten hätte.

Mit zwanzig hatte Dave praktisch nichts mehr mit ihnen allen zu tun gehabt. Außer gelegentlich mit Lisa. Nicht, daß er ihr groß geholfen hätte. Sich allein durchs Leben zu schlagen war schon schwer genug gewesen, auch ohne noch zusätzlich die Probleme der ganzen Sippschaft mit sich herumzuschleppen. Aber ihr hatte er wenigstens zu helfen versucht. Einmal. Vielleicht war es ja jetzt, nach fünf Jahren, Zeit für einen neuen Anlauf. Vielleicht. So kam es, daß er sich, wenige Wochen nach seiner Rückkehr aus CR, auf dem Weg zu ihrem erstickend-vorstädtischen Zwei-Zimmer-Bungalow am Hallendale Boulevard wiederfand.

Dave stieg aus dem Miata und ging, seine Nike-Sporttasche geschultert, den Fußweg entlang. Er klopfte an die verzogene Holztür, und drinnen begann ein großer Hund zu bellen. Er wartete. Es war noch nicht Mittag. Eine blöde Zeit für einen Besuch. Vielleicht war sie ja arbeiten, obwohl die Vorhänge zugezogen waren und in der Einfahrt ein klappriger roter Mustang stand. Ein Wagen, der einmal ihm gehört hatte. Wie hatte sie ihn so verrosten lassen können?

Er klopfte wieder. Als der Hund diesmal loslegte, hörte er drinnen jemanden schimpfen. Ein Weilchen drauf öffnete sich die Tür, und da stand, einen dünnen Kimono-Morgenrock um den nackten Körper gerafft, seine Schwester Lisa. Älter, als er sie in Erinnerung hatte. Klar, logisch. Aber auch härter. Als ob das Leben nicht sonderlich nett zu ihr gewesen wäre. Wenn Nick noch am Leben wäre, dann wäre vielleicht alles anders gelaufen. Ach, zum Teufel damit, sagte er sich. Schließlich war er derjenige, der die letzten fünf Jahre hinter Gittern verbracht hatte. Und war sie einmal auf die Idee gekommen, ihn zu besuchen? Mehr zu tun, als nur ein paar von Rechtschreibfehlern strotzende Briefe zu schreiben? Nein, war sie nicht.

«Dave, mein Gott», sagte sie, sichtlich verwirrt. «So was. Du bist raus.»

«Hallo, Lisa.»

Ein unglaublich großer Hund kam von hinten an, stupste sie mit einer schuhkartongroßen Schnauze und knurrte leise. Er sah aus wie ein Dobermann, der heimlich Steroide naschte.

Sie schob den Hund zurück und sagte: «Ist nur mein kleiner Bruder.»

Dave war sich nicht sicher, ob sie mit dem Hund gesprochen hatte oder ob noch jemand im Haus war. Er erhaschte einen Blick auf das schäbige Interieur hinter ihr, und seine scharfen Augen registrierten einen Uraltfernseher, ein schmuddliges, mottenzerfressenes Sofa, einen Tisch mit einer halbleeren Flasche Bourbon. Daneben, als wären sie eben versehentlich hereingeschneit, zwei nagelneue Hunderter.

Er sagte: «Ich wußte nicht genau, ob du da bist.»

Sie sah ihn achselzuckend an, noch immer bemüht, ein Lächeln zu mobilisieren. Als es kam, wirkte es gequält. «Tja, da bin ich.» Und mit einem Blick über die Schulter setzte sie hinzu: «Du hättest anrufen sollen.»

«Ich war grade in der Gegend», log er. «Auf der Durchfahrt. Also hab ich mir gedacht, ich fahr mal vorbei, sag hallo und guck, wie's dir geht.»

«Es paßt nur grade nicht so gut.»

Dave glaubte zu erraten, wobei er gestört hatte.

«Neuer Freund?»

Lisa lächelte gezwungen und nickte kaum überzeugender.

«Ja.»

«Das ist gut.»

«Wir waren grade –» Ein verlegener Blick ersetzte den Rest. «Es wär mir peinlich, dich reinzulassen. Meine Unterwäsche liegt überall rum.»

Dave sagte grinsend: «Immer noch die alte Lisa.»

Sie spähte an ihm vorbei in die Umgegend. «Hey, nichts da, von wegen alte Lisa, okay? Ich bin nur fünf Jahre älter als du.»

Das stimmte. Sie war gerade so alt gewesen wie er jetzt, als er nach Homestead gekommen war. Dave wollte das Thema aufgreifen, ließ es dann aber. Er war nicht hier, um ihr Vorwürfe zu machen, sondern um zu helfen.

Er sagte: «Ich hab dir was mitgebracht.» Er reichte ihr die Tasche. Darin lagen zwei Päckchen. Sie enthielten jeweils fünfzigtausend von den zweihundertfünfzigtausend plus Zinsen, die ihm Jimmy Figaro ausgehändigt hatte. «Das heißt, eins ist für Mom.»

«Oh, danke, Dave», sagte sie und strich ihm zögernd mit der Hand übers Haar.

Als sie ihn berührte, registrierten seine Nasenlöcher einen süßlichen Geruch, den er aus irgendeinem Grund mit Babys assoziierte. Es war etwas an ihren Händen. Eine Art glänzender Film.

«Aber versprich mir, daß du's erst aufmachst, wenn du allein bist», sagte er.

«Klar, sicher.» Sie runzelte die Stirn und lachte gleichzeitig. «Was hast du gemacht? Einen Bankraub?»

«Noch nicht.»

«Hör mal, warum kommst du nicht in einer Stunde oder so noch mal wieder, dann können wir ein bißchen reden. Ich bin keine große Köchin, aber was soll's? Du hast dich früher auch nie beschwert, wenn Schwesterherz dir was zu essen gemacht hat.»

Jetzt fiel ihm plötzlich ein, was für ein Geruch das war. Babyöl. Johnsons Babyöl. Aber Lisa hatte nie ein Baby gehabt. Ihrs war tot zur Welt gekommen. Und die beiden Hunderter und der anonyme Freund dort hinten im Schlafzimmer – ein unangenehmer Gedanke bahnte sich seinen Weg in Daves Bewußtsein.

«Wie wär's, Brüderchen? Ganz wie früher.»

Jetzt war es an Dave, Ausflüchte zu suchen.

«Ich würde ja gern, Lisa, wirklich. Aber ich bin ziemlich in Eile.»

Er brauchte sich nicht zu rechtfertigen. Er sagte sich, daß es sein gutes Recht war, zu gehen. Was immer er an familiären Verpflichtungen haben mochte, hatte er doch erfüllt, oder? Fünfzigtausend Dollar pro Nase, das war doch ein ganz schön üppiges Entgelt für so wenig familiäre Zuwendung. Jetzt wollte er einfach nur weg von hier. Mit einem Lächeln, das dem von Lisa an Gequältheit nicht nachstand, kehrte Dave zu seinem Wagen zurück.

Er sagte: «Ein andermal, ja?»

«Klar, Schätzchen, aber ruf vorher an, okay?» ermahnte sie ihn. Als sei er irgendein blöder Freier.

«Mache ich.» Er sprang in den offenen Wagen und ließ den Motor an.

«Hübscher Wagen», sagte sie. «Bist du sicher, daß du keine Bank ausgeraubt hast?»

«Noch nicht», sagte er und fuhr mit einem steifen Winken davon. Er bemühte sich, nicht voll aufs Gas zu treten und den Eindruck zu erwecken, als wolle er schleunigst weg. Und schämte sich. Schämte sich, weil er sich fühlte wie irgendein blöder Freier, der ihr Geld gab und sie wieder allein ließ. Seine Schwester. Seine eigene Schwester.

Kate Furey führte Kent Bowen in die Topographie des Bootes ein. Die *Carrera* lag zwischen Dutzenden anderer Yachten am Intercoastal Waterway in Fort Lauderdale, nur einen Steinwurf vom Anleger des R. J.'s, eines der besseren Restaurants im Hafenbezirk. Bowen hatte bereits vorgeschlagen, dort essen zu gehen, aber sie hatte ihm erklärt, dazu sei keine Zeit, wenn sie ihm die Grundbegriffe des Yachtwesens vermitteln solle. Sie hatte sich zwar schon eine Möglichkeit ausgedacht, seine Unkenntnis zu legitimieren, aber sie wollte ihn ein bißchen dafür bestrafen, daß er sich auch durch ihre drastischsten Schilderungen von sturmgepeitschten Wogen und heftiger Seekrankheit nicht hatte abschrecken lassen. Ein Wassertaxi glitt vorbei, an Bord ein herausgeputztes Hochzeitspaar. Die beiden winkten, und Bowen, der mit Kate auf dem sonnigen Skylounge-Deck im Achterschiff stand, winkte zurück.

«Sie haben mir überhaupt nicht zugehört.»

«Doch, natürlich», sagte Bowen.

Aber Kate ließ sich nicht bluffen und zeigte auf die Davits über ihren Köpfen. Sie sagte: «Okay, was ist das da?»

«Sie meinen diese Dinger, die das Bötchen halten?»

Kate produzierte ein nichtmenschliches Geräusch, das so klang wie der Falsch-Knopf in einer Game-Show.

«Null Punkte. Das ist kein Bötchen. Das ist ein *Bei*boot. Wie *Bei*sitzer, *Bei*fall, *Bei*schlaf. Aber verstehen Sie das ja nicht miß. Und das Beiboot hängt woran? Na?»

«An so einer Art Kran, oder?»

Kate machte wieder das Geräusch. Sie sagte: «Davits. Das da sind Davits, verdammt noch mal. Hören Sie, Sir. Kent. Die

Sache kann nicht laufen, wenn Sie sich nicht ein bißchen besser mit den Namen dieser Dinge auskennen. Sie brauchen dieses Boot ja Gott sei Dank nicht zu fahren. Aber sehr wahrscheinlich werden Sie mit Leuten von den anderen Booten drüber reden müssen. Verstehen Sie? Als stolzer Eigner. Und übrigens, diese Schuhe, die Sie da anhaben, die müssen verschwinden.»

Bowen sah auf seine Air Nikes.

«Warum?»

Kate schüttelte resolut den Kopf und sagte: «Das sind keine richtigen Deckschuhe, darum. Ein echter Yachtsportler würde sich nicht mal tot in solchen Dingern sehen lassen. Aber das kriegen wir schon hin. Wir können ja auf der Fahrt zum Hafen noch mal am Las Olas halten. Irgendwo ist da bestimmt ein Herrenmodegeschäft oder ein Bootsausstatter. Docksider sind die besten. Leder mit flachen Gummisohlen. Sie können ja wenigstens äußerlich Ihrer Rolle gerecht werden, wenn Sie schon mit dem Vokabular Mist bauen.»

Kate trat durch eine Glastür in den Salon, wo sich ein großes und extrem bequemes Ledersofa mit Blick auf einen Riesenfernseher um Heck- und Backbordseite zog. Ein kleineres Sofa und eine schmale Einbauzeile aus Ahornholz säumten die Steuerbordseite des Salons. Die Anordnung des Mobiliars veranlaßte Kate, Bowen noch eine weitere Frage zu stellen. Sie zeigte auf einen runden Sechs-Personen-Eßtisch ein Stück vor ihnen.

«Zeige ich jetzt nach Back- oder Steuerbord?»

Bowen dachte nach. Kate schnippte ungeduldig mit den Fingern.

Er sagte: «Backbord.»

«Hey, das muß schneller kommen. Wie die Unterscheidung von rechts und links.»

Er folgte ihr durch den Salon und warf einen bedauernden

Blick zu dem 54-cm-Fernseher hinüber. Er wünschte, er könnte sich ein eiskaltes Corona aus dem Kühlschrank nehmen und das Play-off-Spiel in seiner Kabine gucken. Er ließ seine Finger über das satinierte Holz gleiten und sagte: «Und wie heißt dieser Teil des Boots in Ihrem *McHale's-Navy-Glossar*?»

«Salon.»

«Blöde Frage.»

Sie stiegen ein paar mit dickem Teppichboden beschlagene Stufen hinauf.

«Hey, sieh mal einer an», sagte Bowen. «Schicke Küche.»

Kate machte wieder das Falsche-Antwort-Geräusch.

«Das ist die Kombüse», sagte sie.

Bowen seufzte. «Nach dem berühmten Architekten Le Kombüsier, richtig? Mein Gott, ich werde mir dieses ganze Zeug nie merken können.»

«Na ja, ist wahrscheinlich nicht so schlimm. Ich habe mir schon etwas überlegt, was Ihre Unwissenheit erklärt.»

«Ach ja?» Bowen unterdrückte seinen Ärger.

Sie fuhr fort: «Aus versicherungstechnischen Gründen war ich gezwungen, Sie der SYT als den Eigner des Boots zu präsentieren und mich als den Skipper. Wegen des Fluglotsenstreiks haben eine ganze Menge Eigner beschlossen, mit ihrem Boot zusammen rüberzufahren. Es sieht aus, als ob sich der Streik noch eine Weile hinziehen wird. Unter diesen Umständen ist es nicht weiter verwunderlich, wenn Sie mit an Bord sind.»

«Ich sehe nicht, was das bringen soll», sagte Bowen. «Wieso sollte der Eigner weniger wissen als die Crew?»

Kate lächelte. «Für viele Yachteigner ist eine Luxusyacht nichts als ein schwimmendes Weekend-Häuschen. Ein teures Spielzeug mehr. Glauben Sie mir, es ist nichts Außergewöhnliches, daß sich so jemand auf seinem eigenen Boot nicht die

Bohne auskennt.» Sie genoß es. «Also sind die Chancen gut, daß Ihre totale Ignoranz niemandem auffällt.»

«Okay.» Bowen sah sich mit Besitzermiene um. «Wissen Sie, irgendwie hat mir die Vorstellung, so ein Ding zu besitzen, schon immer gefallen.»

«Ich habe mir ferner die Freiheit genommen, Sam Brockman zu bitten, sich uns anzuschließen und die Crew vollzählig zu machen.»

«Sam Brockman?» Bowen konnte seine Enttäuschung nicht verbergen. «Von der Coast Guard?»

Kate bemerkte seinen Gesichtsausdruck und lächelte. Coast Guard. Ha. Wohl eher Bodyguard. Nur für den Fall, daß Bowen unterwegs auf irgendwelche Gedanken kam.

«Na ja, überlegen Sie doch mal. Es hätte doch komisch ausgesehen, ich allein als ganze Crew», sagte Kate. «Und außerdem gehört das Boot ja gewissermaßen seiner Abteilung, bis zur Versteigerung jedenfalls. Wir sammeln ihn auf dem Weg zum SYT-Frachtterminal an der Bahnstation Lake Mabel ein.»

Bowen versuchte, der Aussicht, Sam Brockman mit an Bord zu haben, etwas Positives abzugewinnen. «Das ist sicher eine gute Idee. Vor allem wegen seiner, ähem, seemännischen Kenntnisse.»

Aber Kate war noch nicht fertig. «Das heißt natürlich, daß wir nach außen hin nicht zu vertraulich miteinander umgehen dürfen. Ich werde Sie wie immer mit ‹Sir› ansprechen. Alle werden denken, Sie sind auch nur so ein Plutokrat aus Miami, der mehr Geld als Verstand hat, Sir.»

«Ich habe kein Problem damit, Kate.» Bowen dachte bereits darüber nach, wie er seinen neuen Status als reicher Bootseigner nutzen könnte. «Ich mache mich jetzt mal auf die Suche nach einem Badezimmer.» Er lachte. Jetzt war ihm etwas eingefallen. «Dann werde ich mir ein kühles Bier organisieren und wie jeder richtige Plutokrat mit mehr Geld als Verstand erst mal die Beine hochlegen und mir das Spitzenspiel im Fernsehen angucken.»

«Wir sollten unsere Bootsbegehung wirklich erst zu Ende bringen, Sir», sagte Kate. «Da ist noch eine Menge, was Sie mal gesehen haben sollten. Die Motoren. Die Funkanlage. Die Navigationselektronik.»

Bowen schüttelte den Kopf. «Wissen Sie was, Kate? Das einzige, was ich jetzt sehen will, ist, wie die Chiefs die Dolphins fertigmachen.» Und auf Kates Gesichtsausdruck hin setzte er hinzu: «Ich bin aus Kansas, Sie wissen doch.» Er stieg die Treppe wieder hinunter. «Sagen Sie mir Bescheid, wenn wir in See stechen, Skipper. Ich bin in meinen Gemächern.»

Kate sah ihm nach und formte ein stummes «Arschloch». Kurz darauf hörte sie mit Genugtuung Bowen die Wendeltreppe hinunterfallen, die Salon und Eßraum mit dem Kabinendeck verband.

«Arschloch», sagte sie und stieg den Backbord-Aufgang zur Steuerhaus-Skylounge empor, wo sie sich mit dem computergestützten dynamischen Anzeigesystem der *Carrera* vertraut zu machen begann. Fast schon enttäuscht stellte sie fest, wie leicht das Boot zu fahren sein würde. Mit ihren umfassenden elektronischen Selbstchecksystemen war die *Carrera* so gut ausgerüstet, daß selbst Bowen sie hätte steuern können. Und sie wünschte, der Teil ihrer Mission, bei dem sie das Boot faktisch würde steuern müssen, wäre länger als nur die paar Minuten bis Port Everglades.

Kate ließ die Motoren an und ging dann hinaus, um die Fender einzuholen. Sie hätte Bowen um Hilfe bitten können, war aber nicht scharf auf den unvermeidlichen Kalauer, den das provozieren würde:

*Fenderspiele fand ich immer schon aufregend ...*

Kates Oberlippe kräuselte sich angewidert. «Mit mir nicht», sagte sie, ruckte grimmig an einer Leine und wünschte, es wäre ein Strick um Bowens dämlichen Hals.

Jack Jellicoe, der Kapitän der *Grand Duke*, stand auf der Brückennock und sah mit wachsendem Widerwillen auf die Szenerie unter sich hinab. Schlimm genug, daß er gezwungen war, dieses ganze teure Spielzeug über den Atlantik zu transportieren – hätten sich diese Leute anständige Yachten mit Segeln gekauft, würden sie aus eigener Kraft rüberkommen. Schlimm genug, daß er mit diesen überbezahlten und unterqualifizierten Skippern umgehen mußte – die meisten konnten einen Furz nicht von einer Fahrwassertonne unterscheiden. Schlimm genug, erfahren zu müssen, daß einige von den unanständig reichen Säcken, denen diese schwimmende Tupperware gehörte, auch mit an Bord sein würden. Aber von seinem eigenen Schiffsagenten mitgeteilt zu kriegen, daß er Eignern, Skippern und Crewmitgliedern während der Überfahrt freien Zugang zu ihren Booten zu gewähren habe, das war mehr, als der hochgewachsene Engländer verdauen konnte.

«Nur klarheitshalber, Mister Sedeno», sagte er scharf zu dem kleineren bebrillten Mann neben sich. «Sie erwarten von mir, daß ich diese Wassercampingmobile im Wert von fünfzig Millionen samt ihren High-Snobiety-Besitzern heil und sicher über den Atlantik bringe, eins der gefährlichsten Meere der Welt, während gleichzeitig all diese plattfüßigen Idioten bei jedem Wetter auf meinem Schiff herumkraxeln und jeden Moment Gefahr laufen, über Bord zu gehen und zu ersaufen?»

«Ach, Jack», sagte Sedeno gequält. «Das ist doch Quatsch. Wir wissen doch beide, daß es nicht allzu gefährlich werden wird. Auf der Route über die Kanaren wird das Wetter schon nicht so problematisch sein.»

Jellicoe starrte nach Steuerbord, als suchte er den Kai nach einem besseren Argument ab. «Und die Versicherung? Was sagt die dazu?»

«Wir sind nur für die Boote verantwortlich. Nicht für die Badegäste darauf. Die haben ihre eigenen Versicherungsarrangements getroffen.»

Jellicoe dachte nach. Seine lange, knochige Kieferpartie bebte, während er sein Hirn nach einem weiteren Einwand durchforstete.

«Die Batterien», sagte er triumphierend. «Die Schiffsbatterien.»

«Was ist damit?»

«Das ist damit: Wenn diese Leute auf ihren Yachten sind, wo nehmen sie dann ihren Strom her? Hä?» Ein leise befriedigtes Grinsen breitete sich über sein bärtiges Gesicht. «Können Sie mir das mal sagen? Wenn sie ihre Motoren nicht laufen lassen, sind ihre Batterien doch im Handumdrehen leer. Und ich möchte den Multimillionär sehen, der leben kann, ohne seinen Mikrowellen-Hummer zum Dinner kredenzt zu kriegen und ohne fernzusehen, während er ihn sich ins Maul stopft.»

Sedeno zuckte die Achseln.

«Viele haben heutzutage Sonnenkollektoren, und andere brauchen ihre Motoren nur im Leerlauf laufen zu lassen, um ihre Batterien aufzuladen. Das kann ja umschichtig erfolgen, um das Brandrisiko zu minimieren. Nein, das ist kein Problem.»

Jellicoes Gesichtsmuskeln zuckten jetzt sichtbar. «Als nächstes werden Sie von mir verlangen, daß ich ein Wurfringturnier an Deck organisiere. Ich bin Kapitän auf einem Frachter, nicht auf einem Kreuzfahrtschiff. Was soll ich mit ihnen machen? Ich habe genug damit zu tun, dieses Schiff zu führen, auch ohne daß ich mich bemühen muß, nett zu sein.»

«Aber, aber, Jack, so eine große Mühe dürfte das doch nicht sein», argumentierte Sedeno.

Einer der beiden Offiziere, die außer ihnen auf der Brücke waren, lachte laut los, und Jellicoe sah sich ärgerlich um. Wie er trugen auch seine Kollegen die Tropenuniform der britischen Handelsmarine – weiße Schuhe, weiße Socken, weiße Shorts, weißes Hemd mit Epauletten und weiße Mütze.

«Belustigt Sie irgendwas, Zwei-O?» fragte er seinen Zweiten Offizier.

«Nein, Sir.»

«Dann tun Sie Ihre Arbeit. Ich erwarte selbstverständlich Sichtpeilung vor dem Auslaufen. Nicht nur Radarreichweite und Radarseitenpeilung. Diese Art Schlamperei gibt es auf meinem Schiff nicht, haben Sie gehört?»

«Jawohl, Sir.»

«Und Drei-O? Ich will, daß Sie vor dem Ablegen eine gründliche Überschmugglerkontrolle vornehmen. Auf jeder einzelnen von diesen Picknickdosen, die sich Yachten nennen.»

«Das sind siebzehn Stück, Sir», protestierte der Dritte Offizier.

«Ich brauche Sie ja wohl nicht darauf hinzuweisen, Drei-O, daß eine solche Kontrolle vor dem Auslaufen übliche seemännische Praxis ist. Ich will eine diesbezügliche Unterschrift von jedem Yachtskipper.»

«Will jemand was von mir?»

Die Stimme gehörte einer großen blonden Amazone in einem pinkfarbenen Ralph-Lauren-Polohemd und dazu passenden Shorts. Jellicoe fuhr grimmig herum. Wie Katzen und Alkohol waren auch Frauen von seiner Brücke strikt verbannt.

Sie sagte: «Ich bin Rachel Dana, Skipper der *Jade*.»

«Ach, tatsächlich?»

Jellicoe begegnete Sedenos Blick und verrenkte sein Gesicht zu einem Lächeln.

Rachel zeigte auf die größte Yacht, die der Brücke am nächsten lag.

Jellicoe folgte der Linie ihres muskulösen, gebräunten Unterarms und des langen, pinkfarbenen Fingernagels.

«Sehr hübsch», gab er zu.

«Nicht wahr? Sie ist zweiundneunzig gebaut, nach ABS-A1- und AMS-Standards.»

Jellicoe versuchte beeindruckt auszusehen, obwohl er nicht den blassesten Schimmer hatte, was das bedeuten mochte.

Sie sagte: «Normalerweise sind wir eine etwa zehnköpfige Crew, aber auf dieser Reise sind wir nur zu dritt.»

«Tatsächlich? Und wie finden es die, äh, wie finden es die Männer, daß ihr Skipper eine Frau ist?»

«Das ist Ihnen nicht entgangen, was?» Rachel schüttelte den Kopf. «Auf der Jade sind keine Männer. Nur wir Mädels. Wir sind eine rein weibliche Crew. Wenn Sie so wollen, ein kleiner Spleen unseres Eigners. Wie in *Drei Engel für Charlie*.»

«Außer bei Homer ist mir so was noch nie begegnet», sagte Jellicoe schroff. «Was es nicht alles gibt.»

«Na, jedenfalls, ich dachte mir, ich komme mal rauf und stelle mich vor. Und dabei konnte ich nicht umhin mitzuhören, was Sie da eben sagten. Gibt es irgendein Problem?»

«Jack?» sagte Sedeno. «Gibt es ein Problem?»

Jellicoe sagte gar nichts.

«Wenn Sie immer noch was gegen die Badegäste haben, kann ich die Konnossements auch selbst unterschreiben», fuhr Sedeno fort.

«Habe ich gesagt, ich hätte ein Problem damit? Ich habe

nur getan, was jeder verantwortungsbewußte Kapitän unter diesen Umständen tun würde. Ich habe die möglichen Sicherheitsrisiken angesprochen.»

«Badegäste, hm?» sagte Rachel. «So nennen Sie uns Passagiere, richtig?»

Jellicoe fand die Frau in Pink anziehend und irritierend zugleich. Frauen an Bord eines Handelsschiffs waren immer eine Ablenkung. Vor allem so gutaussehende Frauen wie diese. Er sah, daß seine Offiziere die Brustwarzennippel, die sich unter Rachel Danas Polohemd abzeichneten, bereits zur Kenntnis genommen hatten. Von den großen, vorstehenden Brüsten ganz zu schweigen.

«So ist es», sagte Sedeno. «Wissen Sie, Passagiere können wir Sie nicht nennen, weil wir uns dann an ganz andere Seefahrtsbestimmungen halten müßten. Wir müßten zum Beispiel einen Arzt an Bord haben, statt uns mit dem Schiffszimmermann zu begnügen.» Er lachte über seinen kleinen Scherz. «Deshalb nennen wir Sie Badegäste. Personen ohne seemännische Funktion auf unserem Schiff. Im Unterschied zu Rudergast oder Decksgast, verstehen Sie?» Sein Grinsen wurde breiter, als er gewandt ein Kompliment anhängte. «Wobei in Ihrem Fall natürlich jeder entzückt wäre, wenn Sie zumindest die Gelegenheit zum Sonnenbaden wahrnehmen würden, Käpt'n Dana.»

«Fahren Sie auch mit uns?» fragte sie kühl.

«Leider nein. Die Geschäfte halten mich bedauerlicherweise hier in Fort Lauderdale fest.» Sedeno streckte eine behaarte Hand aus und sagte: «Felipe Sedeno, Ma'am, zu Ihren Diensten. Ich bin der Schiffsagent. Und das hier ist der Kapitän dieses Schiffs, Mr. Jellicoe.»

«Sehr erfreut. Das ist ja so ein faszinierendes Schiff, Käpt'n.»

«Finden Sie?» Jellicoe ging, Rachel Dana im Schlepp, ans Brückenfenster und starrte düster auf die ästhetischen, fast schon sinnlich-fließenden Formen der *Jade* hinunter. «Ist nicht viel mehr als eine bessere Autofähre. Nicht anders als all die Ro-Ro-Schiffe, die hier ein- und auslaufen.»

«Ro-Ro?»

«Ein schiffahrtstechnischer Ausdruck. Roll on-Roll off. Frachter, auf die man drauffahren und von denen man wieder runterfahren kann. Obwohl man in unserem Fall wohl eher Flo-Flo sagen müßte. Float on-Float off. Jedenfalls ist Schönheit nicht gerade unser hervorstechendstes Merkmal. Das überlassen wir unserer Kundschaft.»

Rachel Dana mißdeutete seinen schwermütigen Blick in Richtung ihres Boots als Bewunderung und fragte ihn, ob er die *Jade* besichtigen wolle. «Danke, ein andermal», sagte er. «Ich habe an Deck zu tun.» Jellicoe wandte sich seinem Zweiten Offizier zu. «Wo ist der Chief?»

Der Zweite deutete nach draußen.

«Beaufsichtigt das Laden», sagte er in einem Wo-soll-er-denn-sonst-sein-Ton.

Jellicoe setzte seine Mütze auf.

«Sie übernehmen die Brücke, Mister Niven. Ich bin auf Deck.»

«Jawohl, Sir.»

«Ich fürchte, bei uns auf der *Jade* geht es viel weniger formell zu.»

«Ach, wissen Sie, so formell sind wir auch wieder nicht.» Jellicoe sah drohend zu seinen beiden Offizieren hinüber, als wollte er jeden Widerspruch im Keim ersticken.

«Na ja, ich sollte jetzt wohl auch besser gehen», sagte Käpt'n Dana und folgte Jellicoe von der Brücke hinunter auf den schmalen Steg entlang der Sieben-Meter-Dockwand auf der Steuerbordseite der *Grand Duke*.

Unter dem wachsamen Blick eines kleinen, kahlköpfigen Offiziers, der das gleiche Tropen-Outfit trug wie Jellicoe, zog ein Trupp von Schauerleuten und Yacht-Besatzungsmitgliedern einen Siebenundzwanzig-Meter-Luxus-Sportfischer mit Hilfe zweier am Bug befestigter Leinen auf das Heck der *Jade* zu.

«Vorsicht mit dem verdammten Bugkorb», brüllte der Chief mit einem breiten Cockney-Akzent. «Ihr rammt ihr den noch in 'n Arsch. He, habt ihr gehört?» Er wandte den Blick ab, als der Bugkorb ein paar Zoll vor dem Heck der *Jade* zum Halten kam. «Penner», knurrte er und seufzte dann gequält, als er Jellicoe mit Käpt'n Dana im Schlepp auf sich zukommen sah.

Der Chief sagte: «Schon gut. Alles unter Kontrolle. Nichts passiert.»

«Das freut mich», sagte Rachel Dana. «Ich hätte es sehr bedauert, wenn diese Reise gleich damit beginnen würde, daß ich Ihre Gesellschaft wegen fahrlässigen Umgangs mit Frachtgütern verklagen müßte.»

Jellicoe sah sich kopfschüttelnd um. Schon jetzt bestätigten sich all seine Befürchtungen, was diese Überfahrt anbelangte.

Der Chief griente und zeigte mit einem dreckigen Daumen auf einen der Schauerleute. «Wär vielleicht einfacher, wenn wenigstens ein paar von den Pennern da Englisch könnten. In dieser verdammten Stadt kommt man sich jedesmal mehr vor wie in Havanna.»

«Was erzählen Sie das uns?» sagte Rachel und kletterte auf das Kajütdach der *Jade* hinüber, wo sich ein Liegepolster für ein halbes Dutzend Personen befand. «Erzählen Sie's diesem Mistkerl von Castro.»

Als sie verschwunden war, sagte der Chief stirnrunzelnd: «Was ist denn mit der los?»

Jellicoe seufzte laut. «Machen Sie einfach weiter, Bert», sagte er. «Ich bin in meiner Kabine.»

«Schön für Sie», brummte der Chief und sah dann finster

auf den Schauermann hinab, der auf dem Deck des Sport-
fischers stand, einen mächtigen orangefarbenen Fender zu seinen Füßen.

«He, du da!» brüllte Bert. «Willst du auf dem verdammten
Fender brüten, oder würdest du ihn gefälligst über die Bordwand hängen?»

Der Mann sah zu Bert empor und sagte: «*No comprendo.
Màs despacio, por favor.*»

«Was?»

Dave Delano kam mit bloßem Oberkörper aus dem Steuerhaus geschossen, rutschte über das Dach aufs Deck hinunter, hob, während der Chief und der Schauermann noch über
Sinn und Zweck des Fenders und die Bedeutung der Anweisungen debattierten, das Ding hoch und ließ es über die Steuerbordwand herab.

Bert winkte und sagte: «Bißchen noch. Okay, reicht. Jetzt
festmachen.»

Dave wischte sich die Stirn und sagte: «Vielen Dank.»

«Nichts zu danken», sagte Bert. «Verdammich.»

«Was ist?»

«Ihr verflixter Bauch, das ist.»

Dave sah auf seinen Bauch hinab und sagte: «Was ist damit?»

«Gucken Sie doch mal hin», griente Bert. «Wie ein gottverdammtes Waschbrett. Schauen Sie mal meinen an.» Er
deutete mit dem Kinn auf die Riesenwampe, die den Bund
seiner weißen Shorts dehnte. «Als hätt ich einen Extrakörper-
teil um mich gewickelt, für den Notfall.» Er lachte und
klatschte sich mit der Hand auf den Bauch. «Da steckt eine
Menge Bier drin. Hey, ich schätz, Sie haben so ein Bauchfor-
merding, stimmt's? Was für ein Land, wo die Leute dauernd
mit ihren Bäuchen beschäftigt sind. Womit sie sie füllen, wie
sie aussehen. Jedesmal, wenn ich den Fernseher anmache, ist

da so ein Kerl und will mir einen flachen Bauch verkaufen. Na ja, ich schätz, den krieg ich nie mehr wieder. Jedenfalls garantiert nicht so einen wie Ihrer da, Mann, Bauchformer hin oder her.»

Dave grinste. «Ich habe keinen Bauchformer.»

«Wie schafft man das denn? So einen Waschbrettbauch zu kriegen, mein ich?»

«Man muß die Bauchmuskeln isoliert trainieren», sagte Dave. Er hätte hinzufügen können, daß man am besten nicht nur die Muskeln isolierte, sondern den ganzen Mann. Indem man ihn beispielsweise fünf Jahre ins Gefängnis steckte. Homestead war voll von Kerlen, deren Bodys aussahen wie aus einem Kurs für anatomisches Zeichnen.

Die beiden Männer wandten die Köpfe, als eine der pink-farbenen Damen von der *Jade* auf das Deck hinaustrat und in Richtung Bug ging. Mit ihren üppigen Hüften wirkte sie noch amazonenhafter als ihr Skipper. Bert verzog das Gesicht zu einem wölfischen Grinsen und sagte: «Bei den Weibern ist es nicht der Bauch. Bei denen ist der Hintern das Sorgenkind. Nicht, daß an ihrem Hintern was auszusetzen wär. Aber soweit ich weiß, gibt's auch schon Hinternformer. Für die Weiber, damit sie einen kleineren Arsch kriegen.»

Als die Amazone verschwunden war, sagte Dave kopf-schüttelnd: «Wer will denn so was haben?»

Bert lachte. «Genau», sagte er. «Wer zum Teufel will so was haben?»


Dave und Al sahen zu, wie ein Taucher unter der *Juarista* hervorkam, nachdem er sichergestellt hatte, daß sie ordentlich an der mit dem Dockboden verschweißten Haltevorrichtung vertäut war. Mit Leinen an der Dockwand fixiert und auf der Steuerbordseite sowie am Heck sorgsam mit Fendern gegen die Nachbarboote abgepuffert, lag sie so stabil und gut gesichert da, als hätte man sie auf einem Trailer auf festen Decks-planken geparkt.

«Sie haben natürlich auch eine Taucherausrüstung dabei», sagte Al skeptisch.

«Selbstverständlich.»

Al runzelte die Stirn, verdutzt ob dieses Maßes an Voraus-sicht. Er sagte: «Erwarten Sie nur nicht, daß ich da runtertau-che. Ins Wasser gehe ich nur für ein heißes Bad.»

Dave schnupperte vernehmlich und sagte: «Sollte man auch nicht meinen.»

«Klugscheißer. Vermutlich ist Ihnen auch schon aufgefal-len, wie hübsch wir hier eingeklemmt sind. Sagten Sie nicht, wir würden versuchen, ans Ende des Schiffs zu kommen, da-mit wir leichter abhauen können?»

«Man kommt dahin, wo einen der Mann mit dem Clip-board hindirigiert. Der Computer bestimmt die Plätze nach der Länge und Breite des Rumpfs. Es hätte doch ziemlich ko-misch ausgesehen, wenn wir uns dem Computer widersetzt hätten. Meinen Sie nicht?»

Al schwieg.

Dave sagte gelassen: «Es läuft so, wie ich's Ihnen bereits erklärt habe. Wenn wir soweit sind, klauen wir einfach das Boot direkt am Heck. So nennt man das hintere Ende des Schiffs. Wenn Sie hier den Skipper spielen wollen, wäre es von Nutzen, wenn Sie mal in Ihren Schädel reinkriegen würden, wie wir Seeleute über diese Dinge reden.»

«Ich werd Ihnen sagen, wer hier gleich was reinkriegt, Klugscheißer.»

«Ganz ruhig, okay, Al? Bis auf Ihr Temperament ist hier al-les absolut unter Kontrolle. Mein Wort drauf. Alles bestens.»

«Das will ich schwer hoffen. Tony kann's gar nicht leiden, wenn unerwartete Entwicklungen eintreten. Ich muß ihm so-fort Bescheid sagen, wenn etwas anders läuft, als es soll.»

Dave schüttelte den Kopf. «Vergessen Sie's, Al. Von jetzt an herrscht Funkstille. Als ob wir mit Clark Gable in einem U-Boot sitzen würden und irgendwelche Japse uns mit dem Sonar orten wollen, um uns eine Wasserbombe aufs Hirn zu schmeißen. Wenn Sie Tony brühwarm über Funk von unseren Fortschritten berichten, dann garantiere ich Ihnen, daß sechzehn andere Boote auf diesem Kahn mithören. Und dasselbe gilt auch für Ihr Handy.» Dave warf ihm einen Vierteldollar hin. «Wenn Sie Tony was erzählen wollen, dann empfehle ich Ihnen: Gehen Sie eben noch mal an Land und benutzen Sie einen Münzfernsprecher. Denn auf diesem Schiff wird stumm operiert. Klar?»

Al funkelte ihn wütend an.

Dave sagte: «Hören Sie, ich habe das alles genau ausgetüftelt. Es ist alles im Griff. Das einzige, was hier schiefgehen kann, ist, daß Sie mit Ihrer ‹Tony kann's gar nicht leiden›-Tour alles vermasseln. Hier geht es drum, daß wir beide miteinander klarkommen und uns gegenseitig vertrauen, damit wir, wenn es soweit ist, als Team funktionieren.» Dave setzte achselzuckend hinzu: «Und wenn etwas Unerwartetes eintritt, werden wir improvisieren. Flexibilität ist der Schlüssel zum Erfolg. Zufallsfaktoren lassen sich nie ganz ausschalten. Von uns beiden her gesehen, Al, ist alles geregelt. Aber außerdem sind da die See, das Wetter und die anderen Leute, was eine ganze Menge Zufallsfaktoren darstellt. Wir müssen das akzeptieren und drauf eingestellt sein. Okay?»

«Okay.»

«Also, warum tun wir dann nicht mal was Konstruktives. Zum Beispiel ein bißchen herumspazieren und uns mit der Geographie dieses schwimmenden Yachthafens vertraut machen?»

«Gute Idee.»

«Und versuchen Sie mal, ein bißchen benutzerfreundlicher

auszusehen und nicht ganz so wie ein wandelndes Argument für die Gentechnologie. Haben Sie unsere Story gespeichert?»

«Ich glaub schon. Sie sind irgend so ein Börsencrack, richtig?»

«Richtig.»

«Und ein großer Motorsportfan. Deswegen sind wir jetzt auf dem Weg nach Monte Carlo, zu diesem Grand Prix, den sie dort veranstalten. Danach wollen wir nach Cap d'Antibes an der französischen Mittelmeerküste, wo Sie für den Sommer ein Haus gemietet haben. Irgendwelche Geschäftsfreunde aus London kommen auch dorthin. Und vielleicht führen Sie sich noch ein paar andere Autorennen zu Gemüte, wo Sie schon mal in Europa sind. Kommt drauf an, wie die Geschäfte laufen.»

«Okay. Was für eine Art Börsencrack?»

«Warentermingeschäfte. Aber das soll ich ruhig vage lassen, stimmt's?»

«Stimmt. Wenn jemand fragt, sagen Sie, irgendwas mit Metall, Kupfer vielleicht, und lassen es dabei. Daß Sie mehr wissen, wird keiner erwarten.»

Dave ging in Richtung Gangway, drehte sich dann noch einmal um. Er sagte: «Noch eins. Die Coast Guard und der Zoll werden an Bord kommen, bevor wir auslaufen. Also, nur damit ich's weiß: Wo ist unser kleines Depot?»

«Die haben genug damit zu tun, sich drum zu kümmern, was nach Miami reinkommt. Was juckt's sie schon groß, was rausgeht?»

«Stimmt. Aber ich möchte es trotzdem wissen.»

«In der Fischbox. Unter einer Riesenladung Eis. Und verlassen Sie sich drauf: Improvisation kommt nicht in die Tüte. Waffenmäßig sind wir auf alles vorbereitet. Zufallsfaktor hin oder her.»

Dave hatte weder Tony noch Al je die Namen der Boote genannt, auf denen sich das Geld befinden würde. Allen Beteiligten war klar, daß das für ihn das beste Vertrauenspfand war. Und auch jetzt, da Dave und Al sich auf der Steuerbordseite des Schiffs in Richtung der Heckschornsteine vorarbeiteten, konnte Al aus nichts entnehmen, welche von den Booten, die nunmehr sicher vertäut innerhalb der gewaltigen Rumpfwände der *Grand Duke* lagen, das Geld für den Kauf einer ganzen russischen Bank bargen.

«Sehen Sie sie?» fragte Al. «Die Boote? Unsere Boote?»

«Alle drei. Wie ich gesagt habe.»

«Tatsächlich? Welche? Wo?»

«Das sage ich Ihnen, wenn wir auf See sind. Aber vorher nicht.»

Al lachte bitter. «‹Miteinander klarkommen und uns gegenseitig vertrauen›», zitierte er. «Ha, ha.»

«Sie wollen doch nicht, daß ich die Kerle in Verlegenheit bringe, oder? Indem ich mit dem Finger auf sie zeige wie auf eine Touristenattraktion? ‹Hey, das da sind die Boote, die wir uns untern Nagel reißen werden.›» Dave schnalzte tadelnd mit der Zunge und schüttelte den Kopf. «Ich wette, die sind auch so schon nervös genug. Und außerdem sind die Jungs nicht von Pappe, Al. Die haben vermutlich genau so eine Fischbox wie wir. Sollen sich nur entspannen, sich auf einer netten kleinen Urlaubsreise fühlen. Besser für sie und besser für uns.»

Sie wandten die Köpfe, als ein weißes Boot mit einem gezackten roten Rennstreifen längsseits kam. Es führte die amerikanische Flagge, im Gegensatz zu dem britischen Red Ensign der *Duke*.

«Zoll?»

«Mm-mm», sagte Dave. «Coast Guard. Wir sind wohl klar zum Auslaufen.» Dave sah auf seine Uhr. Fünf Uhr nachmittags. Es hatte fast den ganzen Tag gedauert, die eigentümliche

Fracht an Bord der *Duke* zu schaffen. Wenige Sekunden darauf kam die unverkennbare Stimme des Ersten Offiziers über die Bordsprechanlage.

«Luken dicht und bewegliche Gegenstände verzurren.»

Al machte ein Schmatzgeräusch.

«Ich geh mal wieder aufs Boot und mache mir ein Sandwich. Wollen Sie auch eins?»

«Nein danke. Ich komme in ein paar Minuten nach. Ich will noch zum Heck. Einen Blick auf unser Fluchtboot werfen. Mal schauen, welches Los wir gezogen haben.»

Aber Dave hatte etwas ganz anderes vor. Er hatte Al wegen der drei Boote angeschwindelt, um ihn zu beruhigen. Al war auch so schon eine komplette Nervensäge. Jetzt erst wollte Dave sich vergewissern, daß die letzte Information, die er von Einstein Gergiev erhalten hatte, korrekt war und die Boote sich tatsächlich auf der *Duke* befanden. Er wußte bereits, daß keines von ihnen auf der Steuerbordseite lag. Also wartete er, bis Al außer Sicht war, und marschierte dann zur Backbordseite hinüber, wobei er die ganze Zeit im stillen die Namen der drei Boote vor sich hin sagte wie ein Mantra. Sein Herz tat einen Satz, als er das erste Boot entdeckte, dann das zweite, das dritte. Wie ihm mitgeteilt worden war. Er konnte es kaum fassen, aber die drei Boote mit dem Geld lagen alle in einer Reihe an der Backbordwand der *Duke*. Und genau wie die *Duke* trugen sie die Flagge der britischen Handelsmarine am Heck, was bedeutete, daß sie irgendwo innerhalb des Commonwealth registriert waren – vielleicht auf den Bermuda-Inseln, auf Antigua, in Gibraltar oder auf den britischen Virgin Islands. Da lagen eine Dreiunddreißig-Meter-Steuerhausyacht namens *Beagle*, ein Dreiundzwanzig-Meter-Burger-Cruiser namens *Claudia Cardinale* und ein siebenunddreißig Meter langer Dreidecker als Hatteras-Eignerversion namens *Baby Doc*.

Alles genau so, wie es ihm beschrieben worden war.

Über den Namen des letzten Boots kam Dave einfach nicht hinweg. Schon in Miami, als ihm die Namen übermittelt worden waren, hatte er gedacht, daß *Baby Doc* wohl kaum ein geeigneter Name für ein Boot war, mit dem man sich je in die Nähe von Haiti zu wagen gedachte. Nach all den Jahren unter der Knute der Duvaliers – des Diktators Papa Doc und später seines Sohns Baby Doc – würden es die Einheimischen vermutlich sofort in Brand stecken.

Von den Männern auf den drei Booten sah keiner besonders russisch aus. Nicht, daß Dave das erwartet hätte. Aber sie wirkten eindeutig alle wie harte Burschen. Ein Typ, der auf dem Dach der *Beagle* ein Sonnenbad nahm, war gebaut wie ein Catcher, und ein Schwarzer, der auf der *Claudia Cardinale* gerade ein Tauende losmachte, hatte Arme, so dick wie Daves Beine. Dave begriff klarer denn je, daß so gut wie alles vom Überraschungsmoment abhängen würde. Mitten auf dem Atlantik würde der Gegner wohl weniger wachsam sein, als es jetzt der Fall schien. Trotz der Anwesenheit von Zoll und Coast Guard war Dave sich ziemlich sicher, daß einer der Jungs auf der *Baby Doc* eine Kanone unterm Hemd trug. Der Gedanke, sich mit diesen Typen eine Schießerei zu liefern, behagte Dave gar nicht. Schießeisen waren noch nie sein Ding gewesen. Er schoß lieber mit Worten.

«Alle Mann auf Station», befahl die Stimme aus der Sprechanlage.

Dave befand, daß er dem wohl besser nachkam, bevor sich noch einer der Kerle beobachtet fühlte.

Wieder bei der *Juarista* angelangt, konnte Dave Als Gestalt schemenhaft durch das Rauchglasfenster der Kombüse erkennen. Er stieg auf die Flybridge empor und fand sich praktisch Auge in Auge mit einem Mädchen auf dem Nachbarboot. Um die dreißig, mit schulterlangem braunem Haar, das aus einer

Edel-Shampoo-Reklame entsprungen schien, und Augen, gegen die der Himmel so grau wirkte wie der Flugzeugträger, der außerhalb des Haupthafenbeckens lag. Auf einem großen weißen Sofa am Achterende der Brücke ausgestreckt, war sie genau der Typ Frau, den Dave sich so oft auf seiner Pritsche in Homestead ausgemalt, aber bisher nur in Hochglanzmagazinen faktisch gesehen hatte.

«Hallo», sagte er höflich, in der Erwartung, daß sie zu hochnäsig sein würde, um zu antworten.

«Hallo.»

Mehr sagte sie nicht, aber ihr Blick ruhte auf Dave, als ob sie gegen das, was sie da sah, nichts einzuwenden hätte.

Dave ließ einen musternden Blick über ihr Boot gleiten und nickte dann anerkennend. Wahrscheinlich war sie mit irgendeinem Industriebonzen verheiratet, der alt genug war, um ihr Vater zu sein.

Er sagte: «Hübsches Boot. Und auch schnell, würd ich sagen.»

«Sie liegt so ruhig wie ein Eisenbahnwaggon», sagte Kate.

«*Carrera*, hm?» las er den Namen an der Brückenwand ab. «Ich wette, Sie haben auch den passenden Wagen dazu.»

Kate lächelte.

«Ich steh nicht so auf Porsche», sagte sie. «Die sind mir zu steril. Wenn es nach mir ginge, würde ich lieber etwas Britisches fahren. Einen Jaguar XJS zum Beispiel. Ich habe gern ein bißchen Luxus für mein Geld.»

«Wer hätte das gedacht?»

«Sie scheinen es da drüben aber auch ganz nett zu haben», sagte Kate. «Und ich wette, Ihr Boot ist schneller als meins. Sieht aus, als würde der Aktionsradius auch für größere Angelexpeditionen reichen. Möchten Sie nicht auf ein Bier rüberkommen und mir ein bißchen was über Ihr Boot erzählen?»

Sie verstand etwas von Autos. Sie verstand etwas von Booten. Und sie war nett. Dave war jetzt schon beeindruckt. «Ich wüßte nicht, was dagegen spräche», sagte er.

Als er auf die *Carrera* hinüberkletterte, sah er flüchtig zwei Männer im Decksalon sitzen und fernsehen. Dann stieg er auf die Brücke hinauf. Die Frau erhob sich von dem Ledersofa und lächelte freundlich.

«Kate Parmenter», benutzte sie ihren Ehenamen ein – wie sie hoffte – allerletztes Mal.

Dave schüttelte ihr die Hand und bemerkte, daß sie an der anderen keinen Ring trug. Gut. Frauen, die reiche, alte Knakker heirateten, sorgten gewöhnlich dafür, daß dabei für sie ein hübsches Steinchen heraussprang. Also war sie vielleicht gar nicht verheiratet. Er sagte: «David Dulanotov.»

«Wie in *Akte X*?»

«Nein, das ist David Duchovny.»

«Na ja, freut mich trotzdem, Sie kennenzulernen, David.» Kate fragte sich, ob er ein Crewmitglied war. Männer, denen Boote wie die *Juarista* gehörten, waren gewöhnlich dick, mit schweinchenrosa Haut und wenig Haaren auf dem Kopf, so wie ihr Demnächst-Exmann Howard. Das Sportlichste an Howard war seine Rolex Submariner. Dieser David hingegen, mit seinem muskulösen Körper und seinem ungezwungenen Lächeln, wirkte zu fit, um viel Zeit hinter der Sorte Schreibtisch zuzubringen, die so viel Kohle einspielte, daß man sich einen Sportfischer für zwei oder drei Millionen Dollar leisten konnte.

«Ganz meinerseits, Kate.»

«Ihr Boot?»

«Ja.»

Sie sagte: «*Juarista*. Ausgefallener Name. Was bedeutet das?»

«Die Juaristas waren mexikanische Revolutionäre», erklärte Dave. «Sie versuchten, ihr Land von der Herrschaft

Kaiser Maximilians zu befreien, der von den Franzosen gestützt wurde.»

Kate guckte erstaunt. «Ich wußte gar nicht, daß die Franzosen dort ihre Finger im Spiel hatten.»

«Mexiko, Algerien, Vietnam. In jedem miesen Spiel.»

Sie ging nach vorn, um zwei kalte Coronas aus dem Flybridge-Kühlschrank zu nehmen. «Ich muß sagen, Sie sehen nicht wie jemand aus, der sich für Revolutionen interessiert.»

«Ich?» Dave zuckte die Achseln. «Na ja, ich hab eine ganze Menge russisches Blut in den Adern. Aber ich interessiere mich tatsächlich mehr fürs Kino als für den Kommunismus. Das meiste, was ich über die Juaristas weiß, habe ich aus einem Film namens *Vera Cruz*. Gary Cooper und Burt Lancaster. Neunzehnhundertvierundfünfzig.»

«Das war ein bißchen vor meiner Zeit.»

«Vor meiner auch. Ist aber trotzdem ein guter Film.» Dave nahm die Flasche, die sie ihm offerierte, und trank ein paar Schluck von dem kalten Bier. «Ist das Ihre Crew, die da unten fernsieht?»

«Ich bin der Skipper, nicht der Eigner. Das ist einer von den beiden, die das Footballspiel gucken. Sie sind kein Sportfan?»

«Oh, doch, aber ein Spiel kann ich jederzeit sehen. Zu einer Atlantiküberfahrt läuft man nicht alle Tage aus.» Dave sah einen Moment nach Backbord hinüber und setzte dann hinzu: «Nichts, das nicht wandelt Meeres Hut in ein reich und seltnes Gut.»

Kate lächelte. «Ist das aus einem Gedicht?»

Dave, der sich sagte, daß das reiche Gut immerhin greifbar schien, rezitierte die ganze Stelle und sagte dann: «Das ist Shakespeare. *Der Sturm*.»

Kate hob ihre Flasche. «Darauf, daß uns kein solcher erwischt.»

«Steht das denn zu befürchten?»

«Eigentlich nicht. Nicht um diese Jahreszeit. Aber in tropischen Gewässern weiß man nie.»

Sie schwiegen ein paar Minuten, als fühlten sie sich miteinander auf Anhieb wohl genug, um einfach nur dazusitzen und zuzuschauen, wie die Crew der *Grand Duke* das Schiff seeklar machte. Kate sah ab und zu kurz in Richtung Heck, wo jetzt gerade Rocky Envigados Boot, die *Britannia*, fertig vertäut wurde. Sie fühlte sich schon etwas entspannter. Die *Britannia* war erst als letztes Boot ins Innere der *Duke* gefahren worden, und eine gute Stunde lang hatte es so ausgesehen, als ob sie ohne ihr Observierungsobjekt in See stechen müßten.

Auf der Backbordseite tutete ein Schlepper, auf der Kaiseite wurden Trossen losgemacht, eine Schiffssirene ertönte, und Kate und Dave fühlten die Steuerbordwand leise erbeben, als die Bug- und Heckstrahlruder ansprangen. Nur zwei Trossen verbanden sie jetzt noch mit dem festen Land, und als diese erschlafften, hoben Männer auf dem Kai die Schlingen von den Pollern und ließen sie in das schlierig schillernde Wasser gleiten.

«Leinen los und ein», rief jemand.

Nachdem nun also die Sache mit Rockys Boot geklärt war, beobachtete Kate aus dem Augenwinkel Dave, der seinerseits verfolgte, wie die Manövrierschrauben das Schiff langsam vom Kai wegschoben. Maximale Punktzahl für das Shakespeare-Zitat. Und es stimmte, irgendwie hatte eine solche Reise etwas Reiches und Seltenes. Und ebenfalls maximale Punktzahl dafür, daß er sich nicht für das Footballspiel interessierte. Was war schon ein Spiel gegenüber dem Erlebnis, Amerika per Schiff hinter sich zu lassen? Sie hatte schon fast geglaubt, daß es Männer wie David Dulanotov gar nicht gäbe. Romantische Männer, die damit zufrieden waren, schweigend dazusitzen, statt einen so schnell wie möglich ins Bett quasseln zu wollen. Als sie seine großen braunen Augen den fernen Horizont fixieren sah, fragte sie sich, was diese Reise wohl noch an Überraschungen für sie bereithielt und welche Rolle dieser gutaussehende Mann dabei spielen würde.

## 14

Einige Yachteigner und Crewleute blieben zum Dinner auf ihren Booten. Aber die meisten gingen zum Deckshaus auf dem Vorschiff, um mehr vom Schiff zu sehen und den Kapitän, die Offiziere und die Mannschaft kennenzulernen. Auf der *Duke* aßen Offiziere und Mannschaft in getrennten Messen. Das wurde in der britischen Handelsmarine von jeher so gehandhabt. Jetzt gab Jellicoe Order, daß die Yachteigner und ihre Skipper mit in der Offiziersmesse speisen dürften. Besatzungsmitglieder sollten hingegen mit denen der *Duke* in der Mannschaftsmesse essen. Also fand sich Dave zum Dinner in einem Raum mit Jellicoe, denjenigen seiner Offiziere, die Freiwache hatten, und einer Schar von Eignern und Skippern, darunter auch Al Carnaro, Kate Parmenter und die gutaussehende Rachel Dana von der *Jade*.

Rachel sagte: «Käpt'n Jellicoe, darf ich fragen, was es mit den beiden alten Kanonen auf Ihrem Focksel auf sich hat?»

«Was zum Teufel ist ein Focksel?» knurrte Kent Bowen.

«Das ist das Deck über der Back im Bug des Schiffs», erklärte Jellicoe und verbuchte Bowen im Geist als kompletten Idioten in allen seefahrtstechnischen Dingen. Mit einem traurigen Lächeln wandte er sich an Rachel Dana.

«Wissen Sie», sagte er, «an diesen Kanonen hängt eine längere Geschichte dran. Einmal, auf der Rückfahrt von den Balearen …» Er nickte Bowen zu. «Das ist die kleine Inselgruppe, zu der auch unser Fahrtziel Mallorca gehört. Na ja, da hatten wir einen Reparaturaufenthalt vor Lanzarote …» Erneutes Nicken in Bowens Richtung. «Das ist eine der Kanarischen Inseln. Na, jedenfalls, wir lagen also fast einen geschlagenen Tag vor diesen Klippen, während der Chefingenieur die Motoren wieder auf Trab brachte, und den Jungs war ziemlich langweilig. Und oben auf den Klippen standen zwei museale Kanonen. Ich dachte mir, es wäre ein gutes Mittel, die Jungs davor zu bewahren, auf dumme Ideen zu kommen, wenn wir dort raufklettern würden, wie in einem Film, den ich mal gesehen hatte, nur daß wir die Kanonen nicht in die Luft jagen, sondern klauen würden.» Jellicoe schmunzelte bei der Erinnerung an dieses Unternehmen. «Und genau das haben wir auch getan. Es hat fast den ganzen Tag gedauert, weil die Dinger natürlich ordentlich schwer waren. Aber sie sind voll funktionstüchtig. Wir feuern sie einmal im Jahr ab, zum Gedenken an Admiral Lord Nelsons Sieg über die Franzosen in der Schlacht von Trafalgar …» Wieder ein Nicken in Bowens Richtung. «Berühmte Seeschlacht während der napoleonischen Kriege – 21. Oktober 1805, falls es Ihnen entfallen sein sollte. Fand übrigens gar nicht weit nördlich der Kanaren statt. Die Kanonen sind nämlich britischen Ursprungs. Stammten von einem Schiff aus Nelsons Flotte, das vor Madeira auf Grund lief. Sie blieben zuerst eine Zeitlang dort, bis sie der Gouverneur von Madeira beim Kartenspiel an den Gouverneur von Lanzarote verlor. Oder so ähnlich jedenfalls. Wie Sie sehen, haben wir also nur Eigentum unserer Marine repatriiert. Das waren wir England doch schuldig, oder nicht, Chief?»

Bert Ross lächelte frostig und nahm sich noch etwas von dem gräßlichen Weißwein, der auf der *Duke* kredenzt wurde.

«Wie heroisch», sagte Rachel. «Vielleicht sollten Sie selbst mal in einem Film mitspielen, Käpt'n.»

Kate fragte sich, an welche Art Film Rachel Dana wohl

denken mochte. Sie sagte: «Käpt'n Jellicoe, wenn das Ihre Art ist, Ihre Männer von Dummheiten abzuhalten, möchte ich mal sehen, was passiert, wenn Sie mal richtig auf den Putz hauen.»

«Ach, Käpt'n Parmenter, das war doch nur ein Jux, weiter nichts.» Jellicoe sah Dave an und sagte: «Meinen Sie nicht, Sir?»

«Klingt wie eine wilde Party.» Dave grinste ihn an und fragte sich, wie Jellicoe wohl reagieren würde, wenn Al und er ihr kleines Jux-Unternehmen starten würden. Giftig, dachte er. Jellicoe war einer von der Sorte, die das, was Dave vorhatte, als «Piraterie» bezeichnen würde. Na ja, von ihm aus. Er hatte schon immer etwas für Errol Flynn und Tyrone Power übrig gehabt. Wenn er erst mal, um ein paar Millionen reicher, irgendwo an einem sicheren Ort saß, dann würde er sich vielleicht sogar ein kleines Schnurrbärtchen wachsen lassen. Und vielleicht auch wieder einen Ohrring tragen. Wenn man millionenschwer war, konnte man so ziemlich tragen, was man wollte, ohne daß sich irgendwer darüber beschwerte.

«Eine wilde Party?» sagte Jellicoe. «Ja, das war's wohl.»

Kate lächelte Dave an. «Ein paar Bier zuviel – das ist das Wildeste, was bei uns auf der *Carrera* läuft.»

Dave lächelte zurück. «Bei uns auch», sagte er, obwohl er dachte, daß man das, was mit Lou Malta und seinem Lustknaben Pepe passiert war, wohl schon ganz schön wild nennen konnte.

Al, der klugerweise während des ganzen Dinners geschwiegen hatte, beugte sich zu Dave und flüsterte: «Ist sie das? Ist das die Biene, mit der Sie vorhin geredet haben?»

«Ja, das ist sie.»

«Nett. Echt niedlich. Die Frage ist: Hat sie eine gutaussehende Freundin?»

Dave sah Al an und schüttelte den Kopf. «Nein, Al, die Frage ist, habe ich einen gutaussehenden Freund?»

Nach dem Dinner fragte Dave den Chief, Bert Ross, wer von seinen Leuten der Funkoffizier sei.

«Funkoffizier?» Ross schien erstaunt.

«Ja, ich habe da ein Handmikro, das nicht mehr will.» Das stimmte zwar, aber Dave wußte wohl, wie es zu reparieren war. In Wahrheit wollte er herausfinden, wo der Funkraum war. Wenn es losging, würde der erste Teil seines Plans darin bestehen, die Funkanlage der *Duke* lahmzulegen.

«Wir haben einen Bordelektriker», sagte Ross. «Funkoffiziere sind mit den klassischen Seemannshosen aus der Mode gekommen. Heutzutage läuft alles über Satellit und Mikrochip. Fax, Telex, digitaler Selektivruf, was immer Sie wollen. Die meisten Jungs hier auf dem Schiff halten Morsen für ein unanständiges Wort.» Er lachte und sah auf seine Uhr. «Sie haben Glück. Jock – unser Bordelektriker – hängt jetzt bestimmt gerade am Hörer. Läßt sich die Fußballergebnisse aus England durchsagen. Kommen Sie, ich bring Sie hin.»

«Danke. Das ist nett.»

«Kein Problem. Was wollen Sie denn mit Ihrem Funkgerät machen? Einen kleinen Plausch mit Ihrem Privattrainer halten oder was?» Ross führte ihn aus der Offiziersmesse. «Nach diesem Essen brauchen Sie vermutlich erst mal ein paar Stündchen im Fitneßraum.»

«Ein bißchen schwer war es schon», gab Dave zu. Er dachte dran, wie sehr ihn das Essen an den Fraß in Homestead erinnert hatte.

«Was wir nicht essen, benutzen wir als Ballast.»

Sie gingen zu einer Kabine gleich bei der Brücke, wo ein dünner, unterernährt wirkender Mann mit dem rotesten Haar, das Dave je an einem anderen Lebewesen als einem

Hund gesehen hatte, vor einer Reihe teakholzverkleideter Sender-Empfänger und Lautsprecher saß. In der Hand hielt er ein Digitaltelefon, und auf dem Tisch neben ihm lag ein Blatt Papier mit Vereinsnamen und Spielergebnissen darauf.

«Das ist Jock.»

Der rothaarige Mann sah auf und nickte.

«Er ist Schotte, also glauben Sie nicht, daß Sie ein verdammtes Wort von dem verstehen, was er sagt.»

Jock legte das Digitaltelefon auf und lehnte sich auf seinem Plastikbürostuhl zurück.

«Wie hat Arsenal gespielt, Jock?»

«Verloren, null zu drei.»

«Flaschen.» Ross seufzte und guckte angewidert weg. «Jock, das ist Mister Dulanotov. Einer unserer Badegäste. Er hat ein Problem mit seinem VHF-Gerät.»

Dave beantwortete ein paar rudimentäre Fragen zu dem Funkgerät der *Juarista*, während er überlegte, wie sich die Funkstation des Schiffs wohl am besten ausschalten ließe. Der Seemann in ihm sträubte sich dagegen, einfach eine Kugel in das Funkgerät zu jagen und hundert Leute ohne jede Kommunikationsmöglichkeit mitten auf dem Ozean zurückzulassen. Aber er sah keine Alternative. Jedenfalls so lange nicht, bis er, in dem Bemühen, Ross auszuweichen, an der schweren Stahltür hängenblieb und sich die Hosentasche einriß.

«Tut mir leid», sagte Ross.

Aber Dave interessierte die Entschuldigung weit weniger als die Entdeckung, daß da ein Schlüssel in der Tür steckte. Er brauchte nichts weiter zu tun, als diesen Schlüssel zu klauen und irgendwo zu verstecken.

Jock beugte sich vor und runzelte verwundert die Stirn, als aus dem Lautsprecher ein Geräusch wie von einem arbeitenden Faxgerät kam. Er sagte: «Komisch. Da ist es wieder.»

«Was?»

«Dieses Geräusch. Einer von den Badegästen muß ein Sprechfunkgerät mit digitaler Verschlüsselung benutzen.»

«Und?»

«Das ist ein bißchen ungewöhnlich, weiter nichts.»

«Welcher Kanal?» fragte Dave neugierig.

Jock drückte die Rauschunterdrückungstaste des Sender-Empfängers, um das atmosphärische Rauschen auszufiltern. Er sagte kopfschüttelnd: «Scheint eine Zwischenfrequenz zu sein.»

Ross sagte achselzuckend: «Wer immer das ist, will vermutlich nur ein vertrauliches Geschäftsgespräch führen. Heutzutage gibt es überall neugierige Schnüffler. Man weiß nie, wer mithört. Ich hab kürzlich in der Zeitung was drüber gelesen. Die Industriespionage greift um sich.»

«Das ist wahr», sagte Jock mit einem Akzent, so breit wie eine plattgefahrene Katze. «Aber digital ist schon was Besonderes.» Er sah Dave vorwurfsvoll an. «Selbst für einen superreichen Yachtfuzzi. Normalerweise kommen nur Militär und Geheimdienst an diese Art Spielzeug.»

«Sind Sie sicher, daß es von der *Duke* kommt?» fragte Dave.

«Hundertprozentig. Gucken Sie sich die Signalstärke an. Wir sind direkt dran. Und außerdem hat VHF-Funk nur eine sehr geringe Reichweite. Fünfzig Meilen maximal. Wenn einer damit kommuniziert, dann mit jemand ganz in der Nähe.»

«Können Sie's orten?» fragte Dave.

«Nicht mit dieser Ausrüstung.» Jock nahm eine halbabgebrannte Zigarette auf und erweckte die Glut paffend wieder zum Leben. «Es gibt noch eine andere Möglichkeit, falls die Signale nicht vom Schiff selbst kommen.» Er tat einen tiefen Zug, drückte die Zigarette auf einer Untertasse aus und begann, sich eine neue zu drehen.

Ross sagte: «Jetzt lassen Sie uns nicht erst Männchen machen.»

Jock leckte das Zigarettenpapier an und sagte: «Es könnte sein – *könnte*, wohlgemerkt –, daß wir über einem U-Boot sind.» Er steckte sich die Zigarette in den Mund und entzündete ein Streichholz. «Diese Kerle spielen alle möglichen blöden Spielchen. Wenn es ein U-Boot ist, benutzt es uns vermutlich als Übungsziel. Vielleicht spielen die Jungs da unten gerade durch, wie sie uns torpedieren können.»

Dave sagte: «Was für ein beruhigender Gedanke, wo wir uns gerade schlafen legen wollen.»

Ross sagte: «Nicht wahr? Wenn man bedenkt, daß sie diesen ganzen Scheiß nur machen, damit wir ruhig und sicher schlafen können.»

Auf der *Carrera* beendete Kate ihr Gespräch mit dem Ersten Offizier der USS *Galveston*, dem 688er Jagd-U-Boot, das sich, wie sie gerade erfahren hatte, zweihundert Fuß unter dem Doppelrumpf der *Duke* befand. Es tat gut zu wissen, daß sie Gesellschaft hatten, wenn auch nur bis zur Sargassosee. Dann kamen ein paar hundert Meilen quer durch das Kapverdische Becken, ehe sie an einem weiteren markanten Punkt der unterseeischen Landschaft, dem Großen Meteortafelberg, auf das französische Atom-U-Boot stoßen würden, das sie für den Rest des Weges eskortieren sollte.

Sie und Sam Brockman saßen hinter den heruntergelassenen Rollos und geschlossenen Türen der Steuerhaus-Skylounge. Brockman hielt, mehr aus Gewohnheit, ein Auge auf den elektronischen Kartenplotter. Er war groß – mit seinen ein Meter fünfundneunzig zu groß, um sich auf der Yacht wirklich wohl fühlen zu können; sein stahlgraues Haar streifte ständig die velourslederbespannte Decke der *Carrera* – und wirkte wie jemand, den auf dieser Welt nichts mehr erschüttern konnte.

Kate mochte ihn. Sie fand seine Ruhe vertraueneinflößend und bewunderte seine Pflichtauffassung, vor allem aber genoß sie es, daß er genauso wenig von Bowen hielt wie sie.

Kate sagte: «Wo ist denn Seine Exzellenz?»

«Schläft. In seiner Kabine. Er hat während des Spiels ganz schön dem Bier zugesprochen. Und dann war da noch der Wein zum Essen. Ich schätze, er hat heute genausoviel getrunken wie geatmet. Anscheinend hat er vor, mit Haut und Haar in die Rolle des fetten, faulen Nichtstuers zu schlüpfen. Mehr verdeckter Alkoholiker als verdeckter Ermittler. Mich erstaunt nur, daß er sein Mundwerk so gut unter Kontrolle hat. Bis jetzt jedenfalls.»

«Das war ein blöder Vorschlag von mir», sagte Kate. «Sie haben recht, Sam. Er führt sich auf wie Donald Trump persönlich. Diese Eigner-Kiste ist ihm wirklich zu Kopf gestiegen.»

«Nicht nur zu Kopf. Haben Sie gesehen, wie er auf diese Kapitänin von der *Jade* angesprungen ist?» Sam grinste. «Möchte wissen, wieso.»

«Ach, Sam, nicht Sie auch noch. Das sind Titten, da in ihrem Polohemd. Keine goldenen Äpfel.»

«Kann nicht behaupten, daß ich ihre Titten bemerkt hätte. Aber die Frau hat einen Klassearsch.»

«*Sam.*»

«Die Seeluft hat merkwürdige Auswirkungen auf die Menschen», erklärte er. «Hier werden noch alle möglichen Sachen passieren, eh diese Reise vorbei ist. Sie werden ja sehen, ob ich recht habe.»

«Ich will es hoffen. Ich könnte ein bißchen Action vertragen. Im Einsatzbüro ist es in letzter Zeit ein bißchen langweilig geworden. Dafür sorgt schon allein dieser Bowen. Der langweiligste ASAC, für den ich je gearbeitet habe.»

«Machen Sie sich keine Gedanken. Sie haben das ganz

richtig gemacht. Glauben Sie mir, er spielt das dumme Eigner-arschloch absolut perfekt. Ich muß es wissen, ich habe für viele von diesen Typen gearbeitet. In den Collegeferien habe ich immer auf Yachten angeheuert. Einer von diesen Arm-leuchtern, Erbe eines Damenbinden-Imperiums, besaß diesen klassischen Dreimast-Schoner. Sechsundsechzig Meter, Bau-jahr 1927, eine echte Schönheit. Der Kerl ließ sich in seinem Privatjet runter nach Feuerland bringen. Nachdem wir ihm über Funk durchgegeben hatten, daß schön ruhiges Wetter war. Wir nahmen ihn für achtundvierzig Stunden an Bord und segelten eben mal schnell um Kap Hoorn, nur damit er vor seinen Yachtclub-Freunden damit angeben konnte. Nach zwei Tagen setzten wir ihn an der chilenischen Küste ab, und er flog wieder heim. Arschloch. Sobald er wieder an der Wall Street war, schrieb er die Yacht zum Verkauf aus.» Sam schüttelte an-gewidert den Kopf. «Doch, ich schätze, er und Kent Bowen hätten sich prächtig verstanden.»

«Nett, daß Sie das sagen, Sam.»

Er streckte seine langen Arme aus und gähnte. «In einem hat Bowen allerdings recht. Mit dem frühen Schlafengehen. Ich bin hundemüde. Was dagegen, wenn ich mich in die Koje haue?»

«Nur zu. Ich werde noch ein bißchen aufbleiben und die Nachtluft genießen. Zu einer Atlantiküberfahrt läuft man nicht alle Tage aus.»

Sam lächelte höflich und stand auf. Seine Liebe zur See hielt sich in Grenzen. Fort Lauderdale war eine der hektisch-sten Coast-Guard-Stationen. Sie hatten im letzten Jahr über tausend Einsätze absolviert, und Sam arbeitete nie weniger als siebzig Stunden die Woche. Das Motto der Küstenwache war *semper paratus* – allzeit bereit –, und das war wörtlich zu neh-men. Sam hatte nie geheiratet. Er hatte einfach nicht die Zeit dazu gefunden, geschweige denn das richtige Mädel. Eine, die bereit war, es mit einer Rivalin wie der See aufzunehmen. Kate, ja, die mochte er. Aber er kannte sie, wußte, wie sie war. Wie er. Bereit, ihren Job über jede Beziehung zu stellen. Und das hieß, daß sie beide keine Zukunft miteinander hätten. Also sagte er gute Nacht und ging hinunter in seine Kabine.

Kate trat ans Achterende der Bücke und starrte aufs Meer hinaus. Das Schiff machte jetzt mit fast siebzehn Knoten ganz schön Fahrt, obwohl man außer dem leisen Brummen und dem dumpfen Vibrieren der Maschinen kaum etwas davon bemerkte. Die See selbst wirkte so ruhig, als führen sie durch einen der Binnenwasserwege von Lauderdale. Der Mond war voll, so groß wie ein Fußball, und nur eine leichte warme Brise wehte durch die Nacht.

Kate zündete sich eine Doral an und wanderte barfuß auf dem Deck herum. Im Mondschein hätte man fast glauben können, daß all die Boote auf dem Schiff aus Kokain bestanden, so weiß waren sie. Ein Poet zumindest hätte Bowens halbausgegorene Theorie vermutlich zu würdigen gewußt. Und die ganzen Passagiere konnte man sich leicht als übernatürliche Reisende aus einem griechischen Mythos denken oder als Fliegende Holländer, für immer dazu verdammt, über die Meere zu kreuzen.

Jemand räusperte sich, und als sie sich zur Steuerbordseite der *Carrera* wandte, sah sie den Skipper der *Juarista* im Mondlicht stehen. Er sagte: «Schöner Abend.»

«Wunderbar, nicht?» Kate drückte ihre Zigarette aus. Sie hatte nie das Gefühl, besonders vorteilhaft auszusehen, wenn sie rauchte.

«Sie könnten mich noch mal einladen, rüberzukommen, falls Sie wollten.»

«Möchten Sie ein Bier?»

Er schien das als Aufforderung zu nehmen, denn im nächsten Moment sprang er mit einem athletischen Satz von seiner Brücke auf ihre.

«Oh», sagte sie, ein bißchen nervös. «Da sind Sie ja schon. Tja, dann …»

«Ich finde, das ist eine wunderbare Nacht für einen kleinen Mondscheintanz.»

Zu Kates Erstaunen legte Dave den Arm um ihre Taille, nahm ihre leise widerstrebende rechte Hand in seine linke und begann mit ihr zu tanzen und dazu seinen Lieblings-Van-Morrison-Song zu singen, lächelnd, sooft ihre Blicke sich trafen, und so ohne jede Scheu, als brächte er jeden Abend einer Frau eine solche Serenade dar.

Am Ende des Songs, als sie ganz sicher war, daß er sie küssen würde, ließ er ihre Hand los und trat einen Schritt zurück.

Kate seufzte und sagte: «Das war schön.» Und mit einer gewissen Bestürzung hörte sie sich hinzufügen: «Das könnte ich die ganze Nacht hören.» Sie wandte sich ab, damit er ihr verlegenes Gesicht nicht sah. «Ich hole Ihnen das Bier.»

«Nein», sagte er. «Ist schon okay. Ich brauche kein Bier.» Er lächelte. «Ich habe eine Idee. Was halten Sie davon, heute abend mit mir ins Kino zu gehen? *Der dritte Mann* läuft im *Juarista*. Das ist so ein kleines Kino in der Nähe der Bahamas.»

«Kenne ich», sagte sie. «Liegt gleich beim *Carrera*.»

«Hinterher können wir dann noch in einer kleinen Cocktailbar ganz in der Nähe vorbeischauen. Der Barmann dort macht ausgezeichnete Margaritas.»

Kate fragte sich stirnrunzelnd, warum sie plötzlich an das Pier Top im Hyatt von Fort Lauderdale denken mußte.

Dave fuhr fort: «Und wenn Sie dann noch die nötige Energie haben, könnten wir tanzen gehen.»

«Ich bin keine gute Tänzerin», gestand Kate. Sagte Howard das nicht ständig? Eine Liste von Zufallszahlen hat mehr Rhythmus als du, Kate, hatte er ihr erklärt.

«Aber sicher doch», sagte er. «Sie kennen alle Figuren.»

«Und Sie alle Züge.»

«Oh, Sie meinen, im Sinn von Schach?»

Sie nickte.

«Im Sinn von Eröffnung?»

«Mister Gary Kasparow», sagte sie.

«Mag sein», gab er zu. «Aber ein anständiges Gambit beinhaltet immer ein Opfer.»

«Was haben Sie denn anzubieten?»

Dave sagte: «Ich hatte die naive Idee, meine Gefühle einfach so zu äußern, wie sie kommen. Ist das okay?»

«Klar. Aber den Film sollten wir uns lieber sparen. Wir könnten die anderen Anwesenden stören.»

«Okay, und was ist mit der Margarita?»

«Wenn Sie meinen, daß das Ihrer naiven Idee dienlich ist. Aber nur eine, und unter zwei Bedingungen. Erstens: Ich fahre selbst nach Hause. Und zweitens: Ich lecke mir das Salz selbst von den Lippen.»

Dave half ihr, auf sein Boot herüberzusteigen, und während Kate ihren Blick durch den Salon schweifen ließ, ging er nach unten, um sicherzustellen, daß Al fest schlief. Das erste annehmbare Mädchen, das er in den letzten fünf Jahren getroffen hatte – da war es das letzte, was er brauchen konnte, daß Al sich einmischte. Hinter der Tür aus poliertem Zedernholz lief noch immer der Fernseher, aber Al schnarchte laut. Dave ging wieder hinauf in den Salon, um die Drinks zu mixen.

«Al schläft», sagte Dave. «Er wird uns nicht stören.»

«Erzählen Sie mir ein bißchen von Al.»

Dave sagte: «Ach, man kann wohl sagen, er ist einfach der Bursche von nebenan. Falls man zufällig neben einem Zoo oder einer Schweinemastfarm wohnt. Aber es ist ganz nützlich, ihn dabeizuhaben.»

Kate lachte. Sie betrachtete das Pseudoglasaquarium von Lalique, das sich um das Sofa herumzog, und dachte, daß das Interieur des Boots viel weniger maskulin war, als sie erwartet hatte. Außer dem Glas waren da auch noch Zierkissen auf dem Sofa. Sie hatte noch nie einen Mann gekannt, der Zierkissen auf einem Sportfischer hatte.

«Hübsche Einrichtung», sagte sie höflich.

«Ist ganz okay», sagte er. «Bißchen überladen. Ich weiß nicht, ob das mit dem Glas so ideal ist. Deshalb denke ich dran, im Winter ein paar Umbauten vornehmen zu lassen.» Er reichte Kate ihre Margarita. «Was Praktischeres vielleicht.»

Sie nippte an ihrem Drink. «Mmmm. Genau richtig.»

«So mag ich sie.»

«Ein Perfektionist.»

«Das würde immerhin erklären, weshalb ich mich zu Ihnen hingezogen fühle.»

«Es geht doch nichts über eine kleine Schmeichelei.»

«Das sind Sie doch bestimmt gewohnt.»

«Könnte ich nicht behaupten. Mein Exmann war ein bißchen knickrig mit positiven Äußerungen. Das hat er aber durch negative wettgemacht.»

«Das mit dem *Ex* klingt gut.»

«Er ist längst aus meinem Leben verschwunden», log sie. «Knickrig mit Komplimenten, aber sofort bereit, jeder schönen Frau die Hand zu küssen. Das Dumme ist bloß, daß er's nie bei der Hand hat bewenden lassen.»

«Kleiner Schwerenöter, was?»

«Als ob er's schwer nötig hätte.»

Dave grinste. «Wer schreibt Ihren Text?» sagte er. «Mir gefällt's, wie Sie reden.»

«So ein kleines Männchen mit einer klapprigen alten Remington. Sitzt oben in meinem Kopf und sieht ein bißchen aus wie William Holden.»

«William Holden. Das war einer der Größten.»

«Ist er bis heute», erklärte Kate gespielt ernst. «Nur sein Arteriendurchmesser war irgendwann zu klein.» Es freute sie, daß er ihre Art zu reden mochte. Howard hatte Kates Witze nie sonderlich zu schätzen gewußt. Sie war immer so fix gewesen, daß er nicht mitkam, und das hatte er gehaßt. Manchmal war sie sogar so fix, daß sie selbst nicht mitkam. Sagte irgendwelche Sachen, komische Sachen, die sie dann später bereute. Wenn ihr Mund ein Schießeisen wäre, wäre sie Sundance Kid. Aber ihrer Meinung nach fehlte es Howard weder an Witz noch an Grips. Er nahm sich einfach nur selbst zu ernst.

«Gut, daß wir beide denselben Humor besitzen», hatte sie ihm einmal erklärt. «Das Problem ist nur, daß ich fünfundneunzig Prozent davon halte.»

An Daves Humor war nichts auszusetzen. Kate fand seine Art zu reden auch ziemlich toll. Sie sagte: «Sie können sich ja wohl auch nicht beklagen. Immerhin ist Van Morrison für Sie tätig, Van the Man, ich habe ihn immer gemocht. Wo kommen Sie her, Van?»

Dave lächelte und guckte einen Moment weg. «Ist nicht so wichtig», sagte er. «Wichtig ist, wohin man geht und wie man dort hinkommt.»

«Aha. Dann kommen Sie also aus Miami», sagte Kate.

Dave lachte.

«Leute aus Miami sind immer ein bißchen zurückhaltend, wenn man ihnen diese Frage stellt», erklärte sie.

«Das stimmt», sagte er. «Das ist, als ob man sagen muß, man ist in einem Supermarkt geboren.»

«Ihren Akzent haben Sie aber weitgehend verloren», bemerkte sie.

Seit Dave angefangen hatte, Russisch zu lernen, hatte er sich auch bemüht, sein Englisch zu verbessern. Konjunktionen und Präpositionen zu benutzen. Außer wenn er mit Al redete. Da schien es ziemlich egal, wie er redete. Dave sagte: «Ich habe ihn nicht verloren. Ich habe ihn mühsam abgestreift.»

«Zug zum Höheren, hm?»

«Haben wir den nicht alle? Und Sie? Wo kommen Sie her? Oder sind Sie auch so zurückhaltend?»

Kate sagte: «Zurückhaltung war noch nie mein Ding. Und Sanftmut auch nicht. Ich kann beides nicht ausstehen.»

«Ach, dann glauben Sie also nicht, daß die Sanftmütigen das Erdreich besitzen werden?»

«Wenn, dann nur, weil sie einen guten Anwalt hatten. Also, ich komme von der Weltraumküste. Das klingt besser als ‹Ich komme aus Titusville›, oder? Wenn Miami ein Supermarkt ist, was ist dann Titusville?» Sie überlegte kurz und sagte dann: «So ein karitativer Secondhandshop vielleicht. Nein, das einzig Gute an Titusville war der Blick auf das Raketen-Montagegebäude zwanzig Meilen weiter. Ich bin sozusagen mit dem Raumfahrtprogramm groß geworden. Als kleines Mädchen wollte ich Astronautin werden. Die erste Amerikanerin auf dem Mond.» Sie zuckte die Achseln und grinste breit. «Und jetzt fahre ich Luxusyachten.» Sie trank ihr Glas aus und leckte sich die Lippen. «Logische Weiterentwicklung, oder?»

Dave sagte: «Möchten Sie noch was? Ich habe einen ganzen Krug gemacht, nur für den Fall, daß Sie Ihre Meinung ändern sollten.»

«Ein Kenner der weiblichen Psyche.» Sie streckte ihm ihr Glas hin. «Sollen wir das auf die Liste Ihrer Vorzüge setzen?»

Dave nahm die Gläser, titschte sie ins Salz und goß sie dann randvoll.

«Wer schreibt denn mit?» fragte er.

Sie wartete, bis er sich wieder hingesetzt hatte, sah ihm dann direkt in die braunen Augen und antwortete mit einer Offenheit, die sich geradezu erregend anfühlte: «Ich.» Dann hob sie ihr Glas, ehe er ihr zu nahe kommen konnte, weil sie das Ganze so lang wie möglich kontrollieren wollte. «Tja, so bin ich Skipper einer Yacht geworden. Und wie haben Sie's zum Eigner gebracht? Ich meine, das hier ist doch ein ganz schön teures Boot.»

«Ich schätze, ich weiß eben, was mir gefällt», sagte Dave, wie er hoffte, bescheiden-ausweichend. «Und wenn ich kann, geh ich eben hin und hol's mir.»

«Holen Sie sich alles, was Ihnen gefällt?»

«Nein, nicht alles. Aber eine Frau würde ich mir so aussuchen.»

«Das klingt, als sprächen Sie von einer Krawatte.»

«Eine Krawatte auszusuchen ist eine ernste Angelegenheit», sagte Dave. «Die hat man gewöhnlich bis zu zwölf Stunden täglich am Hals.»

«Zwölf Stunden? Klingt ziemlich stressig. Was genau machen Sie denn beruflich?»

«Genau?» Dave grinste. «Ein bißchen dies, ein bißchen das.»

«Klingt wie ein richtig netter Job. Was von beidem bringt denn mehr?»

«Gewöhnlich das.»

«Dachte ich mir.»

«Ich arbeite im South East Financial Center, am Biscayne Boulevard.»

«Ach. Im höchsten Gebäude Floridas.»

«Na sicher, so wie ich vor meinen Klienten hochstapeln muß.»

«Sie sind also ein versierter Lügner, ist es das, was Sie sagen wollen?»

«Nicht versiert. Perfekt.»

Kate lächelte. «Scheint ja ganz gut zu laufen.»

Dave machte ein nichtssagendes Gesicht.

Kate sagte: «Ich meine, wir haben doch schon festgestellt, daß das hier nicht gerade die Sloop John B. ist. So ein Boot kostet doch an die drei Millionen. Dafür muß man schon ganz schön erfolgreich hochstapeln. Selbst im Financial Center.»

Er stellte sein Glas ab und sagte: «Was würden Sie tun, wenn Sie drei Millionen Dollar hätten?»

«Ist das *Ein unmoralisches Angebot*?»

«Ich sagte *drei* Millionen.»

«Na ja, da wäre schon das eine oder andere nette Extra drin.»

Dave rutschte näher und legte den Arm um sie. Er sagte: «Was ist jetzt mit dem Königsgambit?»

Und dann küßte er sie.

Die Art, wie ein Mann küßte, sagte einem eine ganze Menge über ihn, dachte Kate. Manchmal sagte es einem, was er zu Abend gegessen hatte. Aber meistens sagte es einem sofort, ob man mit ihm ins Bett gehen wollte. Kate wußte so ziemlich in dem Moment, in dem sie seinen Mund auf ihrem spürte, daß sie ihn auch noch auf anderen Stellen ihres Körpers spüren wollte. Als er sich schließlich von ihr löste, um sie anzuschauen, sagte sie: «Ich schätze, es ist wohl angenommen. Nur die weiße Dame ist hier schlecht plaziert. Sie muß weg, wenn sie nicht in Gefahr geraten soll.»

Kate stellte ihre Margarita auf dem Couchtisch ab, legte die Hand um seinen Nacken und zog seinen Mund wieder auf ihren herab, als wäre sie schon süchtig nach der narkotisierenden Wirkung. Sie schloß träumerisch die Augen und überließ sich der Droge seiner Lippen, an denen noch immer kleine Salzkristalle von seinem Glas hingen. Der letzte Mann, der sie geküßt hatte, war Nick Hemmings gewesen, der britische Verbindungsmann. Ein netter Kerl, aber kein sonderlich begnadeter Küsser. Und davor natürlich Howard, der wie eine Miesmuschel küßte. Aber das hier – das war wirklich ein

Wahnsinnshit: hohes Suchtpotential. Ein echter 200-Dollar-pro-Unze-Kuß, der sich anfühlte, als ob man ihn durch die geweiteten Nasenlöcher aufsaugte und gleich darauf als Prickeln bis in die Zehen spürte.

«Mmmm», sagte sie schwelgerisch und streifte seine warme Wange und sein heißes Ohr mit ihren glühenden Lippen. «Dieses Gefühl könnte man mit der Kreditkarte präparieren.»

«Ist dir das schon mal passiert, daß du dich hellwach fühlst und trotzdem nur auf dem direktesten Weg ins Bett willst?»

«Ich bin noch nie den direktesten Weg gegangen», sagte Kate und genoß die neue Rolle, die sie sich da erschuf. Barbara Stanwick. Lauren Bacall. Bette Davis. Sie schob Dave sachte weg. «Sonst wäre ich nämlich Astronautin geworden. Aber das hier war mir schon Raketentrip genug. Guck mich doch an. Total außer Atem.» Sie setzte sich auf und nahm ihr fast leeres Glas vom Tisch. «Der Sauerstoff wird knapp, und der Treibstoff ist auch fast alle. Ich glaube, ich sollte wohl besser zusehen, daß ich auf das Mutterschiff zurückkehre.»

Dave nahm ein Kissen und plazierte es auf seinem Schoß. Er sagte: «Ist vermutlich eine gute Idee.» Er trank seine Margarita aus und wartete, daß Kate ihrer Absicht zu gehen durch irgendein eindeutigeres Signal Nachdruck verlieh. Indem sie zum Beispiel aufstand.

Als sie auf dem Sofa sitzen blieb, nahm er sich eine von ihren Zigaretten, während er nach einem geeigneten Dichterzitat suchte. Da gab es etwas von Andrew Marvell, was ziemlich gut auf die Situation paßte, aber er hatte sich schon genug hinter anderer Leute Worten verschanzt. Jetzt war es Zeit, er selbst zu sein. Jedenfalls soweit, wie er es ihr gegenüber – angesichts seines Vorhabens – je würde sein können. Also sagte er einfach nur: «Für einen Bootsskipper bist du ein ziemlich hübsches Mädchen.»

«Es ist keine zwingende Voraussetzung für diesen Job, daß man aussieht wie Charles Laughton und die ganze Zeit mit einem Tampen in der Hand auf dem Deck herumstampft.»

«Aber Al ist auch Skipper, und gegen ihn sieht Charles Laughton aus wie Cary Grant.»

«Ist ja wohl auch gut so», meinte Kate. «Stell dir vor, wie peinlich es euch beiden wäre, wenn ihr zwei jetzt hier so sitzen würdet.»

Diese obszöne Vorstellung ließ Dave laut auflachen. Er sagte: «Dann wäre es leichter, gute Nacht zu sagen.»

«Ich muß sagen, David, für einen Millionär gibst du ziemlich schnell auf.»

«Und ich dachte, ich zeige ein bewundernswertes Maß an Selbstbeherrschung.»

«Deine bewundernswerte Selbstbeherrschung in allen Ehren, David, versteh mich nicht falsch. Das ist wirklich mal eine angenehme Abwechslung. Aber wie soll ich sagen? Zuviel Butler und zuwenig Rhett. Ich bin offensichtlich im Zwiespalt, was ich jetzt tun soll. Vielleicht würden ja ein paar Financial-Center-Überredungskünste weiterhelfen.»

«Mein Kind, mir ist nicht danach, dich zu bequatschen. Letztlich sind mir deine Werte zu lieb und teuer, als daß ich sie verschleudert sehen möchte. Ich möchte den Preis lieber hoch- als runtertreiben. Wenn ich etwas kaufe, dann nicht, weil ich auf einen schnellen Gewinn aus bin, sondern weil ich an das Unternehmen glaube. Du solltest nur verkaufen, wenn du dir selbst sicher bist. Ein Deal ist nur dann ein guter Deal, wenn es beide Parteien so sehen.»

«Ich mag es, wenn du so mit mir redest», sagte Kate. «Dann komme ich mir vor wie Bell Atlantic.» Sie küßte ihn und stand auf. «Ich erwarte Ihr Angebot, Rhett. Sie wissen ja, wo Sie mich finden. Schauen Sie einfach morgen früh aufs Meer hinaus und drehen Sie sich dann um neunzig Grad.»

«Soll ich dich heimbegleiten?»

«Ist schon okay. Ich habe meine Seebeine angelegt.»

«Hab ich schon bemerkt. Offen gesagt, schon den ganzen Abend. Sie sehen toll an dir aus. Als ob das eine Marlene hieße und das andere Dietrich. Sie sind ein ziemlich beeindruckendes Duo.»

«Und falls ich dir je einen anderen Eindruck vermittelt haben sollte, Dave – sie sind kaum je auseinanderzubringen.»

«Das habe ich nie bezweifelt», sagte Dave, der sie jetzt zum Heck der Yacht geleitete. «Du mußt wissen, Kate, das war – das ist nicht nur ein beiläufiger Flirt. Das meiste, was ich gesagt habe, meine ich wirklich ernst. Das passiert mir nicht sehr oft, glaub mir.»

«Und wenn ich dir sage, daß es mir genauso geht?» Sie verschloß ihm den Mund mit einem weiteren Kuß und setzte dann hinzu: «Wir haben zehn Tage Zeit, um rauszufinden, ob da mehr im Spiel ist als nur die menschliche Biologie.»

Dave runzelte verwirrt die Stirn und sagte: «Zehn Tage?»

Kate sagte: «So lange sitzen wir doch hier in dieser schwimmenden Sardinendose, bis wir in Mallorca ankommen, oder nicht?»

«Oh, klar», sagte Dave, dessen innere Uhr nur auf fünf Tage programmiert war.

Kate sagte: «Laß mich's wissen, wenn du vorzeitig aussteigen willst, ja, David? Es wäre mir schrecklich, morgens aufzuwachen und feststellen zu müssen, daß du dich verabschiedet hast.»

Dave lächelte forciert. «Wo soll ich denn hin? Da sind doch nur der Mond und die Sterne.»

«Du kennst doch die magischen Kräfte der Nacht, Van the Man. Hast du doch selbst gesagt. Weißt du nicht mehr?»

# 15

«War ja wohl ziemlich spät, als Sie heute nacht an Bord zurückgekommen sind, Kate.»

«Kent», protestierte sie. «Sie klingen wie mein Vater. Außerdem überrascht es mich, daß Sie überhaupt etwas davon mitgekriegt haben, nach den Alkoholmengen, die Sie gestern konsumiert haben.»

Sie waren in der Kombüse. Bowen saß in der Eßecke, Kate stand hinter der Pseudogranit-Arbeitstheke und goß kochendes Wasser auf den löslichen Kaffee. Über den Backbordniedergang hörten sie Sam Brockman drunten unter seiner Dusche singen.

Bowen sagte: «Nun ja, angesichts des Play-off-Spiels im Fernsehen und der luxuriösen Umstände hier an Bord und des Beginns dieser Seereise und Ihrer reizenden Gesellschaft, Kate, sowie der Tatsache, daß es gestern nicht viel anderes zu tun gab, als zu relaxen, habe ich wohl etwas mehr getrunken, als ich hätte trinken sollen. Aber Sie werden gewiß nichts davon bemerkt haben, daß es meine Fähigkeit zur Erfüllung dieses Jobs beeinträchtigt hätte.»

«Nein, das nicht», gab sie zu. Und leise setzte sie hinzu: «Ich bemühe mich die meiste Zeit, Sie und Ihre Fähigkeiten möglichst weitgehend auszublenden.»

«Wie bitte?»

Kate schüttelte den Kopf. «Wo liegt Ihr Problem mit meiner Zeitgestaltung, Sir?»

«Ich habe mich nur gefragt, was Sie so lange wach gehalten hat?»

Kate sah keine Veranlassung zu leugnen, wo sie gewesen war. Schließlich war ja nichts weiter passiert. Außer, daß sie vielleicht im Begriff war, sich bis über beide Ohren zu verlieben. Aber bettmäßig war jedenfalls nichts passiert. Sie sagte achselzuckend: «Der Typ vom Boot neben uns hat mich auf einen Drink eingeladen, das war alles. Er macht ziemlich gute Margaritas.»

«Freut mich zu hören. Margaritas sind mein Lieblingscocktail. War das zufällig derselbe Typ, der gestern nachmittag auf einen Drink hier war?»

«Derselbe.»

Bowen guckte nachdenklich.

«Ist was?» fragte Kate.

«Ziemlich gutaussehender Bursche», bemerkte er.

Bowen begann auf eine Art zu grinsen, die Kate gegen den Strich ging. Wie ein eifersüchtiger Sugar-Daddy oder was.

«Soll heißen?»

Er sagte, scheinbar ganz unschuldig: «Soll heißen, daß er ein gutaussehender Bursche ist.»

Kate stellte eine Tasse Kaffee vor ihn hin und zog sich rasch wieder hinter die Arbeitstheke zurück, nur für den Fall, daß sie in Versuchung kommen sollte, ihm den heißen Kaffee auf den Schoß zu kippen. Sie sah ihn einen Schluck nehmen und wünschte schon fast, der Kaffee wäre genauso vergiftet wie Bowens Denken. Zumindest wollte sie seinen blöden Tilley-Hut packen und ihm über Augen und Ohren ziehen, einfach nur, um zu sehen, ob das irgendeine Verhaltensänderung seinerseits bewirken würde.

Bowen sagte: «Da er und ich nun mal Nachbarn sein werden, sollten Sie mir wohl besser seinen Namen verraten.»

Kate nippte an ihrem Kaffee, guckte durch die breite Windschutzscheibe und ließ ihre Gedanken schweifen. Obwohl noch nicht mal zehn Uhr, war es schon ganz schön heiß. Der Wendekreis des Krebses lag nur hundert Meilen weiter südlich. Im Vertrauen auf ihre Figur wollte sie für Dave einen Bikini anziehen, aber der Gedanke, in Bowens Gegenwart etwas Knapperes zu tragen als ein Nonnenhabit, war ihr zuwider. Sie hoffte, sich auf die Liegefläche verziehen zu können, um ein paar Sonnenstrahlen einzufangen, während sie die Wanze abhörte, die einer der Schauerleute in Port Everglades auf der *Britannia* angebracht hatte. Das Problem war, daß sich die eine Wanze als unzureichend erwiesen hatte und sie selbst noch eine zweite auf Rockys Boot würde deponieren müssen. Sie war immer noch unentschlossen, was sie anziehen sollte.

Bowen ließ sich durch ihr verstocktes Schweigen nicht vom Grinsen abbringen. «Er hat doch einen Namen, oder? Der Skipper der *Juarista*?»

«Er heißt David Dulanotov, und er ist nicht der Skipper, sondern der Eigner», sagte Kate rasch. Nur um es sofort zu bereuen. Bowen irgendwas zu sagen hieß schon, ihm zuviel zu sagen, denn er war eindeutig eifersüchtig.

«Der Eigner, hm? So wie ich.» Bowens Grinsen wurde zu diesem irritierenden Glucksen, das er an sich hatte. «Hätte ich wissen können. Ich hatte gleich, als ich ihn sah, das Gefühl, daß uns was verbindet.» Er trank erneut von seinem Kaffee. «Derselbe Stallgeruch, Sie wissen ja. Und Sie verstehen doch etwas von Booten. Also sagen Sie mal, Kate: Was, glauben Sie, kostet so ein Boot wie die *Juarista*?»

Kate war sich nicht sicher, ob sie ihn in seiner impotenten Ignoranz belassen oder durch eine wahrheitsgemäße Antwort in die Schranken weisen sollte. Schließlich konnte sie der Versuchung nicht widerstehen, ihm Daves offenkundigen Reichtum unter die Nase zu reiben. Sie sagte: «Ich weiß nicht. Drei Millionen Dollar vielleicht?»

«Drei Millionen. Du liebe Güte, er muß ja steinreich sein.»

«Das ist bei weitem nicht das größte Boot auf diesem Schiff, Kent. Rockys Yacht ist bestimmt zehn Meter länger als die von David.»

«David?» Bowen grinste. «Wissen Sie, wie lange ich bräuchte, um so viel Geld zusammenzukriegen? Fünfzig Jahre bestimmt.»

«Sagen Sie das nicht mir, sondern Ihrem Kongreßabgeordneten.»

«Und wenn er so viel für ein verflixtes Boot ausgibt, können Sie sich vorstellen, in was für einem Haus er dann wohnt?»

Kate konnte sich alle möglichen Dinge in Zusammenhang mit David Dulanotov vorstellen, und in den meisten dieser Vorstellungen kam sie auch vor, und zwar nackt.

«Was sind Sie? Immobilienmakler oder was?»

«Ich meine, man gibt doch nicht mehr für ein Boot aus als für ein Haus. Es steht doch zu vermuten, daß sein Haus drei- bis viermal soviel gekostet hat wie sein Boot. Also muß er in einem Sieben- oder Acht-Millionen-Dollar-Haus wohnen. Stellen Sie sich das mal vor. Heiliger Strohsack.»

Kate seufzte und guckte in ihre Kaffeetasse.

«Womit macht er denn sein Geld? So ein junger Bursche. Bankraub? Kokainschmuggel?»

«An Phantasie mangelt es Ihnen ja offenbar nicht. Soweit ich weiß, arbeitet er im Financial Center am Biscayne Boulevard. Warentermingeschäfte oder so was.»

«Das ist genausogut wie Bankraub. Noch besser sogar. Diese Kerle sind schwerer zu erwischen, wenn sie krumme Dinger drehen. Betrug, Insidergeschäfte und dergleichen.»

«Wer sind Sie? Die Kommission zur Überwachung des Wertpapier- und Wechselhandels? Kent, Sie haben doch keinen Schimmer, was Sie da reden. Sie kennen diesen Mann ja noch nicht mal.»

«Ich kenne den Typus», insistierte Bowen. «Vielleicht besser, als Sie denken. Vielleicht besser als Sie.»

Verärgert kippte Kate den Rest ihres Kaffees in die Spüle.

«Wir tummeln uns nun mal nicht jeden Tag unter Multimillionären, Kate. Da ist es nur natürlich, neugierig auf diese Leute zu sein. Sich von ihnen und ihrem Reichtum blenden zu lassen.»

«Was ist das? Ein persönliches Geständnis oder was?»

«Ich will ja nur, daß Sie vorsichtig sind, weiter nichts. Wir haben hier einen Job zu erledigen. Ich will nicht, daß Sie sich von irgendwas ablenken lassen. Ich will nicht, daß Sie sich von irgendwem den Kopf verdrehen lassen. Zum Beispiel von diesem Mann.»

«Soll ich Ihnen sagen, worum es hier geht? Hier geht es um was ganz anderes», sagte Kate. «Nämlich darum, daß es Ihnen persönlich nicht paßt, wenn ich mit anderen Männern rede. Ich glaube, Sie sind eifersüchtig.»

«Eifersüchtig, ich? Das ist doch lächerlich.»

«Das sehe ich nicht so.»

«Ich will Sie nur vor Schaden bewahren. Ich will nicht, daß Sie sich unglücklich machen, und ich will nicht, daß Sie durch irgendeine Dummheit diese ganze Operation vermasseln.»

Kate lächelte bitter. «Ach? Und wie Sie gestern abend diese Frau von der *Jade* umschwänzelt haben, das fällt wohl aus irgendeinem Grund nicht in die Kategorie ‹Dummheit›, was?»

«Hören Sie, Kate, ich bin ein bißchen älter …»

«Darauf können wir uns einigen. Aber kommen Sie mir nicht mit ‹weiser›, okay?»

«Ich weiß, wo die Grenze ist.»

«Ach? Ich hatte eher das Gefühl, daß Sie grenzenlos aufschneiden. Sie haben Rachel Dana gegenüber so getan, als gehörte Ihnen ganz Kansas.»

«Jetzt hören Sie doch mal –»

«Nein, Sie hören jetzt mal zu. Sie versuchen, mir auf die moralische Tour zu kommen. Mir ein schlechtes Gewissen zu machen. Sparen Sie sich die Mühe. Ich habe wegen nichts und niemandem Schuldgefühle. Und halten Sie mir keine Vorträge über den Vorrang meines Jobs, *Sir*. Daß ich meinem Job den Vorrang gebe, hat mich bereits einen Ehemann gekostet. Ist Ihnen schon mal wegen Ihrer Arbeit eine Ehe in die Brüche gegangen? Das hat durchaus seine deprimierenden Momente. Eins der Dinge, die einen in diesen Situationen aufrecht halten, ist die Überzeugung, daß diese Arbeit etwas bedeutet. Daß sie wichtig ist. Daß sie etwas bewirkt. Also halten Sie mir keine Predigten über meine Arbeit. Überlassen Sie das dem Scheidungsanwalt meines Mannes, Sir.»

Kate marschierte rasch aus der Kombüse. Gleich darauf sah Bowen sie die hohe Schiffswand entlanggehen und stehenbleiben, um mit dem Eigner der *Juarista* zu reden. Bowen setzte sich in einen der Steuersitze, schaltete die digitale Verschlüsselung ein und griff zum Sprechfunkgerät.

«Hahn im Korb an Hahn auf dem Mist. Hahn im Korb an Hahn auf dem Mist. Hören Sie mich? Over.»

«Hahn im Korb, hier Hahn auf dem Mist. Wir hören Sie. Alles in Ordnung? Over.»

«Hahn auf dem Mist, alles in Ordnung. Ich möchte, daß Sie eine Nachricht an das FBI-Hauptquartier übermitteln. Die Leute von der Computerkartei sollen mal nachprüfen, ob sie was über einen gewissen David Dulanotov haben. D-U-L-A-N-O-T-O-V. Oder so ähnlich. Rechtschreibung war noch nie meine große Stärke. Und über ein Boot namens *Juarista*. J-U-A-R-I-S-T-A. Ursprünglich registriert in San Diego, Kalifornien. Ich will einen Check auf alles und jedes. Ach ja, und noch eins. Die gesamte Information soll nur auf meine persönliche Nachfrage herausgegeben werden. Nur an mich. ASAC Kent Bowen. Ansonsten ist sie strikt zurückzuhalten. Verstanden? Over.»

«Hahn im Korb, hier Hahn auf dem Mist. Verstanden. Over.»

«Hier Hahn im Korb. Over und Ende.»

Bowen stellte das Sprechfunkgerät ab und lehnte sich in dem weichen Ledersessel zurück. Es beeindruckte ihn schon, daß Kate mit diesen ganzen Computerbildschirmen etwas anfangen konnte. Er hatte sie ein paarmal diverse Fehlersuchsequenzen durchlaufen lassen sehen – so hatte sie es jedenfalls genannt – und ahnte noch immer nicht, was sie da eigentlich tat. Okay, sie mochte ja etwas von Booten verstehen, aber er verstand etwas von Ermittlungstechnik und überhaupt von forensischen Dingen. Neugierig zu sein, alles über Leute in Erfahrung zu bringen, genau zu wissen, mit wem man es zu tun hatte – das alles half einem, die Nase vorn zu behalten. Bowen war fest davon überzeugt, daß die meisten reichen Leute irgendwas zu verbergen hatten. Nach dem alten Sprichwort, daß hinter jedem großen Vermögen ein großes Verbrechen steckte. Es würde interessant sein, zu erfahren, worin David Dulanotovs Geheimnis bestand und wie Kate reagieren würde, wenn er irgendwann soweit war, es ihr aufzutischen.

«Das Boot ganz am Heck des Schiffs, das, das wir uns als Fluchtboot unter den Nagel reißen werden, heißt *Britannia*», klärte Dave seinen Kompagnon auf.

Sie saßen auf dem Doppelbett in Als Kabine. Ohne Fenster und Bullaugen war sie der sicherste Ort auf der *Juarista*. Und da Al sich seit Costa Rica nicht dazu hatte durchringen können, seine Bettwäsche zu wechseln, war sie auch der übelriechendste.

«Sie ist nicht so schnell wie dieses Boot hier, aber vom äußeren Eindruck her würde ich sagen, sie macht ohne weiteres fünfundzwanzig Knoten. Sie hat zwei Bugstrahlruder, von daher werden wir keine Schwierigkeiten haben, sie aufs Meer rauszumanövrieren. Die Elektrizität wird ebenfalls kein Problem sein. Ich habe sie beobachtet. Sie hat mehr Sonnenkollektoren als eine gottverdammte Raumstation, und der Skipper, der übrigens haargenau wie Gilbert Roland aussieht, läßt die Motoren immer mal wieder laufen. Die zentrale Frage ist nur, wieviel Treibstoff sie an Bord hat.»

Al runzelte die Stirn. «Wer, zum Henker, ist Gilbert Roland?»

«Hat viele Mexikaner in Filmen gespielt.» Dave schüttelte den Kopf, als Als Gesicht keine Reaktion zeigte. «Ist auch egal.»

«Und was ist mit dem Geld?»

«Was soll damit sein?»

«Ich will sagen, Sie Klugscheißer, daß Sie nicht wissen, wieviel Treibstoff auf diesem anderen Boot ist, und daß Sie deshalb in Wirklichkeit vielleicht auch keine Ahnung haben, wieviel Geld auf den Rußkibooten ist.»

«Welch absolut unlogischer Schluß», sagte Dave. «Ihre defätistische Folgerung ergibt sich in keiner Weise aus der genannten Prämisse. Glauben Sie mir. Es ist da.»

«Und wenn Sie Jesus Christus wären und bei den Löchern in Ihren Händen und der Wunde in Ihrer Seite schwören würden, daß das Geld dort ist, würd ich immer noch fragen, was Sie da so verdammt sicher macht.»

«Oh, Sie Kleingläubiger. Könnten Sie das mit dem Geld jetzt mal vergessen? Mit dem Geld ist alles in bester Ordnung. Was man von Ihrer Einstellung nicht behaupten kann. Warum können Sie nicht ein bißchen mehr so sein wie die anderen Jünger, Al? Nicht sehen und doch glauben. Regen Sie sich einfach ab, Al.» Dave schüttelte den Kopf, als wäre er Als ewige Zweifel leid. Er wechselte das Thema: «Haben Sie einen Ort gefunden, wo wir sie alle einsperren können?»

Al sagte verdrossen: «Ich glaub schon. Ich war drüben im Deckshaus, und der beste Platz scheint das Unterdeck zu sein. Dort ist eine Mechanikerwerkstatt mit angeschlossenem La-

gerraum direkt neben dem Maschinenraum. Bis auf ein bißchen Werkzeug und so was ist da nichts drin. Die Tür ist auch
gut, massiver Stahl mit Außenverriegelung. Wenn wir das
Werkzeug dort drin lassen, könnten sie sich vermutlich in
zwei, drei Stunden freihämmern. Bis dahin sind wir ja längst
verschwunden, oder?»

«Vom Winde verweht.»

Al bückte sich und zog eine Baseballtasche zu sich, die
noch feucht von ihrem mehrtägigen Aufenthalt im Fisch-
kasten war und auch entsprechend roch. Er sagte: «Und jetzt,
Scarlett, wird's Zeit, daß wir mal unseren Kampfesschwestern
guten Tag sagen. Alles erfahrene Veteraninnen. Zuerst mal haben wir da diese Neun-Millimeter-Heckler-&-Koch M 5.
Wiegt nicht mehr als ein neugeborenes Baby und macht genausoviel Lärm. Dreißig Schuß. Effektive Reichweite etwa
hundert Meter.» Er reichte Dave die Waffe und zeigte ihm, wie
man das Magazin auswarf.

«Getragen wird sie an einem Gummifutteral, wie bei den
Kampfschwimmern, für den Fall, daß wir damit baden gehen
müssen. Sie hat ein wasserdichtes Laserzielgerät und eine
Neun-Volt-Batterie für bis zu dreißig Stunden Dauerbetrieb.
Man muß schon Stevie Wonder sein, um mit diesem Baby hier
danebenzuschießen. Hundertprozentige Trefferquote oder
Geld zurück.»

Al griff in seine Tasche und holte eine Pistole heraus.

«Als nächstes wäre da die Heckler & Koch ACP Spezial.
Markentreue wird bei mir großgeschrieben, falls Sie's noch
nicht bemerkt haben. Ich esse immer dasselbe Getreidepro-
dukt zum Frühstück und benutze immer dieselbe Waffen-
marke. Die beiden wichtigsten Dinge im Leben sind ein guter
Start in den Tag – sprich, ein gutes Frühstück – und eine gute
Waffe. Es gibt schon genug Unsicherheit auf dieser Welt, auch
ohne daß man auf was vertrauen muß, was man nicht kennt.»

«Keine schlechte Philosophie», sagte Dave.

Al ignorierte es und sagte: «Und Sie können mir glauben, mit dieser Kanone haben Sie die Welt im Griff. Wo die auftaucht, muckst sich keiner mehr. Abnehmbarer Schalldämpfer, weil wir ja nachts zu Werk gehen werden und ja nicht alle aufwecken wollen, ehe wir soweit sind. Laserzielgerät wie gehabt. Das gleiche übrigens, das sie auch bei Desert Storm auf den F-14 benutzt haben. Mit dieser Artillerie können Sie Bagdad in die Knie zwingen. Acht Schuß. Volltreffer jeweils garantiert. Hat allerdings einen ziemlich heftigen Rückschlag. Deshalb werden wir diese Gewichtheberhandschuhe tragen. Nicht, damit wir aussehen wir ein Sado-Maso-Schwulenpärchen, sondern weil man damit schön fest zupacken kann.»

Die letzte Waffe, die aus der Tasche kam, war eine Schrotflinte.

«Und als letzte, aber keineswegs unbedeutendste, haben wir hier diese Action Pump gun. Mossberg, Modell 835, gestutzt auf achtzehn Zoll, so lang wie mein Schwanz. Ich hab den Magazindeckel abgenommen und das Korn versetzt. Sieht ganz schön gemein aus, was?» Al lachte vergnügt. «Das Ding räumt Ihnen jeden Saal auf Anhieb. Ein Schuß, und all Ihre Probleme sind gelöst. Wenn wir draußen auf den Booten sind, würde ich Ihnen empfehlen, sich an die MP und Ihre Pistole zu halten. Aber im Umgang mit der Schiffsbesatzung ist die Pump gun bestimmt die beste Argumentationshilfe.» Al lud leer durch und drückte ab. «Heißt nicht umsonst auch Riot gun. Und mit diesen drei Trümpfen hier haben wir das Spiel schon so gut wie gewonnen.»

«Aber für den Fall, daß wir an jemand geraten, der ein ähnliches Blatt auf der Hand hat, werden wir Kevlarwesten tragen. Getestet auf dem Aberdeen-Testgelände durch Armeespezialisten. Taugt gegen die MP und die ACP, wenn auch vielleicht nicht gegen die Pump gun aus nächster Nähe. Genau das Richtige, wenn Sie zur nächsten Davidianer-Versammlung wollen. Die Wahrheit schmerzt, aber nicht, wenn Sie Kevin Costner tragen.»

Neben die zusammengefaltete weiße Schutzweste legte Al ein Walkie-talkie. Er sagte: «Und natürlich unsere akustische Nabelschnur, falls uns das Schicksal entzweien sollte.» Al wedelte in Richtung der Waffen und Ausrüstungsgegenstände, die jetzt auf dem Bett ausgebreitet lagen wie Weihnachtsgeschenke. «Auf die Gefahr hin, daß ich mich anhöre wie Gunny Sergeant Highway: Lernen Sie die Dinger kennen. Machen Sie sich damit vertraut. Könnte Ihnen das Leben retten. Und was noch wichtiger ist, Sie könnten mir damit das Leben retten. Ach ja, noch eins. Ich nenn's mal den *Alias-Smith-&-Jones*-Faktor.»

Dave nickte und sagte: «Pete Duel und Ben Murphy.»

«Diese ganzen Zug- und Banküberfälle, und dabei soll nie jemand erschossen worden sein? Blödsinn. Keiner rückt die Scheißlohnkasse raus, ohne daß jemand ins Gras beißt. Denken Sie dran. Wenn sich Ihnen jemand in den Weg stellt und Sie müssen den Schwachkopf umlegen, dann tun Sie's, verdammt noch mal, oder es erwischt Ihren eigenen Arsch. Sie wollen überall beliebt sein, außer bei den Eisenbahngesellschaften und den Banken? Dann verlegen Sie sich lieber auf Stand-up-Comedy als auf Raubüberfälle. Wenn Sie ein dickes Ding wie das hier durchziehen wollen, dann machen Sie sich besser drauf gefaßt, ein bißchen Blei um sich zu spucken. Und mehr als ein bißchen. Verstehen Sie? Das Überleben der Tauglichsten. *Capisce?*»

Dave grinste ihn an und sagte: «Überproduktion an Testosteron, Al. Sie sollten sich mal hören. Wie ein gottverdammter Pitbull. Überleben der Tauglichsten? Das war die Theorie von Charles Darwin. Bezog sich auf die natürliche Auslese und die Evolution und so was. Mit ‹Überleben der Tauglichsten› meinte er nicht, daß die brutalsten Killer überleben. Tauglich heißt nicht brutal, Al. Es heißt einfach nur das, was das Wort sagt: geeignet zum Überleben. Tatsache ist, daß der alte Darwin sogar geglaubt hat, eine Prädisposition zur Kooperation sei ein Anpassungsvorteil und würde von daher von der Selektion begünstigt.

Wie ich die Sache sehe, Al, ist es das, was wir brauchen. Ein bißchen Kooperation. Okay, wir haben unsere Schießeisen, und wir machen ein bißchen Spektakel, klar. Aber wir müssen das Ganze clever angehen. Sozial. Ein gewisses Maß an Aggression mag ja nötig sein. Mag durchaus was bringen. Aber es hat auch seinen Preis. Die meisten Tiere haben einen angeborenen Konfliktregelungskodex, der die Gewalt untereinander in Grenzen hält. Vieles ist einfach nur Bluff. Drohgebärden und so was. Wenn man Sie hört, Al, hat man den Eindruck, Sie wollen wirklich jemanden umbringen. *Sie* müssen begreifen, Al: Wenn wir unser Gehirn benutzen, brauchen wir unsere Waffen wahrscheinlich nicht zu benutzen. Ihr *Smith-&-Jones*-Beispiel ist total daneben, Mann. Der Punkt ist nicht, daß die beiden zu feige oder zu blöd waren, jemanden zu erschießen, sondern daß sie ihre Überfälle so clever und elegant planten und dann so cool blieben, daß sie's gar nicht nötig hatten, irgendwelche Leute abzuknallen.»

Al lachte verächtlich. «Und das glauben Sie?»

«Al, das war Ihr Beispiel, nicht meins. Und außerdem ist das eine ziemlich akademische Frage, weil es ja gar keine wahre Geschichte sein soll.»

«Klar ist es wahr», beharrte Al. «Es ist historisch. Ganz am Anfang heißt es doch: ‹Hannibal Hayes und Kid Curry, die beiden meistgejagten Outlaws in der Geschichte des amerikanischen Westens›. Klar ist es wahr. Das einzige, was nicht wahr ist, ist, daß sie nie jemand erschossen haben. Das wurde nur so hingedreht, damit es im Familienprogramm laufen kann.»

«Al, das ist eine rein fiktive Geschichte, die sich vage an zwei historische Figuren anlehnt.» Dave verkniff es sich, noch mehr zu sagen. Was wußte er schon? Was interessierte es ihn? Was zum Teufel spielte es schon für eine Rolle? Er debattierte hier mit einem Kerl, dessen Vorstellung von einem schlagkräftigen Argument darauf hinauslief, eine größere Knarre zu haben als der Kontrahent.

Al sagte: «Wissen Sie, was Ihr Problem ist? Sie lesen viel zuviel. Immer, wenn Sie den Mund aufmachen, kommt irgendwas raus, was ein anderer gedacht hat. Als wären Sie eine Bauchrednerpuppe oder was.» Er hob die ungeladene 45er Automatik, zielte auf Daves Spiegelbild in dem großen Spiegel hinter seinem Bett und zog den Abzug ohne weiteren Effekt durch. Er sagte: «Ich hab's schon mal gesagt und ich sag's noch mal: Ist mir schleierhaft, wie Sie diese ganze Zeit im Knast überstanden haben.»

Dave sagte: «Wie immer ich's angestellt habe, Al, ich hab's für Sie und Ihren Boß getan. Versuchen Sie ab und zu mal dran zu denken.»

Al sah ihn mit einem tückischen Zwinkern an.

«Hey, ich vergeß es keine Sekunde.»


David brachte seine Ausrüstung in seine eigene Kabine, packte sie in die Schublade unterm Bett und legte sich dann lang.

Die fünf Jahre, die er in Homestead gesessen hatte, bedeuteten für Al nicht viel, aber er selbst wußte, daß er diese Erfahrung für den Rest seines Lebens mit sich herumtragen würde. Er dachte an diese Zeit und dann an den Mann, den Tony Nudelli erschossen hatte, und an die Folgen, die das gehabt hatte. Für ihn, Dave, und seine kaputte Familie. Auf gar keinen Fall würde Tony Nudelli ungeschoren davonkommen. Die Vergeltungsaktion lief bereits.

Aber vor allem dachte er an Kate und an das, was letzte Nacht passiert war. Schon jetzt beherrschte sie sein Denken auf eine Art und Weise, wie er es nach nur eintägiger Bekanntschaft nie für möglich gehalten hätte. Sein erster Gedanke heute morgen hatte ihr gegolten. Die Mädchen, die sich sträubten, wollte man am meisten. Seit Jahren hatte er für kein Mädchen mehr solche Gefühle gehabt, und es schien undenkbar, daß er in vier oder fünf Tagen einfach auf Nimmerwiedersehen dem Sonnenaufgang entgegenschippern sollte. Was es noch schlimmer machte, war die Gewißheit, daß sie ihm gegenüber genauso empfand. Nur mit dem Unterschied, daß sie nicht damit rechnete, daß er sich plötzlich als Dieb entpuppen und mit ein paar Millionen Dollar Drogengeld davonmachen würde. Keine Frage, sie würden das Unternehmen durchziehen. Selbst wenn ihm Zweifel kommen sollten, war da immer noch Al. Aber vielleicht gab es ja eine dritte Möglichkeit. Was mochte der Skipper einer kleinen Yacht verdienen? Dreißig-, vierzigtausend im Jahr? Was war das schon im Vergleich zu einem echten Batzen Geld? Sie redete, als ob sie einen solchen Vorschlag zumindest in Erwägung ziehen würde. Wenn Dave eins mochte, dann war es ein hübsches Mädchen, das nicht auf den Mund gefallen war. Natürlich war das Timing entscheidend. Er konnte ihr ja wohl kaum vorher sagen, was anstand. Angenommen, sie war dagegen und ließ alles auffliegen? Nein, er wußte zwar nicht genau wie, aber er mußte sie zuerst testen, um sicherzugehen. Er würde irgendein fiktives Szenario erfinden müssen, um sie auf die Probe zu stellen.

Nach einer Weile ging Dave nach oben an Deck und sah zur *Carrera* hinüber. Spuren deuteten darauf hin, daß jemand auf dem Dach ein Sonnenbad genommen hatte, aber Kate war nicht zu sehen. Al stand oben an der Reling der *Duke* und redete mit der Kapitänin der *Jade*, wobei er wieder das Wolfsgrinsen im Gesicht hatte. Als er Dave sah, brüllte er hinunter:

«Hey, Boß, wir sind gerade zu einer Cocktailparty eingeladen worden.»

«Das ist nett», sagte Dave und kletterte ebenfalls hinauf. «Vielen Dank, Käpt'n Dana.»

Sie sagte: «Zwanzig Uhr. Alle sind eingeladen. Und bitte, nennen Sie mich Rachel. Mit so vielen Kapitänen an Bord wirkt dieses Schiff langsam etwas topplastig.»

Dave sah Al verstohlen Rachels Titten mustern. Als Gedanken waren für Dave ein offenes Buch; sie drehten sich ganz eindeutig um Rachel Danas topplastigen Körper.

Dave sagte: «Dana. Guter Name für den Skipper eines amerikanischen Boots. Irgendwie verwandt?»

«Er war tatsächlich ein entfernter Vorfahre von mir», bestätigte Rachel.

Al biß sich auf die Lippe und sagte: «Wer?»

«Ein berühmter Schriftsteller», sagte Dave genüßlich. «Richard Henry Dana.»

Al verdrehte die Augen und hob gerade an, einen weiteren abfälligen Kommentar zum Thema Bücher loszulassen, als ihm plötzlich klar wurde, daß Dave ja offiziell sein Boß war und dieser Dana ein Verwandter von Rachel.

«Er hat eins der besten Seefahrtsbücher aller Zeiten geschrieben», sagte Dave. *Zwei Jahre vorm Mast.* Aber Sie wird das ja bestimmt nicht interessieren, Al. Wo Sie nun mal kein großer Leser sind.»

«Wer sagt das?»

«Ich habe ein Exemplar in meiner Kajüte, falls Sie sich's ausborgen wollen», sagte Rachel.

«Ich würd's sehr gern lesen», insistierte Al.

«Wenn Sie's ausgelesen haben, können Sie Rachel ja erzählen, was Sie davon halten», sagte Dave. «Unter literarischen Gesichtspunkten.»

«Ja, klar. Wieso nicht?»

Rachel lächelte freundlich, lud Al mit einer Handbewegung ein, auf die *Jade* zu kommen, und sagte: «Na, denn wollen wir's mal holen, was?»

Später an diesem Tag spazierte Dave zur Backbordseite des Schiffs hinüber, um nach den bewußten Booten zu schauen.

Auf dem Dach der *Baby Doc* hatte ein Mann, der mehr Tätowierungen sein eigen nannte als ein Maori-Hell's-Angel, die Hülle von der Tracvision-Antenne gezogen und war gerade dabei, ein Kabel an der Satellitenschüssel zu befestigen.

«Tag», sagte Dave.

«Nacht jedenfalls nicht», sagte der Typ, ohne sich auch nur umzugucken.

«Gibt's irgendein Problem? Kann ich vielleicht was helfen?»

Der Typ drehte sich langsam um, einen Was-glaubst-du-wer-du-bist-du-Arsch-Ausdruck im selbstgefällig-markigen Gesicht. Nach ein paar Sekunden hörte er auf, auf der Innenseite seiner Wange herumzukauen, und sagte: «Wir kriegen kein Fernsehen.»

Dave lächelte leise und buchte den Typ im Geist als Landratte ab. Er sagte: «Zu weit weg.»

«Der Satellit?» fragte der Typ ungläubig.

«Nein, der nicht», sagte Dave. «Aber die Küste. Das Ding da funktioniert nur innerhalb der Zweihundertmeilenzone. Danach sind da nur noch weißes Rauschen und das große Nichts.»

«Echt?»

«Echt. Bis Europa jedenfalls. Aber trösten Sie sich nicht damit: denen ihr Fernsehen ist Scheiße.»

«Mist», sagte der Typ. «Was machen wir jetzt?»

«Haben Sie einen Videorecorder?»

«Ja, aber keine Videos.»

«Kein Problem.» Dave zeigte bugwärts. «Sehen Sie das große Boot dort vorn? Die Fünfzig-Meter-Yacht? Das ist die *Jade*. Sie gehört Jade-Films. Die haben massenhaft Videos zum Ausleihen. Das heißt, wenn Sie auf Pornos stehen.»

«Steht Sinatra auf Spaghetti?»

«Tja, dann haben Sie ja Glück. Die haben eine Videoauswahl wie ein Triple X am Times Square.»

Dave gab nur weiter, was Al ihm erzählt hatte, nachdem er auf der *Jade* gewesen war, um sich Rachels Exemplar von *Zwei Jahre vorm Mast* auszuborgen. Die Augen waren ihm fast aus dem Kopf gefallen.

«Übrigens steigt dort heute abend eine Cocktailparty. Um acht. Für alle. Wundert mich, daß Sie noch nichts davon gehört haben.»

«Ach, wir waren bisher nicht besonders gesellig. Vorhin kam mal so ein Mädchen vorbei, aber da lagen wir alle noch in den Kojen. Haben gestern abend selber 'n bißchen was getrunken.» Er grinste reuig. «Mehr wie nur 'n bißchen.» Der Bursche taute jetzt etwas auf. «Hey, wollen Sie was trinken?»

«Klar. Warum nicht?»

«Dann kommen Sie rüber, Kumpel. Willkommen auf der *Baby Doc*.»

Das war mehr, als Dave sich hatte erhoffen können. Er sprang zu dem tätowierten Kerl auf das Kajütdach hinüber und folgte ihm hinunter aufs Deck. Er sagte: «*Baby Doc*. War das die Yacht der Duvalier-Sippe oder was?»

«Nee. Der Typ, dem sie gehört, hat so 'ne Art Fruchtbarkeitsklinik in Genf. Zieht Frauen, die keine Kinder kriegen können, jede Menge Geld aus der Nase. Und macht wohl auch sonst noch irgendwelches gynäkologische Zeug. Hatte wohl noch nie was von den Duvaliers oder den Tonton Macoutes gehört. Ich glaub nicht mal, daß er wußte, daß Haiti überhaupt existiert. Bis er dann mit dem Kahn hier in der Karibik rumgeschippert ist.» Der Typ lachte und streckte Dave ein kaltes Bud hin. «Da hat er's dann natürlich schnell rausgefunden. Jetzt will er sie in Europa neu ausbauen lassen. Und bei der Gelegenheit wird er sie wohl auch gleich umtaufen. Wenn er einen Funken Verstand hat. Der alte Trottel.»

Dave grinste, musterte das schäbige Interieur und fragte sich, wieviel Geld wohl in den abgewetzten Ledermöbeln stecken mochte. Zwei große Sofas und zwei dazu passende Lehnsessel. Der Rest des Decksalons sah angemessen klinisch aus. Wie ein Bereitschaftszimmer für die Jungs von *Emergency Room*. Sie hatten sich eine gute Story zurechtgelegt und das richtige Boot ausgesucht. Der Typ, der sagte, er heiße Keach, hatte nicht übertrieben. Eine neue Inneneinrichtung war genau das, was die *Baby Doc* brauchte. Und die alte Einrichtung herauszureißen würde keine großen Kosten verursachen.

Dave nahm das Bier und ließ sich aufs Sofa plumpsen, in der Hoffnung, daß sich irgend etwas Aufschlußreiches unter seinem Hintern oder auf Keachs Gesicht abzeichnen würde. Das Sofa fühlte sich recht fest an. Zu fest vielleicht für ein bequemes Sofa. Mehr wie ein Bürostuhl. Die Nähte in dem alten Leder wirkten ein bißchen zu intakt. Als wären sie neu. Als hätte jemand etwas in das Leder eingenäht. Geld. Aber Keachs Gesicht mit den verquollenen Augen – als hätte er früher mal ein paar ordentliche Fausthiebe draufgekriegt – und dem traurigen Mund zeigte keine Regung.

Dave erkannte den Blick. Es war jenes panzerdurchbohrende Long-Distance-Stahlmantel-Starren, das man sich zulegte, wenn man im Knast war. Dieser Komm-mir-nicht-in-die-Quere-oder-ich-mach-dich-alle-Blick. Also war Keach ein Exhäftling, genau wie er. Dave fragte sich, ob der Kerl wohl umgekehrt dasselbe witterte.

«Kommen Sie», sagte Keach gelassen. «Gehen wir raus. Dann können Sie mir Ihr Boot zeigen.»

Dave blieb noch etwa eine Viertelstunde auf der *Baby Doc* und lernte noch ein weiteres Besatzungsmitglied kennen, einen stämmigen Schwarzen mit einem Keith-Haring-Rasurmuster in den Haaren und einem granitenen Gesicht, das aussah, als hätte er es sich auf den Osterinseln anfertigen lassen. Als Dave in den Sonnenbrillengläsern des Schwarzen, die wie zwei Wachturmschießluken auf ihn herunterfunkelten, für einen Moment sein eigenes Spiegelbild erhaschte, dachte er, daß er selbst eigentlich wie ein ziemlich normaler Typ aussah. Kaum wie jemand, der für jeden Zweck die passende Kanone unterm Bett liegen hatte. Er sah aus wie jemand, der bei Kate durchaus eine Chance haben mochte.

Ob er gegen diese Typen auf der *Baby Doc* eine Chance hatte, war da schon eine ganz andere Frage.

Auf dem Rückweg zur *Juarista* fand Dave den schmalen Laufsteg durch eine einsame Gestalt blockiert, die aufs Meer hinausstarrte. Als Dave sich mit einer freundlichen Entschuldigung an dem Mann vorbeizwängte, kam ihm das Gesicht bekannt vor.

«Hey», sagte er. «Sind Sie nicht Calgary Stanford? Der Filmschauspieler?»

«Ja, der bin ich.» Der Ton des Mannes war traurig, als wäre es eine schwere Bürde, Calgary Stanford zu sein. Aber vielleicht war das ja auch nur die Rolle, die er sich angeblich erarbeitete. Calgary Stanford war der Schauspieler, der am Tag, als Dave aus Homestead entlassen worden war, der Hinrichtung Benford Halls' beigewohnt hatte. Dave wußte aus Artikeln in *Premiere*, wie systematisch sich manche Schauspieler auf Rollen vorbereiteten. Im Grunde fand er es richtig, daß sie für das viele Geld, das sie kriegten, auch etwas tun und vielleicht sogar ein paar Unannehmlichkeiten in Kauf nehmen mußten. Aber zuzugucken, wie jemand hingerichtet wurde –

das ging denn doch zu weit, und Dave fragte sich, ob sich im Lauf dieser Reise nicht die Möglichkeit bieten würde, dem Schauspieler im Namen des Hingerichteten eins auszuwischen.

Dave sagte: «*Der große Atlantik*, was?» Als Stanford nur verständnislos guckte, erklärte Dave, das sei ein Buch.

«Ich glaube, ich habe den Film gesehen. Britischer Film, richtig?»

Dave nickte und fragte sich, ob Gefängnisinsassen die einzigen waren, die noch Bücher lasen. «Eigentlich dachte ich, Sie halten Ausschau nach dem Hurrikan.»

«Welchem Hurrikan?»

«Haben Sie's noch nicht gehört? Da kommt einer von Westen.»

Das stimmte. Es war um kurz nach zwölf über Funk durchgegeben worden. Der Hurrikan war weit hinter ihnen, aber Dave wollte dem Schauspieler ein bißchen angst machen.

«Herrjesses.»

«Nein», sagte Dave. «Er heißt Louisa. Aber Herrjesses wär eigentlich auch ein guter Name für einen Hurrikan. Hurrikan Herrjesses oder Hurrikan Heiliger Bimbam oder auch Hurrikan Heilige Maria Muttergottes. Mir sind ja in meinem Leben ein paar ordentliche Miststücke von Weibern begegnet, allemal gut, um anderer Leute Geld auszugeben und sie dafür zur Verzweiflung zu treiben, aber keine hatte es drauf, den ganzen Laden so gründlich zu Kleinholz zu machen wie ein richtiger Sturm. So ähnlich wie eine Rockband. Hurrikan Led Zeppelin. Das ist sogar ein noch besserer Name für einen Hurrikan. Oder Hurrikan Keith Moon. Mann, ich wette, dieser Hurrikan kann ordentlich was anrichten. Nicht nur den Fernseher oder den Rolls-Royce in den Pool befördern, sondern das ganze verdammte Hotel.»

«Haben sie gesagt, welche Kategorie diese Louisa ist?» fragte Stanford.

«Drei, glaube ich.» Dave schnupperte. Der Atem des Schauspielers roch eindeutig nach Marihuana. Der Typ war bekifft. Wahrscheinlich war er an Deck gekommen, um seinen Kopf ein bißchen auszulüften.

«Das ist nicht die schlimmste Kategorie», sagte Stanford in seinem lässigen LA-Tonfall. «Aber trotzdem gefährlich. Wußten Sie schon, daß ein Hurrikan an einem Tag so viel Energie freisetzen kann wie fünfhunderttausend Atombomben?»

«Welches Kaliber Atombomben?» fragte Dave. «Wie in Hiroshima oder größer?»

Calgary Stanford dachte kurz nach, blinzelte heftig und sagte dann: «Keine Ahnung. Aber in jedem Fall ganz schön tödlich.» Er begann zu lachen.

«Sie scheinen ja eine Menge drüber zu wissen», bemerkte Dave. «Über Hurrikans, meine ich.»

«Hab mal in einem Film über einen Hurrikan gespielt. Totaler Mist. Haben Sie sicher nicht gesehen. Aber solches Zeug speichert man, wenn man sich eine Rolle erarbeitet.» Er hielt inne und schaute wieder aufs Meer hinaus. «Ich habe noch nie einen echten Hurrikan miterlebt. Klingt ja mordsspannend.» Er lachte wieder.

«Ich hab schon mal einen erlebt», sagte Dave. «War ganz schön beängstigend.»

«Wo war das?»

Es war in Homestead gewesen. Noch hinter meterdickem Stahlbeton hatte Dave geglaubt, daß der ganze Laden zusammenkrachen würde. Leider war dem nicht so gewesen. Aber die Häftlinge waren noch tagelang mit Aufräumarbeiten beschäftigt gewesen. «Miami», sagte er.

«Wo ist dieser hier jetzt?»

«Über Cuba. Zieht nach Nordwesten. Vielleicht ist er ja schon abgeflaut, bis er uns einholt. Oder vielleicht hängen wir ihn ja auch ab.»

Stanford schnaubte verächtlich und sagte: «Wenn das hier mein Boot wäre, vielleicht.» Er zeigte auf die scharfgeschnittene Flybridge-Yacht, die direkt vor der *Britannia* lag. «Das da. Die *Comanche*. Britische Predator. Drei 1200-PS-Motoren. Offiziell vierzig Knoten. Aber es sind noch acht mehr drin.»

«Hübsches Boot», gab Dave zu.

«Aber dieses Schiff hier, das könnte noch nicht mal Orson Welles abhängen.»

«Im *Dritten Mann* war er aber ganz schön gut zu Fuß», wandte Dave ein. «Wie er durch die Kanalisation von Wien gerannt ist.»

Stanford blinzelte verschwiemelt und schnaubte erneut. «Nicht schnell genug, wenn ich mich recht erinnere. Und nach dem, was ich über diesen Film gelesen habe, war Welles gar nicht gern dort unten in der Kanalisation, und die meisten Szenen wurden mit einem Double gedreht.» Und angesichts der Enttäuschung, die für einen Moment Daves Gesicht verdüsterte, setzte Stanford hinzu: «Ist ein ganz schön verlogenes Geschäft, das Filmbusineß. Nichts ist je, was es zu sein scheint, und niemand ist je der, für den er sich ausgibt.»

Dave setzte sich über den Verlust dieser kleinen Illusion hinweg und sagte: «Was das betrifft, ist das Filmbusineß wohl genau wie das Leben.»

## 16

Jock, der Bordelektriker der *Duke*, und Niven, der Zweite Offizier, verließen gerade die Brückennock, als Dave vorbeikam.

«Ich wollte ja noch nach Ihrem Sprechfunkgerät schauen», sagte Jock schuldbewußt.

«Ach, kein Problem», sagte Dave. «Ich hab es selbst repariert. Aber was ist mit diesem Hurrikan? Glauben Sie, er holt uns ein?»

«Wir wollten gerade runter in den Funkraum und den neuesten Wetterbericht holen», sagte Niven. «Wenn Sie möchten, können Sie gern mitkommen.»

«Danke, gern.»

Dave folgte den beiden Männern durch den Gang zum Funkraum.

Während Jock darauf wartete, daß eine detaillierte Wetterkarte aus dem Faxgerät kam, sagte Niven: «An Ihrer Stelle, Sir, würde ich mir wegen des Sturms keine Gedanken machen. Es ist mein Job, den Kurs zu setzen und dabei alle erdenklichen Risiken zu berücksichtigen. Dazu gehören auch Stürme. Wenn es je so aussieht, als ob Louisa uns zu nahe kommt, werden wir einfach den Kurs ändern und ihr aus dem Weg gehen.»

Nivens Bemerkung löste ein kleines Alarmsignal in Daves Kopf aus: das Rendezvous mit dem Frachter. «Was glauben Sie, wie weit wir von unserem ursprünglichen Kurs abweichen müßten?» fragte er.

«Kommt ganz drauf an, Sir», sagte Niven.

«Sturmstärke neun», sagte Jock mit Blick auf die Karte. Er zog das Fax aus dem Gerät und reichte es Niven. «Zieht nach Nordwest, Richtung Nordatlantikplateau. Genau auf uns zu.»

«Ich gebe das hier wohl besser an den Käpt'n weiter», sagte Niven. Auf dem Weg aus dem Funkraum drehte er sich noch mal um und rief: «Wenn Louisa auf Kurs bleibt, müßten wir ihr ohne große Probleme ausweichen können.»

Dave nickte, obwohl ihn diese jüngste Information keineswegs beruhigte.

«Der Zweite hat recht, Sir», sagte Jock. «Wir werden uns wahrscheinlich nur ein bißchen weiter südlich halten, das ist alles. Könnte uns eine kleine Verspätung eintragen, aber auf so einem Schiff sollte man nicht in einen Sturm kommen, Sir. Wegen der Höhe, verstehen Sie? Die *Duke* ist wie ein schwimmendes Parkhaus. Und außerdem ist nicht viel mit Freibord.»

«Freibord?»

«Im Bereich der Tropen rechnet man mit bestem Wetter, also lädt man mehr Fracht, und das bedeutet weniger Freibord», erklärte Jock. «Je mehr Freibord, desto sicherer ist das Schiff bei Schlechtwetter. Und umgekehrt. Und außerdem halten wir uns im Moment an die Sommerladelinie. Das heißt noch mal weniger Freibord.» Jock grinste und begann sich eine Zigarette zu drehen. «Ach, nur keine Bange. Falls wir je ein Problem haben sollten, können wir ja immer noch dieses U-Boot rufen.»

«Sie glauben wirklich, daß da eins ist?»

Jock zündete sich seine Zigarette an, griff ans Funkgerät und schaltete auf einen anderen Kanal. Dave hörte dasselbe Geräusch wie beim letztenmal. Jock sagte: «Da ist es. Gibt gerade was durch.»

Dave mußte daran denken, wie Keach an seiner Richtantenne herumgefummelt hatte, und fragte sich, ob die Signale etwas mit der *Baby Doc* zu tun haben könnten.

«Moment mal», sagte er. «Letztes Mal haben Sie doch gesagt, ein U-Boot wäre nur die zweite Möglichkeit. Aber wahrscheinlich sei es eins der Boote hier auf dem Schiff, das da funkt.»

«Aye, Sir, das war die eine Möglichkeit. Das U-Boot war die zweite. Und wenn ich's mir recht überlege, gibt's auch noch eine dritte.»

«Und die wäre?»

«Eins von den Booten hier auf dem Schiff kommuniziert mit dem U-Boot.» Jock zog mit gemächlicher Präzision an seiner Zigarette und schluckte den Rauch mehr, als daß er ihn inhalierte.

«Sie glauben wirklich, daß da eins ist, was?» wiederholte Dave dumpf.

«Ich bin kein Sonar, Mann», sagte Jock. «Aber da war was auf dem Echolot, als ich letztes Mal hingeguckt habe. Das Ding ist allerdings nicht besonders genau. Gibt einem lediglich die lichte Wassertiefe unterm Rumpf. Aber jeder Idiot hätte sehen können, daß da mehr Wasser hätte sein müssen, als das Echolot angezeigt hat. Natürlich könnte es auch ein Riff gewesen sein oder sogar ein kontaktfreudiger Wal.»

«Aber Sie glauben da nicht dran, hab ich recht, Jock?»

«Nein, Sir, ich glaube, es ist ein U-Boot.»

«Und der Kapitän? Was meint der?»

«Der Alte?» Jock lachte. «Den interessiert doch nichts als sein Garten und diese Frau von der *Jade*. Macht sich da Hoffnungen, wie man hört. Der kümmert sich doch einen Dreck um irgendein U-Boot.» Jock schnippte Asche über den Funkstand hinweg. «Ganz schön aufregend, wenn man sich's recht überlegt. Ein Spion auf der *Duke*.»

«Aber warum?» sagte Dave. «Warum sollte irgendwer auf diesem Schiff herumspionieren wollen?»

«Tja, das ist genau die Frage, Sir. Warum in aller Welt?»


Jack Jellicoe sonnte sich in seinem Garten. Der bestand aus mehreren Töpfen mit Lobelien und duftenden Geranien, die oben auf dem Peildeck um einen der Buglüfter gruppiert waren. Bequem in seinem Liegestuhl ausgestreckt, mit einer Kühlbox voller trinkfertiger Pink-Gins und einem Krimi von P. D. James, war der Kapitän in seinem Element. Doch er wußte, sobald er seinen Zweiten Offizier nahen sah, daß irgend etwas im argen war. Niven hätte ihn nie gestört, wenn nicht etwas Wichtiges anläge. «Was ist?» blaffte er.

Niven reichte ihm das Fax. «Wetterkarte, Sir. Ich dachte, Sie sollten sich das mal ansehen.»

«Danke, Niven.» Jellicoe studierte die Karte eingehend.

Niven sagte: «Hurrikan Louisa, Sir. Folgt uns. Ich dachte, ich setze besser einen neuen Kurs. Ich habe ihn auf dem Fax markiert, Sir.»

«Das sehe ich», sagte Jellicoe säuerlich. «Das Problem mit diesem neuen Kurs ist nur, daß er genau am nördlichen Wendekreis entlangführt.»

«Richtig, Sir. Ich dachte, wenn wir weiter südlich bleiben, zieht der Sturm ein ganzes Stück nördlich an uns vorbei, Richtung Azoren.»

«Und was schlagen Sie vor, wo wir Kurs nach Norden nehmen sollen, um nach Gibraltar und ins Mittelmeer zu kommen? Da wollen wir schließlich hin.»

«Na ja, Sir, unmittelbar nördlich der Kanaren.»

«Unmittelbar nördlich der Kanaren, ja?» Jellicoe lächelte bitter und zeigte dann auf die beiden alten Kanonen, die aufs Meer hinaus gerichtet waren. «Und was ist mit denen da?»

«Wie meinen Sie das?»

«Falls Sie's vergessen haben, wir haben die Dinger auf Lanzarote mitgehen lassen. Was, wenn ich mich recht erinnere, eine der kleineren Kanaren ist. Weshalb ich und mein Schiff bei der dortigen Obrigkeit nicht gerade gern gesehen sind. Verstehen Sie, was ich meine?»

«Jawohl, Sir.»

Jellicoe sah wieder auf die Karte.

«Wir können uns unmöglich auch nur in die Nähe dieser Inseln wagen.»

«Nein, Sir.»

«Ich sage Ihnen, was wir machen, Niven. Das ist nicht das erste Mal, daß ich so was erlebe. Mein Wort darauf: Der Sturm wird weitgehend abgeflaut sein, bis er uns erreicht. Nein, wir behalten unseren Kurs bei. Aber sagen Sie sicherheitshalber dem Chefmaschinisten, wir gehen auf volle Fahrt. Wir wollen versuchen, ein bißchen Distanz zwischen uns und Louisa zu legen. Es wird wohl ein bißchen rauh werden, aber damit werden wir schon fertig. Wissen Sie, Niven, entgegen der Volksmeinung ist der sicherste Ort, um einen Sturm zu überdauern, immer noch die See. Als Hurrikan Bertha über die amerikanische Küste hereingebrochen ist, haben die verantwortlichen Offiziere der US-Marine ihre Schiffe auf See beordert, um zu verhindern, daß sie gegen die Kaimauern geworfen wurden. Das sagt doch wohl einiges.»

«Und was ist mit den Ladies auf der *Jade*, Sir?»

«Was soll mit ihnen sein?»

«Heute abend ist ihre Cocktailparty, Sir.»

«Ach, das.» Jellicoe sah noch einmal auf die Wetterkarte und schüttelte den Kopf. «Müßte vorbei sein, bis die See unfreundlicher wird.»

«Aber vielleicht sind die so was ja nicht gewöhnt, Sir. Ich meine, es wird doch bestimmt ganz schön rauh.»

«Ach, machen Sie sich mal keine Sorgen um Käpt'n Dana und ihre Crew. Die haben bestimmt schon mal ein bißchen böiges Wetter durchgestanden.»

«Jawohl, Sir, aber auf einem Boot wie dem da. Das hat doch bestimmt Stabilisatoren, oder nicht? Die werden ihnen auf der *Duke* nicht viel nützen, Sir. Das einzige, was einen hier senkrecht hält, ist der Kaffee unsres Kochs.»

«Das wäre soweit alles, Mr. Niven. Sagen Sie den Jungs, sie sollen Blauzeug anziehen. Es wird sicher kühler. Und sagen Sie dem Rudergänger: anliegenden Kurs beibehalten.»

«Aye, Sir.» Niven wandte sich kopfschüttelnd zum Gehen. «Anliegenden Kurs beibehalten. Wer's glaubt, wird selig.»

«Ist noch irgendwas, Mr. Niven?»

«Nein, Sir.»

«Dann tun Sie, was ich gesagt habe.»

Jellicoe beobachtete, wie sein Zweiter Offizier verschwand.

Dann klappte er gelassen seinen Deckstuhl zusammen und nahm seine Kühlbox und seinen Krimi an sich. Auf dem Weg in seine Kajüte lachte er vergnügt in sich hinein. Wie es aussah, würden die Badegäste doch noch eine Kostprobe davon kriegen, was es hieß, den Atlantik zu überqueren.

Kate war zum Heck des Schiffs gegangen, um die *Britannia* und ihre Crew näher zu inspizieren und zu schauen, ob sich die Möglichkeit bot, eine zweite Wanze anzubringen.

Skipper Nicky Vallbona, der zweite Mann, ein gewisser Webb Garwood, und Vallbonas Freundin Gay Gilmore waren nirgends zu entdecken. Kate spazierte mehrmals neben der *Britannia* auf und ab und tat so, als interessierte sie sich ganz außerordentlich für die Schornsteine und das offene Heck der *Duke*. Aber da war nichts zu sehen außer einem Schwarm Möwen, die sich über den im Kielwasser der *Duke* treibenden Müll hermachten. Die *Britannia* sah genauso tadellos ordentlich und gepflegt aus wie alle anderen Boote an Bord, einschließlich der *Carrera*.

Kate sah nach rechts und links und kniete sich dann hin, um die Schnürsenkel ihres Deckschuhs zuzubinden. Die Wanze war nicht größer als ein Ohrstöpsel, und es war ein leichtes, sich hinüberzubeugen und sie auf das Kajütdach des Boots zu heften. Kate entfernte sich schon wieder, als eine Männerstimme hinter ihr sie jäh innehalten ließ.

«Red mit mir», sagte der Mann. «Steh nicht nur so da. Ich meine, hast du vielleicht mal ans Kinderkriegen gedacht?»

Halb darauf gefaßt, Howard hinter sich auf der Dockwand stehen zu sehen, drehte sich Kate um. Niemand da.

«Deine biologische Uhr», sagte die Stimme. «Die tickt doch nicht langsamer, oder, Schatz? Ich meine, du schiebst es immer weiter auf, bis du über dreißig bist und es längst nicht mehr so einfach ist, schwanger zu werden.»

Kate merkte, daß die Stimme aus einem offenen Fenster am Bugende der *Britannia* kam. Wozu brauchte man Wanzen, solange es offene Fenster gab? Nicht, daß irgendwas an diesem Gespräch für das FBI von besonderem Interesse gewesen wäre. Das dort hätte ohne weiteres Howard sein können. Wie oft hatte Kate dieselben Worte aus seinem Mund gehört?

«Was geht dich das an?» antwortete eine Frauenstimme. Mit neuseeländischem Akzent. Das waren Gay Gilmore und Nicky Vallbona, die dort drinnen miteinander redeten.

«Was mich das angeht? Schatz, ich dachte, das wäre einer der Gründe, warum wir heiraten wollten. Um Kinder zu haben.»

«Ach? Tja, dann mußt du wohl umdenken, mein Lieber. Die einzige biologische Uhr, die ich habe, ist die, die mir sagt, wann es Zeit für den nächsten Fick ist. Und das hat nichts mit Kinderkriegen zu tun. Es ist einfach nur so, daß mir Vögeln viel besser gefällt als die Vorstellung, Babys am Hals zu haben.»

«Und der Mutterinstinkt?»

«Was soll damit sein?»

«Den haben doch alle Frauen.»

«Und wie! Sie können sich gar nicht retten vor lauter Mutterinstinkt!»

Kate blieb fasziniert stehen. Es war, als hörte sie Schauspieler einen Dialog vortragen, der von ihr hätte sein können. *Szenen einer Ehe* oder etwas in der Art. Bis jetzt gefiel ihr die Schauspielerin, die ihren Part innehatte.

«Hör zu, Nick, ich hab andere Pläne, klar? Wenn ich so was wie Mutterinstinkt habe, wird er dadurch befriedigt, daß du an meinen Nippeln nuckelst und ich an den Geburtstag meiner Mutter denke.»

Kate hätte beinahe geklatscht: Diese Replik mußte sie sich merken.

«Muttersein ist nun mal nichts für mich. Ich habe schon genug Probleme damit, für mich selbst zu sorgen.»

Nicky stöhnte. «Ich kann einfach nicht verstehen, wie eine Frau keine Kinder wollen kann.»

Es folgte eine kurze Schweigepause, während deren Kate darüber nachdachte, was sie mit dieser Frau verband. In jedem Fall die Entscheidung, keine Kinder haben zu wollen. Sie fragte sich, was Gay wohl von den Drogen wußte, die in den Treibstofftanks des Boots versteckt waren. Hoffentlich gar nichts – Kate hatte jetzt schon einige Sympathien für sie. Genug, um ihr aus der Patsche helfen zu wollen, wenn es Zeit war, den Laden hochgehen zu lassen. Es wäre ein Jammer, wenn Gay ins Gefängnis müßte. Nicky Vallbona dagegen hatte genauso reagiert wie Howard: verständnislos und egoistisch.

Gay sagte jetzt: «Nicky, denk doch mal nach. Du und ich, wir sind doch nicht dafür gemacht, Kinder großzuziehen. Das wär einfach nicht richtig. Wenn wir nach Europa kommen und das alles hier vorbei ist, dann haben wir einen Haufen Geld. Warum tun wir nicht einfach das, was wir am besten können? Uns amüsieren. Spaß haben. Nur wir zwei ganz allein. Ohne irgendwelche Sorgen.»

«Ja, schon gut. Da hast du wohl recht, Schatz. Verdammt, ich weiß auch nicht, warum ich überhaupt davon angefangen habe. Aber jetzt ist es gut. Ich werde kein Wort mehr drüber verlieren. Versprochen.»

Kate ging betrübt davon. Betrübt, weil ihr eigener Mann in der Kinderfrage nicht so einsichtig sein konnte wie ein Drogenschmuggler, und betrübt, weil Gay offenbar doch wußte, worauf sie sich da eingelassen hatte. Keine Kinder zu kriegen würde Gay wesentlich leichter fallen, wenn sie im Gefängnis saß.

Manchmal hatte dieser Job wirklich unerwartete Tücken.

Wenn man zum Beispiel feststellen mußte, daß Drogenschmuggler genau dieselben Gespräche über allgemeinmenschliche Probleme führten wie irgendwelche gesetzestreuen Bürger.

Kent Bowen war gerade – nachdem er die angeforderte Information zumindest partiell erhalten hatte – vom Funkgerät aufgestanden, als der Mann, um den es ging, höchstpersönlich an die Glasschiebetür der Skylounge klopfte.

Dave sagte: «Hallo. Ich störe doch hoffentlich nicht?»

«Aber nein», sagte Bowen, ganz erpicht darauf, sich diesen Mann jetzt, da er einiges über ihn wußte, aus der Nähe anzugucken. «Kommen Sie rein.»

Vielleicht arbeitete er ja wirklich im Financial Center in Miami, das wurde noch überprüft. Aber viel interessanter war die Entdeckung, daß David Dulanotovs Boot, ehe es in den Besitz einer Off-shore-Company auf Grand Cayman gekommen war, einem gewissen Lou Malta gehört hatte, einem Kleingangster, der in kriminellen Geschäften machte und früher ein Spezi von Naked Tony Nudelli, einem der Bosse des organisierten Verbrechens in Miami, gewesen war. Das bewies noch nicht, daß Dave selbst auch ein Gangster war, aber es war immerhin schon mal ein Anhaltspunkt. Bowen gelobte sich, daß er vor Ende dieser Reise alles wissen würde, was es über David Dulanotov zu wissen gab. Er würde recht behalten, was diesen Kerl anging. Dulanotov war ein Ganove.

«Hübsches Boot», sagte Dave. «Welche Verdrängung?»

«Bitte?»

«Die Tonnage.»

«Vierzig. Vierzig Tonnen.»

«Ach, tatsächlich? Ich hätte gedacht, an die sechzig.»

«Wahrscheinlich haben Sie recht», sagte Bowen grinsend. «Ich bin nur der Eigner. Wenn Sie Genaueres wissen wollen, müssen Sie Kate fragen. Sie weiß alles über die *Carrera*. Ich will nur meinen Spaß mit ihr.» Als er seine eigenen Worte hörte, kam ihm eine Idee. Vielleicht konnte er den Kerl ja auf seine Weise dazu bringen, die Finger von Kate zu lassen. Indem er unmißverständlich durchblicken ließ, daß sie bereits vergeben war. Auf die scherzhafte Art – wie ein echter Bootseigner. Er zwinkerte Dave zu. «Und mit dem Boot natürlich.»

Dave lächelte mühsam, während sich Bowen an seinem eigenen Witz ergötzte. Irgendwie konnte Dave sich Kate nicht mit diesem Kerl im Bett vorstellen. «Ist Kate da?»

«Ich werde sie holen», sagte Bowen, froh, die Skylounge verlassen zu können, ehe David Dulanotov ihm noch mehr bootstechnische Fragen stellte, die er nicht beantworten konnte. Selbst ihm war klar, daß man die Rolle des ignoranten Eigners auch überziehen konnte. «Ich glaube, sie ist unten in ihrer Kabine. Nehmen Sie sich was zu trinken, wenn Sie möchten.»

Dave setzte sich in einen der schwarzledernen Steuersitze und strich mit der Hand über die schwarzen Lackholzoberflächen der Ahorneinbauten. Er bemerkte sofort, daß die Folientastatur des Sprechfunkgeräts noch warm war, genau wie das formgegossene Slimline-Alugehäuse des Sender-Empfänger-Geräts. Es war erst ein paar Minuten her, daß er bei Jock im Funkraum gewesen war und sie beide erneut das Geräusch eines digital verschlüsselten Funkspruchs gehört hatten, der von einem der an Bord befindlichen Boote kommen mußte. Dave konnte nicht sagen, ob das Funkgerät der *Carrera* mit einer digitalen Verschlüsselungseinrichtung ausgerüstet war. Jedes Funkgerät sah ein bißchen ungewöhnlich aus, wenn man fünf Jahre aus der Welt gewesen war. Aber kein Zweifel, jemand hatte von diesem Boot aus kommuniziert. Und wenn nicht mit einem U-Boot, mit wem dann?

Was alles zusammen die Frage aufwarf: Wer war Kent

Bowen? Und was für Dave noch wichtiger war: Wer war Kate Parmenter?

«Hallo.»

Dave drehte sich stirnrunzelnd um. Kate sah aus, als hätte sie geweint.

«Alles okay?» fragte er.

«Ich hatte was im Auge», erklärte sie. «Sonst ist alles bestens. Aber ich sehe wohl aus, als hätte ich gerade *Vom Winde verweht* gesehen.»

«So ähnlich.» Dave grinste. «Kommt dein Boß auch wieder rauf?»

«Ich weiß nicht. Er kommt und geht, wie's ihm paßt.» Und weil sie merkte, daß Dave mit ihr allein sein wollte, setzte sie hinzu: «Ich sag dir was. Ich hätte Lust, mir mal diese alten Kanonen anzugucken. Die beiden Dinger, die Käpt'n Jellicoe irgendwo abgestaubt hat. Sollen wir mal hingehen?»

Sie stiegen auf die *Juarista* hinüber und kletterten dann auf die Dockwand der *Duke*. Als sie an der Steuerbordseite der *Jade* vorbeikamen, sagte Dave: «Eigentlich bin ich gekommen, um dich zu fragen, ob du heute abend zu dieser Party gehst.»

«Nur, wenn du hingehst», sagte sie. «Obwohl Kent uns bestimmt dort hinschleppen wird. Seit er rausgefunden hat, welche Art Filme sie machen, ist er am Jiepern. Dieser Mensch hat eine Libido, so groß wie dieses Boot. Nur, daß er vermutlich denkt, Libido ist so ein Ding, in dem sich die Franzosen die Füße waschen.»

Dave lachte und ging vor ihr Richtung Deckshaus.

«Du und er, seid ihr beide –»

«Du liebe Güte, nein. Wie kommst du darauf?»

«Um ehrlich zu sein, er hat mich drauf gebracht.»

«Was? Das darf doch nicht wahr sein.»

«War nur so eine Bemerkung. Nichts Konkretes. Aber er schien andeuten zu wollen, daß da irgendwas zwischen euch läuft.»

«Dieser Saukerl. Das einzige, was zwischen uns läuft, ist, daß ich mir seinen ganzen Blödsinn anhören muß.»

«Was macht er eigentlich?»

«Du meinst, wenn er nicht gerade hier das Arschloch spielt?»

Kate hatte sich einige Gedanken über Kent Bowens Cover-Story gemacht. Bowen selbst hatte sich für irgend etwas Glamouröses ausgeben wollen, einen Filmproduzenten vielleicht oder sogar einen Schriftsteller. Aber Kate hatte ihn überreden können, nur etwas zu nehmen, wovon er tatsächlich ein bißchen Ahnung hatte. Vielleicht würde sie ihn ja auch noch überreden können, sich ins Meer zu stürzen, und ihr die Mühe abnehmen, es eigenhändig zu tun.

«Er besitzt eine Kette von Läden für Sicherheits- und Spionageabwehrartikel. Du weißt schon. Wanzen, die aussehen wie elektrische Stecker, und kleine Safes in Pseudo-Colabüchsen. Paranoides Zeug für paranoide Zeiten.»

Kate blieb stehen, um sich eine Zigarette anzuzünden, und folgte dann Dave zum Bug des Schiffs. Der Deckstuhl war noch da, aber die Kühlbox und Jellicoe waren verschwunden.

«Er will eine Kette von Spionbedarfsshops in Europa aufmachen», log sie glattzüngig. «Tech Direct. So heißen die Läden in den Staaten. In zwei, drei Wochen ist in Barcelona eine große Messe für elektronische Spielereien aller Art. Nach dem Motto: Jeder sein eigener James Bond. Da wollen wir von Mallorca aus hin.»

Dave nickte und fragte sich, ob das wohl zu erklären vermochte, wieso Kent Bowen einen digitalen Verschlüsseler an seinem Funkgerät hatte. Indessen befand Kate, daß es Zeit war, das Thema zu wechseln.

«Und du?» fragte sie. «Was führt dich nach Europa?»

«Der Grand Prix von Monaco», log Dave ebenso glatt. «Ich liebe Autorennen. Und danach fahren wir nach Cap d'Antibes. Dort habe ich für den Sommer ein Haus gemietet.»

«Für dich allein?»

«Es kommen wahrscheinlich noch ein paar Freunde. Aus England.»

Eine leichte Brise spielte mit Kates Haar, und ehe Dave sich versah, hatte er schon die Hand ausgestreckt, um es zu berühren. Ihr Haar fühlte sich seidig an. Und dann war da noch ihr Parfüm. Nach Homestead rochen für Dave alle Frauen gut. Aber Kates Duft war etwas Besonderes. Irgendwie reich und luxuriös.

Er sagte: «Sie sollten auch mal vorbeischauen. Das heißt, falls Sie sich von Q freimachen können, Miß Moneypenny.»

«Ich möchte wissen, wie viele Frauen du schon dorthin eingeladen hast.»

«Du bist die erste», sagte Dave. «In Sachen des Herzens bin ich von rührender Naivität.»

«Das glaube ich nicht.»

«Der Hoffnung geb ich mich mit Inbrunst hin.»

Kate schwieg, weil sie merkte, daß er wieder etwas zitierte.

«Der Sinn unseres Lebens ist für mich ein verlockendes Rätsel; ich zerbrech mir den Kopf und vermute überall Wunder. Ich bin überzeugt, daß eine wesensverwandte Seele sich mit mir verbinden muß.»

Ob sie wollte oder nicht, sie war beeindruckt.

«Wer ist das?» fragte sie. «Wieder Van Morrison?»

Dave schüttelte den Kopf. «Auf russisch klingt es besser. Nein, das war Puschkin. Freie Übertragung.»

Kate lächelte und sagte: «Ich wollte auch gar nicht dafür zahlen. Aber es ist hübsch. Und? Hat Puschkin seine wesensverwandte Seele gefunden?»

«Ja, aber es ging nicht gut aus.»

«Inwiefern?»

«Er wurde erschossen. Von einem gewissen d'Anthès.»

«Gegen Irre hilft auch kein Waffengesetz», sagte sie kopf-schüttelnd. «Falls ich mich, wie du dich auszudrücken be-liebst, von Q freimachen kann, würde ich dich gern besuchen. Cap d'Antibes, hm? Ist wohl ziemlich chic?»

«Ein Plätzchen zum Schwachwerden.»

«Das ist es ja, was mich beunruhigt. Ganz allein, in einem fremden Land, ohne eingeborenen Führer. Da kann doch sonstwas passieren.»

«Letzte Nacht wäre es beinahe passiert.»

Kate sagte lächelnd: «Letzte Nacht? Ach, das war doch gar nichts. Das war ja nur Sex. Heute fühlt es sich eher an wie ein Thema bei *Oprah*. Wie eine ganze Sendung. Wie wir zwei uns kennengelernt haben oder so was in der Art.»

«Mach dir nichts draus», sagte Dave. «Geht mir ähnlich.»

«Geht dir ähnlich? Toll, dann können wir ja vielleicht in dieser Angelegenheit eine gewisse Kommunikation herstel-len. Möchtest du vielleicht etwas kommunizieren, Van?»

«An alle Decks, Lieutenant Uhura.»

«Frequenz frei, Mister Spock.»

«Klingt vielleicht irgendwie blöd, aber ich bin dabei, mich in dich zu verlieben. Es war vielleicht nicht ganz Liebe auf den ersten Blick, Kate. Sonst hätte ich's dir gestern schon gesagt. Aber auf den zweiten bestimmt.»

«Reicht leider nur für Silber», sagte Kate und streichelte Daves Wange mit dem Handrücken. «Aber so ein richtiger Sil-berblick ist ja auch was Nettes. Weißt du was, Van? Du erin-nerst mich an meinen Anwalt.»

Dave lachte. «An deinen Anwalt? Wieso?»

«Du erinnerst mich dran, ihn anzurufen und rauszukrie-gen, woran meine Scheidung eigentlich noch hängt.»

«Meinst du, du und ich, wir wären ein gutes Team?»

«Könnte sein.»

Er schwieg einen Moment und überlegte, wie er sie am besten ausforschen könnte. Es war eine Sache, wenn sie sagte, daß sie ihn liebte. Schließlich hielt sie ihn ja für einen ganz normalen Menschen. So normal jedenfalls, wie man sein konnte, wenn man zufällig Millionär war. Aber es war eine ganz andere Frage, ob sie bereit sein würde, sich mit einem Dieb einzulassen. Und nicht mit irgendeinem Dieb. Sondern mit einem ziemlich besonderen.

«Du und ich, wir könnten zusammen richtig groß Geld machen.»

«Ach, ja?»

«Hättest du keine Lust, richtig groß Geld zu machen?»

«Kommt ganz drauf an, was ich dafür tun müßte. Ich seh uns beide kein gemischtes Doppel in Forest Hills gewinnen.»

«Und wenn ich dir sagen würde, ich sitze an einem Pokertisch mit vier Assen in der Hand?»

«Dann würde ich dich fragen, wo du diese Hand hast. Auf dem Tisch oder im Ärmel?»

Dave schwieg.

«Oh-oh», sagte Kate. «Klingt, als sei die Sache doch nicht ganz koscher. Ich weiß nicht, Van. Ich würde sagen, Monte Carlo ist ein ziemlich passender Ort für Leute mit vier Assen.»

«Und wenn ich sagen würde, es sind fünf?»

«Für solche Leute gibt es einen Namen. Und eine Nummer. Und sie müssen beim Duschen ihren Arsch in acht nehmen.» Sie grinste unsicher. «Das ist nur ein Scherz, oder? Du bist doch kein Spieler?»

«Das war nur eine Metapher», sagte Dave.

«Oh, verstehe. Eine Metapher. Da bin ich ja froh. Ich dachte schon, ich bin an einen Falschspieler geraten.»

«Aber sie steht für Risiko. Für hohen Einsatz. Und hohen Gewinn.»

Kate lächelte weiter. Sie hatte das Gefühl, wenn sie damit aufhörte, würde es ihr vielleicht schwerfallen, wieder anzufangen. Das Gespräch hatte eine völlig unerwartete Wendung genommen. Einen Moment lang hatte sie gedacht, sie würden einander ewige Liebe schwören und von Heirat reden. Aber jetzt wußte sie gar nicht mehr, was sie denken sollte. Sie sagte: «Als nächstes wirst du mir erklären, du bist in Wirklichkeit ein De-Luxe-Juwelendieb, der inzwischen still und friedlich in einer Villa an der Côte d'Azur lebt. So wie Cary Grant in *Über den Dächern von Nizza*. Komm schon, Dave, was soll das?»

Dave erwog diesen Vorschlag einen Augenblick. Warum nicht? De-Luxe-Juwelendieb, das war gar nicht schlecht geeignet für den Lackmustest, um den es ihm ging. Wenn sie bereit war, sich auf einen Fassadenkletterer einzulassen, dann doch wohl auch auf einen Piraten oder wie immer man jemanden nennen wollte, der seine Beute auf einem Schiff machte.

«Das ist mein voller Ernst, Kate.»

Obwohl sie das Ganze von der humorvollen Seite zu nehmen versuchte, war ihr Lächeln jetzt doch etwas bemüht. Sie sagte: «Also, um ehrlich zu sein, ich hab mich nie mit Grace Kelly identifiziert. Erstens mal bin ich eine viel bessere Autofahrerin. Und zweitens hat dieser Film nun ein Happy-End oder nicht? Ich kann mich nicht mehr erinnern. Und war Cary Grant nicht ein geläuterter Juwelendieb, der nur seinen Namen reinwaschen wollte?» Sie hielt inne, jetzt endgültig aufgebracht. «Herrgott, David, so was macht man doch nicht mit einer Frau, in die man sich gerade verliebt hat. Du weißt doch, wenn zwei Menschen heiraten, dann heißt es da, in guten wie in schlechten Tagen, in Armut wie in Reichtum. Aber von

Recht und Unrecht ist da nicht die Rede.» Sie war jetzt beunruhigt. Als ob sie in der Lotterie gewonnen hätte und ihr Los nicht mehr finden könnte. «So ist das nicht vorgesehen. Hör zu, vielleicht hast du eine falsche Vorstellung von mir. Diese Rita-Hayworth-Gilda-Klamotte gestern abend, das war nur Rollenspiel. Ich bin ein einfaches Mädchen aus der Provinz. Aus T'ville, du weißt doch?»

«Und wo ist das Mädchen von der Weltraumküste geblieben?»

«Houston, wir haben ein Problem. Ich glaube, die Rakete ist soeben auf der Startrampe explodiert.»

Dave küßte sie noch einmal, als wollte er sie beruhigen. Dann sagte er: «Bist du dir da ganz sicher?»

«Nein», sagte sie matt und küßte ihn wieder. «Aber ich habe so ein Gefühl, daß ich nicht auf dem Mond landen werde. Mein Kontrollsystem ist irgendwie aus dem Lot geraten.»

«Du brauchst nur ein bißchen Zeit, dann kommt es schon wieder in Ordnung. Du kannst deine Mission trotzdem vollenden.»

«Wenn du meinst.» Kate lächelte verzerrt. «Hör zu, Dave. Können wir mal einen Moment vernünftig miteinander reden? Das hier ist kein Film. Das ist Wirklichkeit.»

«Was ist schon wirklich? Jemand hat mal gesagt, wir könnten uns gar nicht verlieben, wenn wir keine Bücher darüber gelesen hätten. Und für Filme gilt das genauso. Vielleicht sogar erst recht. Wenn ich manchmal auf mein Leben zurückgucke, erinnere ich mich nur noch an die guten Filme und an meine Lieblingssendungen im Fernsehen. Die schönsten Momente hab ich fast alle im Kino erlebt. Und ich glaube, das geht allen Leuten so, Kate. Unsere tollsten Erlebnisse finden fast immer im Kino statt. Nicht nur in Form von Zugucken, verstehst du? Wenn der Film gut ist, dann ist es, als ob man mittendrin wäre. Das ist für mich virtuelle Realität, nicht irgend so ein Motorradhelm, den man sich überstülpt, damit man eine Hand vorm Gesicht sieht.» Dave zuckte die Achseln. «Also, was ist schon wirklich? Ich weiß es nicht. Aber ich bin mir sicher, daß die Dinge nur so banal sind, wie man sie haben will. Wenn du willst, daß sich dein Leben so aufregend anfühlt wie ein Film, dann mußt du es auch so leben.»

Kate lachte und küßte ihn rasch.

«Okay», sagte sie. «Was waren deine aufregendsten Erlebnisse?»

Dave dachte kurz nach. Dann sagte er: «Mit den Jungs, die kein Gesetz kannten, in die Stadt einzumarschieren. An der Seite von Captain America über die Landstraßen zu brummen. Vor diesem Sprühflugzeug zu flüchten. Von Mrs. Robinson verführt zu werden. Durch die Wiener Kanalisation zu türmen. Einer Zehn-Tonnen-Felskugel in einem Inkatempel zu entwischen. In der Arena von Antiochia ein Wagenrennen gegen Messala zu fahren. Mit meiner letzten Rakete den Todesstern zu zerstören. Schach mit dem Tod zu spielen. Hedi Lamarr zu küssen. Grace Kelly zu küssen. Dich zu küssen.»

«Du hast recht. Dein Leben war wirklich aufregend.»

«Es ist, wie ich sage, Kate. Jeder hat solche Kino-Momente, an die er sich ewig erinnert. Und das hier kann auch einer sein. Wenn du's willst.»

«Möglich», sagte Kate. «Aber, wie du ebenfalls schon sagtest, brauche ich noch ein bißchen Zeit, um mir zu überlegen, wie ich diese spezielle Szene gestalten möchte.»

«Überleg nicht zu lange», drängte Dave. «In ein paar Tagen drehen wir.»

## 17

Auf der *Jade* betraten die Ankömmlinge zunächst eine Art Atrium. In der Mitte befand sich die lebensgroße Skulptur eines nackten Mädchens, das zwei gutbestückte Männer von vorn und hinten gleichzeitig penetrierten. Diese Figurengruppe, die zugleich auch das Logo von Jade-Films darstellte, war mit beträchtlicher anatomischer Detailgenauigkeit ausgeführt; sie und die «organische» Treppe, die sich um sie herumzog, bildeten den zentralen Blickfang. Bei der Begrüßung durch Rachel Dana und ihre Crew am Eingang zu dieser spektakulären Empfangsdiele erhielten die Gäste jeweils ein Glas Cristal und die Information, daß in dem speziellen Vorführraum am oberen Ende der geschwungenen Mahagonitreppe non-stop Filme gezeigt würden.

Sobald Al die Skulptur sah, war er sich sicher, daß diese Party nach seinem Geschmack sein würde. Ein wölfisches Grinsen im derben Gesicht, sagte er zu Dave: «Haben Sie das geile Kunstwerk da gesehen? Mann, ich wollte, Tony wär hier. Er ist ein echter Kunstliebhaber. Kauft selbst öfters Sachen. Das wär genau das Richtige für seine Sammlung.»

«Klingt, als wäre Tony ein wahrer Solomon Guggenheim», sagte Dave. «Ich wette, er hat Norman Rockwells, Dalí-Lithos, Tretchikopfs und all so was.»

«Er weiß, was ihm gefällt, verstehen Sie?»

«Das ist meistens das Problem, wenn Leute Kunst kaufen», sagte Dave.

Andere Ankömmlinge waren sich, als sie die Skulptur sahen, ihres Amüsements an diesem Abend nicht so sicher. Dazu gehörten auch Kate und Käpt'n Jellicoe.

«Sie ist von Evelyn Bywater», erklärte Rachel. «Einer englischen Naturalistin.»

«Sie meinen nicht zufällig Darmspezialistin?» sagte Kate.

«In Europa und in Asien sind ihre Werke sehr bekannt. In Japan ist sie so eine Art Institution.»

«Mich erinnert das eher an Obstipation», sagte Kate und ließ Jellicoe stehen, um zu Sam Brockman hinüberzugehen.

«Du liebe Güte, was hat sie denn?» fragte Rachel. «Man könnte meinen, sie hat noch nie einen nackten menschlichen Körper gesehen. Und was ist mit Ihnen, Käpt'n? Gefällt Ihnen unser Kunstwerk?»

«Na ja.» Er schluckte. «Von Kunst verstehe ich nichts. Bei der Handelsmarine haben wir damit wenig zu tun. Aber ich habe ein paar schöne Stiche in meiner Kajüte hängen. Alte Schoner, Teeklipper und britische Kriegsschiffe. So was allerdings bestimmt nicht.» Jellicoe runzelte die Stirn. «Welche Art Filme macht Ihre Firma denn?»

«Oben läuft gerade einer, falls Sie's interessiert.»

«Scheint mir nicht sehr sozial, gleich nach oben zu verschwinden», sagte Jellicoe steif. «Von wegen Fernsehen als Kommunikationskiller und so. Ich bin doch gerade erst gekommen.»

Rachel hakte ihn unter und sagte: «Kommen Sie mit. Es wird Ihnen bestimmt gefallen. Die meisten Leute empfinden unsere Filme eigentlich eher als Kommunikationshilfe. Mehr so therapeutisch, verstehen Sie? Gar nicht wie Fernsehen. Und unsere Filme haben Sie auch garantiert noch nie im Fernsehen gesehen. Wir sind mehr videoorientiert.»

Sie führte Jellicoe nach oben zum Vorführraum, verfolgt von Kent Bowens eifersüchtigem Blick.

«Ist schon okay», erklärte ihm Kate. «Sie nimmt ihn mit in den Vorführraum, nicht in ihr Schlafzimmer.»

«Sie zeigen da oben Filme? Jade-Filme?»

«Dachte ich mir doch, daß Sie das interessieren würde.»

Sam Brockman zog die Brauen hoch und fragte: «Was zeigen die denn da?»

Bowen lachte heiser. «Jedenfalls bestimmt nicht *Die Bradyfamilie*, soviel steht fest.»

«Jade-Film macht in Hard-Core-Pornos», sagte Kate.

«Ach?» Brockman klang aufrichtig überrascht. «Wissen Sie, ich habe noch nie einen richtigen Pornofilm gesehen.»

Bowen sah Kate an und machte schon den Mund auf, um den Coast-Guard-Lieutenant durch den Kakao zu ziehen. Aber dann ging ihm plötzlich auf, daß das vielleicht eine Möglichkeit eröffnete, Kates verächtlichen Kommentaren zu entgehen. Er sagte: «Wissen Sie was, Sam? Ich auch nicht. Was meinen Sie? Sollen wir nicht mal raufgehen und uns eine eigene Meinung bilden?»

Kate fixierte Bowen mit einem Drillbohrerblick. Während sie Sam sofort glaubte, fand sie Bowens Unschuldsgetue viel schwerer zu schlucken.

«Ach, kommen Sie, Kate», sagte Brockman. «Seien Sie kein Spielverderber. Könnte doch spaßig sein.»

«Vielleicht hat sie ja schon mal einen gesehen», sagte Bowen.

«Hab ich nicht.» Kate war ausreichend darüber informiert, was in echten Hard-Core-Pornos ablief, um zu wissen, daß Howards Playboy-Kanal-Exkursionen dagegen Kinderkram waren. «Wofür halten Sie mich?»

«Es wär doch mal eine Erfahrung», drängte Brockman.

Kate dachte, daß Sam zunehmend wie ein jiependes High-School-Jüngelchen aussah. Seine Brillengläser waren leicht beschlagen, und es war unverkennbar, daß er wirklich noch keinen Pornofilm gesehen hatte und dieses Versäumnis jetzt unbedingt wettmachen wollte.

«Eine Erfahrung?» Kate schnaubte verächtlich. «Eine Erfahrung ist im allgemeinen das, was man später als Verirrung bezeichnet.»

Brockman hob sein Sektglas.

«Na dann, auf die Verirrungen», sagte er. «Das Leben wär ganz schön langweilig, wenn wir uns nicht die eine oder andere Verirrung leisten würden. So wie mein bisheriges Leben. Sam Brockman, werden sie sagen. Vorbildlicher Beamter. Makellose Karriere. Aber sein Leben war so aufregend wie eine Schlafkur.»

Kate lächelte mitfühlend. So ähnlich sah sie auch ihr eigenes Leben, mit Howard Parmenter als einziger Verirrung. Die Scheidung einzureichen war das Aufregendste gewesen, was sie seit Ewigkeiten getan hatte. Das und die Vorbereitung dieser Undercover-Operation hier auf der *Duke*. Als sie jetzt Dave auf sich zukommen sah, gewannen Sams Worte plötzlich noch eine weitere Dimension. Leben hieß, Risiken auf sich zu nehmen. Und nicht nur kalkulierte Risiken. Vielleicht sogar ein Risiko wie Dave. Klar, Fehler zu machen war immer mißlich. Aber gar nicht erst Gelegenheit zu haben, einen Fehler zu machen, war eine Katastrophe.

«Okay», sagte sie. «Warum nicht?»

«So ist's recht», sagte Brockman. «Man lebt nur einmal.»

«Das ist jedenfalls die vorherrschende Theorie», sagte Kate und zeigte auf die Treppe. «Gehen Sie beide schon mal vor. Ich komme gleich nach.» Sie sah ihnen nach und wandte sich dann Dave zu. «Hallo.»

«Hallo.»

Einen Moment lang schwiegen sie beide. Dann sagte Kate: «Ich habe nachgedacht, über das, was du gesagt hast.»

«Und bist du zu einem Schluß gelangt?»

«Ich habe jedenfalls noch nichts ausgeschlossen.»

«Die See ist ein guter Ort, um sich Dinge anzugucken, die sonst unter der Oberfläche sind», sagte er. «Hat mit der Frischwassermarke zu tun.»

Kates scharfer Wahrnehmung entging nicht, daß Dave ein bißchen zerstreut klang und auch so aussah.

«Gibt's da jetzt schon verschiedene Marken?»

«Frischwasser hat ein geringeres spezifisches Gewicht als Salzwasser», erklärte er. «In Frischwasser sinkt alles tiefer ein. Deshalb ist an der Plimsoll-Linie eines Schiffs eine extra F-Marke, ein Stück über der S-Marke. Wir beide, wir liegen mehr bei S als bei F. Wundert mich, daß du das nicht weißt, als Yachtskipper.»

Kate zündete sich eine Zigarette an.

«Was ist das hier? Die Prüfung fürs Kapitänspatent? Willst du mir vielleicht auf den Zahn fühlen? Feststellen, ob ich Impeller im Dunkeln austauschen kann und all so was?»

Als Dave darauf nicht antwortete, sagte sie lächelnd: «Erzähl mir nicht, du weißt nicht, was ein Impeller ist.»

Dave schien sich geschlagen zu geben.

«So was Ähnliches wie ein Propeller», sagte sie hinterhältig.

«Ach, ja, ich glaube, ich weiß –»

«Schreibt sich nur ein Ideechen anders. Mit ‹Im› statt mit ‹Pro›. Aber das ist, um genau zu sein, auch schon die ganze Ähnlichkeit.» Sie lächelte triumphierend. «Wenn der Impeller seinen Geist aufgibt, dann tut es auch die Kraftstoffpumpe, und dann war's das mit der Dieselzufuhr, also ist es sehr wichtig, daß man ihn ausbauen und einen neuen einbauen kann. Auch auf See, im Dunkeln und bei Sturm. Kann ganz schön tückisch sein, wenn man nicht weiß, wie's geht.» Sie blies eine Ladung Rauch über seine Schulter und betrachtete das Grinsen, das sich über sein Gesicht breitete.

Dave machte eine Kopfbewegung zur Treppe hin.

«Worüber habt ihr geredet?»

«Sie hatten mich gerade überredet, mit raufzukommen und einen Blick auf die Hard-Core-Action zu werfen.»

«Al ist auch da oben», sagte Dave. «Er ist ein großer Film-Fan. Guckt sich alles an.»

«Genau das wird da oben gezeigt», sagte Kate. «Alles. Willst du auch mal gucken?»

«Klar.»

Kate war ein bißchen enttäuscht. Sie hatte gehofft, er wäre jemand, den schon der bloße Gedanke, Pornos zu gucken, abstieß. Aber statt dessen faßte er sie jetzt am Ellbogen und bugsierte sie in Richtung Vorführraum.

Sie sagte: «Ist mir schleierhaft, warum nicht mehr Männer einfach Gynäkologen werden.»

«Es wird schwerer, Entspannung zu finden, wenn man sein Hobby zum Beruf macht», sagte Dave.

«Basiert diese Aussage auf persönlicher Erfahrung?»

«Und auf einer Menge Vorstellungskraft.»

«Bist du vielleicht ein bißchen introvertiert, Van?»

«Wäre dir invertiert lieber?»

Sie spürte seine Hand in ihrem Kreuz, als sie die Treppe hinaufstiegen. Kurz bevor sie oben waren, blieb er stehen und trat wieder eine Stufe zurück.

«Ich merke gerade, daß ich mal eben verschwinden muß.»

«Ich dachte, das kommt nach dem Film.»

«Geh du schon mal rein. Ich bin in einer Minute da.»

«Eine Minute? Bei so einem Film? Da verpaßt du ja die ganze Handlung.»

«Macht nichts, solange ich den Höhepunkt noch mitkriege.»

Kate ging weiter. «Dieser ganze Mist besteht doch nur aus Höhepunkten. Dutzenden. In gnadenloser Nahaufnahme.»

Dave dachte, daß er wohl etwa zehn Minuten hatte, bevor Kate mißtrauisch werden würde. Er kletterte vom Heck der *Jade* direkt auf die *Juarista* und von da auf die *Carrera*. Eine Minute nachdem er Kate auf der Party zurückgelassen hatte, war er am unteren Ende der Wendeltreppe, die Decksalon und Eßraum der *Carrera* mit dem Kabinendeck verband.

Die Hauptsuite erstreckte sich über die ganze Breite des Boots und umfaßte außer dem Schlafbereich eine Sitzecke, einen großen begehbaren Kleiderschrank und ein geräumiges Bad mit Massagewanne. Vermutlich wohnte hier Kent Bowen. Auf dem Boden des Wandschranks lagen ein paar grellfarbene Sporthemden, die Dave schon an ihm gesehen zu haben glaubte. Und dann war da dieser unverwechselbare süßlich-antiseptische Brut-Aftershave-Geruch, der Bowen voranzu-wehen pflegte. Dave zog rasch ein paar Schubladen auf und fand fast sofort, was er gesucht hatte: eine mittelgroße 357er Magnum in einem ProPak-Undercover-Holster sowie eine Brieftasche mit Visitenkarten. Dave fischte eine heraus und überflog sie. Das goldgeprägte Rundsiegel in der linken obe-ren Ecke war unverkennbar. Es stand ebenso eindeutig für das Department of Justice wie die gedruckten Lettern daneben. Kent Bowen war Assistant Special Agent in Charge beim Ein-satzbüro des FBI in Miami, Second Avenue.

«Heiliger Strohsack», rief Dave aus.

Er steckte die Karte zurück, schloß die Schublade sorgfäl-tig und ging dann nach nebenan, um Kates Kabine zu durch-suchen. Hier war es ordentlicher als bei Bowen. Das Bett war gemacht, und auf der brokatseidenen Tagesdecke waren kleine Kissen drapiert. Im Schrank hingen Kleider säuberlich auf Bügeln, aber in den Schubladen der Einbaukommode war nichts, was Dave interessiert hätte, außer ein paar höchst ero-tischen Dessous.

«Nur die harten Fakten, Ma'am», murmelte er, schloß die Schubladen wieder und zog sich aus dem Wandschrank zu-rück.

Sein Absatz stieß gegen etwas Hartes unter der überhän-genden Tagesdecke. Wahrscheinlich eine Bettzeugschublade, so wie in seiner eigenen Kabine. Dave kniete sich hin, schlug die Tagesdecke zurück, packte den Griff der Schublade und zog sie auf. Er fand darin genau das, was in einer Bettzeug-schublade zu erwarten war. Er mußte sich ganz weit strecken, bis er schließlich in der hintersten Ecke die vertraute Form ertastete, mit der er mehr oder minder gerechnet hatte. Im nächsten Moment hielt er eine 38er Smith & Wesson Air-weight in der Hand, in einem hübschen Vega-Lederholster, obwohl die Waffe mit ihrem verkleideten Hahn perfekt für die Handtasche war. An dem Holster hing eine Ausweishülle mit einer FBI-Marke und einem Dienstausweis, der Kate nicht als Kate Parmenter, sondern als Special Agent Kate Furey identifizierte. Auf dem Foto sah sie jünger aus, und ihre Frisur war anders, aber dieses hinreißende Gesicht war unverwechselbar.

Dave blickte bitter-befriedigt. Er wußte nicht, ob er triumphieren oder trauern sollte.

«Ein Fed», murmelte er. «Sie ist ein gottverdammter Fed.»

Die Frage war nur, was sie und Bowen und der andere Typ, der vermutlich ebenfalls ein Fed war, auf der *Duke* wollten. Sie konnten doch unmöglich etwas von dem wissen, was Dave hier suchte. Es sei denn, sie waren ebenfalls hinter dem Geld her.

«Scheißfeds.»

Er fischte noch einmal in der Bettlade herum, in der Hoffnung, einen Hinweis zu finden, was hier eigentlich lief, aber da war nichts mehr. Er schob die Bettlade zu und ging ins Bad. Er registrierte ihre Parfümmarke, die er für spätere Verwendungszwecke speicherte, ein Fläschchen Murine-Augentropfen, Sonnenschutzlotion sowie ein imposantes Sortiment an Mundwasser, Zahnseide, Zahnstochern und Zahnbelagfärbetabletten, das Kates makelloses Lächeln erklärte. Die Badkommode war leer, aber in einem Schränkchen unter dem Waschbecken entdeckte er ein TEAC-Tonbandgerät. Die Art Tonbandgerät, die nicht dafür gedacht war, daß man sich in der Wanne Händels *Wassermusik* zu Gemüte führte. Dave war klar, daß es zu einer Abhörvorrichtung gehörte. Aber wo war die Wanze deponiert? Auf wessen Boot?

Er drehte an einem Knopf und spulte das Band ein Stückchen zurück. Er konnte sich wenigstens noch rasch vergewissern, daß sich die Feds weder für ihn noch für das Russengeld interessierten.

Er stellte auf Abspielen.

Er hörte die Stimmen eines Mannes und einer Frau. Der Mann war Amerikaner, aber die Frau klang wie eine Australierin. Das schränkte die Sache immerhin ein. Obwohl es im Grunde egal war. Auf keinem der Rußki-Boote war eine Frau. Und die beiden hier redeten nichts Interessantes. Nur irgendwelches banale Zeug. Dave schaltete das Band ab und grinste. Die Feds überwachten ein anderes Boot. Von Leuten, die er gar nicht kannte. Alles war in bester Ordnung. Er konnte seinen Plan ohne größere Abweichungen durchziehen. Sofern das U-Boot mitspielte. Und die FBI-Marke und der Ausweis hatten ihn auf eine Idee gebracht.


Etwa zehn Minuten war Kate zu schockiert, um Daves Ausbleiben zu bemerken. Ihre Gedanken wurden jäh auf anderes gelenkt, denn der Kamera war auch nicht das kleinste Detail der menschlichen Anatomie entgangen: keine Schleimhautpartie, keine noch so verborgene Hautfalte, kein Haarbalg. Doch am meisten erstaunte sie nicht die Tabulosigkeit der Darstellung, sondern die Tatsache, daß es offenbar immer noch Frauen gab, die sich zu ungeschütztem Analverkehr bereitfanden. Wo waren diese Frauen während der zehn Jahre im Zeichen des Virus gewesen? Bildeten sie sich vielleicht ein, nur weil sie's für einen Film machten, würde sie irgendein Special-Effects-Trick schützen?

Beinahe so faszinierend wie das Geschehen auf der Leinwand waren für Kate die Gesichter der Zuschauer. Bowen, der wie ein Orang-Utan grinste. Sam Brockman, der sich alle paar Minuten die Brille putzte und ab und zu stumm durch die Zähne pfiff. Rachel Dana, die Jellicoe beobachtete und seine Verblüffung genoß. Zwei der Zielpersonen von der *Britannia*, Nicky Vallbona und Webb Garwood, die laut wieherten und äußerst vulgäre Witze rissen. Kate fragte sich, ob Bowen überhaupt mitgekriegt hatte, daß sie da waren.

Sie hatte schon etliche Männer – darunter auch Howard – sagen hören, Pornographie sei langweilig, aber irgendwie hatte sie ihnen das nie ganz abgenommen. Bowen wirkte alles andere als gelangweilt. Noch im Halbdunkel des Vorführraums sah sie den glänzenden Schweiß auf seiner Oberlippe, die er sich in regelmäßigen Abständen mit dem Handrücken abwischte. Doch nach einer Weile merkte sie, daß sie sich tatsächlich langweilte. Es war nicht so sehr der Mangel an Handlung als vielmehr die monotone Wiederholung, als wäre das, was sich da abspielte, ein genau festgelegtes Ritual. Immer lutschte das Mädchen den Schwanz des Mannes, bevor er sie leckte; dann drang er unweigerlich in ihre Scheide ein, jedoch nur, um gleich darauf zum Analverkehr überzugehen, ehe er ihr schließlich seine volle Ladung ins Gesicht spritzte, als sollte dieser abschließende Akt der Erniedrigung die Echtheit des Geschehens demonstrieren. Für Kate demonstrierte dieser letzte Teil des Rituals nur die Verlogenheit der Pornographie: Kein Mann hatte ihr je ins Gesicht gespritzt, und falls es je passieren sollte – und gnade Gott dem Kerl, der sich das erlauben zu können meinte –, wäre sie wohl kaum geneigt, sein Zeug zu behandeln, als wäre es feinster Beluga-Kaviar.

Dave setzte sich neben sie und sagte: «Na? Noch nicht in die Flucht geschlagen?»

«Wo warst du?» fragte sie.

«Bin aufgehalten worden. Wußtest du schon, daß Calgary Stanford hier auf diesem Schiff ist?»

«Der Schauspieler?»

«Ich habe gerade mit ihm geredet.»

«Wie ist er?»

«Eigentlich ziemlich normal.»

Dave guckte sich in dem kleinen Vorführraum um und entdeckte Al, dann einen der Typen von der *Baby Doc*. Als Gesicht war wie ein Goya: grotesk. Kate schüttelte den Kopf.

Sie sagte: «So benehmen sich Menschen doch nicht. Nicht mal im Film. Sie rammeln doch nicht rum wie die Karnickel. Das ist einfach nicht realitätsgerecht.»

Dave sah sie von der Seite an. «Realitätsgerecht und zuschauergerecht sind zwei Paar Stiefel. Guck dir doch mal die Einschaltquoten an.» Er schaute wieder auf die Leinwand und verzog dann das Gesicht. «Aber das da sind keine Filme. Nicht die Art Filme, die ich mir angucke.»

«Hey, das ist mein Text. Komm», sagte sie. «Laß uns vor dem nächsten Money shot von hier verschwinden. Solange ich noch Appetit habe.»

Auf der Treppe sagte Dave: «Warum kommst du nicht mit auf mein Boot und läßt dir von mir ein Sandwich machen?»

«Klingt gut. Außerdem kann ich ein bißchen Luft gebrauchen. Da drin dampft es regelrecht von dem ganzen heißen Atem. Wie in einer Eishockeykabine. Jetzt weiß ich, wie es sein muß, mit einem Schlauch am Auspuff im Wagen zu sitzen. Daher vermutlich der Ausdruck Blue Movie.»

Kate sah zu, wie Dave die Sandwiches machte. Er tat es sorgfältig und mit einer gewissen lässigen Eleganz, als ob er gern in der Küche wirtschaftete. In manchem war er ganz der neue Mann. In anderen Dingen dagegen war er beruhigenderweise ganz der alte. Es gefiel ihr, daß er nicht die ganze Zeit redete. Als ob er es gewöhnt wäre, mit sich allein zu sein, und nichts dagegen hätte. Selbstgenügsam, dachte sie.

«Du darfst gern schweigen, wenn du magst, Van», sagte sie. «Macht mir nichts aus. Ich hab gern ein bißchen Dolby bei Männern. Dieses Ding, das unerwünschte Geräusche ausfiltert. So eine Art elektronischer Zensur. Ich wette, bei dir muß sich ein Mädchen selbst in die Horizontale reden.»

«Schon möglich.» Dave kam mit einem Teller voller akkurat zurechtgeschnittener Sandwiches zum Sofa zurück.

Kate wartete, bis er sich eins genommen hatte und gerade hineinbeißen wollte. Dann sagte sie: «Geh mit mir ins Bett, Van. Jetzt. Schluß mit hard-boiled. Von jetzt an sind meine Lippen versiegelt.»

Dave sah sie an und dann wieder das Sandwich unmittelbar vor seinem Mund. Er sagte: «Du meinst, jetzt sofort?»

«Bevor ich's mir anders überlege.»

Kate hatte nicht die Absicht, es sich anders zu überlegen. Wenn sie auch vielleicht noch ein bißchen an heute mittag zu kauen hatte: sie konnte sich nur denken, daß er ihr diese Geschichte aufgetischt hatte, um herauszufinden, ob sie wirklich ihn wollte oder nur sein Geld. Wahrscheinlich hätte sie dasselbe getan. Sie konnte verstehen, daß man vorsichtig war, wenn man Geld hatte, obwohl ihr Geld nicht viel bedeutete. Für Howard war es so ziemlich das Hauptmovens im Leben. Es trieb ihn an, als stünde es jeden Morgen auf der Matte, mit einer Schirmmütze und einem Handy. Für Kate war es lediglich Mittel zum Zweck, und im Moment hatte es wenig oder nichts mit dem zu tun, was sie am meisten wollte: mit Dave ins Bett gehen. Aber es machte ihr Spaß, ihn vor die Wahl zwischen ihr und dem Sandwich zu stellen. Sie beugte sich zu ihm und kitzelte ihn mit der Nasenspitze am Ohr.

«Da, wo ich dich jetzt hinführe», sagte sie, «ist die Küche hervorragend und der Service exzellent. Also denk nicht mal dran, anderweitig essen zu wollen. Nicht, wenn du in diesem Restaurant je wieder was kriegen willst.»

Dave legte sein Sandwich hin. Er hatte Hunger, aber gewisse Dinge tat man besser auf leeren Magen.

«Gut geschlafen?»

Dave reckte sich auf seinem King-size-Bett und rollte sich näher an sie heran.

«Verrückte Nacht», sagte er. «Ich hab geträumt, ich hätte Alzheimer. Aber das Problem ist, daß ich vergessen hab, was passiert ist.»

Kate sah auf ihre Uhr.

«Um sechs Uhr morgens noch immer am Witzeln.»

Dave grinste und wälzte sich auf sie.

«Hast du einen besseren Vorschlag?»

«Ich könnte dir was zum Frühstück machen», erbot sie sich. «Ich hab ein schlechtes Gewissen, weil du dein Sandwich opfern mußtest.»

«Ich hab gar nicht mehr dran gedacht. Aber Frühstück klingt gut. Ich könnte ein Pferd wegstecken.»

Als er aus dem Bett stieg, sagte Kate: «Hab ich schon getan.»

Dave grinste wieder. «Du hast meine Frage doch nicht vergessen, oder?» sagte er.

«Welche Frage doch gleich, Liebster?»

«Du weißt schon. Das berühmte Phantom in Südfrankreich – ob du mit ihm leben wollen würdest.»

«Ach ja, richtig. Diese *Rosaroter-Panther*-Chose. Nein, das hab ich nicht vergessen. Ich bin wie ein Elefant. Ich vergesse nie einen Namen oder ein Gesicht.»

Dave nickte. Ein gutes Gedächtnis für Namen und Gesichter war vermutlich eine unabdingbare Voraussetzung, um Fed zu werden.

«Und?»

«Das ist so eine Art Test, stimmt's? Wie die drei Kästchen

im *Kaufmann von Venedig*. Gold, Silber und Blei.» Kate forschte in Daves Gesicht nach einer Reaktion darauf, daß sie das Ganze durchschaute. «Es ist nicht alles Gold, was glänzt?»

«Und wie hast du dich entschieden?»

Sie rollte sich über die zerwühlten Laken zu ihm hin und setzte sich auf. «Auf deine Frage? Ich weiß nicht. Wenn ich sage, ich wähle Blei, wirst du mich vermutlich erschießen.» Sie wedelte mit dem Zeigefinger. «Dave, laß gut sein. Ich bin nicht scharf auf das Geld.»

Dave zuckte zusammen. «Welches Geld?»

«Dein Geld. Das Dulanotovsche Familienvermögen.»

«Ach, das.» Er zündete sich eine Zigarette an. «Vielleicht habe ich mich nicht klar genug ausgedrückt. Aber es ist wirklich so, wie ich gesagt habe. Das Geld ist kriminellen Ursprungs. Es gibt kein Familienvermögen. Ich bin ein Dieb, Kate. Ich verdiene mein Geld mit Stehlen. Wie der gute alte Cary Grant.»

Sie zuckte die Achseln. «Okay, wenn du's sagst. Na ja, in dem Fall hab ich's noch nicht ausgeschlossen, Grace' Part zu übernehmen.»

Was du nicht sagst, dachte Dave und ging unter die Dusche.

Kate runzelte die Stirn. Er ließ wirklich nicht locker. Sah er denn nicht, daß sie es nicht im mindesten auf sein Geld abgesehen hatte? Sobald Kate das Wasser rauschen hörte, begann sie die Kabine zu durchsuchen. Nicht, daß sie Kent Bowens Mißtrauen geteilt hätte. Das war doch nackte Eifersucht. Aber Dave gab so wenig von sich preis, und sie wollte mehr wissen als nur das bißchen, das auf die paar Fragen gekommen war, die er einer richtigen Antwort für würdig befunden hatte. Sie glaubte keine Sekunde, daß er ein Dieb war. Wie viele Diebe kannten Shakespeare und Puschkin? Aber kein Zweifel, da war etwas, was er ihr nicht sagte. Etwas, was sie herausfinden mußte. Auf der FBI-Akademie hatte sie erkennen gelernt, wann jemand etwas verbarg. Ganz zu Beginn ihrer beruflichen Laufbahn hatte sie kurz vorgehabt, zur verhaltenspsychologischen Abteilung zu gehen. Doch nachdem dann *Das Schweigen der Lämmer* angelaufen war, hatte anscheinend jeder Jack Crawford oder Clarice Starling werden wollen, und so war sie bei der Abteilung Allgemeine Ermittlungen und Drogen gelandet. Als sie sich jetzt in dem Raum umsah, hatte sie keine Ahnung, was sie suchte. Die vielen Bücher schienen nur zu bestätigen, was sie schon wußte – daß Dave ein sehr belesener Mensch war. Bargeld lag nirgends herum. Ebensowenig Reiseschecks oder Kreditkarten, nicht mal ein Führerschein. Aber das Allerärgerlichste war, daß sie keinen Paß finden konnte. Die Erklärung fand sich im Wandschrank. Ein Kombinationssafe. Wie es sich für einen anständigen Millionär gehörte. Man blieb nicht lange reich, wenn man sein Geld herumliegen ließ.

Kate tauchte wieder aus dem Wandschrank auf und setzte sich auf die Bettkante. Wenn sie doch nur den Safeknack-Kurs gemacht hätte statt der Psychologie. Geistesabwesend starrte sie auf Daves Bücherregal. Wie eine Volkshochschullektüreliste. Viele Klassiker. Tolstoi, Turgenjew, Dostojewski, Nabokov. Ein paar in Buchform veröffentlichte Filmdrehbücher. Ein kleiner Tribut an die Postmoderne. Und ein bißchen Philosophie: Wittgenstein, Kierkegaard, Gilbert Ryle und George Steiner. Doch je länger sie auf die Bücher starrte, desto stärker wurde das Gefühl, daß da bei aller scheinbaren Vollständigkeit doch etwas fehlte. Wie ein Teil von einem vielteiligen Besteck. Ja, das war's. Und nicht nur ein einzelnes Teil. Vielleicht sogar eine ganze Bestecksorte. Etwa die Fischmesser. Allmählich wurde ihr klar, was es war. Da waren keine Bücher über Wirtschaftsthemen. Nicht eins. Und das war doch komisch. Millionäre interessierten sich doch für Gelddinge, oder nicht? Und erst recht, wenn sie im Financial Center von

Miami arbeiteten. Howard hatte ständig Bücher übers Geld-machen gelesen. *Mit dem Dow auf du und du, Allein gegen die Wallstreet, Midas' Erben, Der Minuten-Manager.* Letzteres mußte er sich um dieselbe Zeit zugelegt haben wie *Der Minu-ten-Liebhaber.*

Kate zog Daves abgegriffene Taschenbuchausgabe von *Schuld und Sühne* aus dem Regal. Sie hatte diesen Roman während ihres Jurastudiums gelesen, und damals war er ihr als eins jener Bücher erschienen, die das Leben eines Menschen verändern konnten. Oder zumindest dessen Einstellung zu Verbrechern. Gedankenverloren klappte sie das Buch auf, als ihr plötzlich etwas ins Auge stach. Da stand etwas, auf der In-nenseite des Covers, in Tintenblau.

Ein Stempel.

Sie starrte ungläubig darauf, als bewunderte sie ein beson-ders ausgefallenes Exlibris, und las die Worte in dem schlich-ten Rundstempel mindestens so sorgfältig, als wären sie Visa in dem gesuchten Paß.

Aber das hier war viel aufschlußreicher.

Sie flüsterte die Worte vor sich hin, als müßte sie sie hören, um aufzunehmen, was sie besagten.

«Eigentum der Justizvollzugsanstalt Homestead, Miami?»

Konnte es doch sein, daß Dave tatsächlich ein Dieb war? Und ein Exhäftling dazu?

Als das Wasserrauschen aufhörte, klappte sie das Buch zu und stellte es rasch wieder ins Regal. Dann schlüpfte sie in den Gästemorgenrock, verließ die Kabine und ging nach oben in die Kombüse. Vielleicht würde es ihr ja gelingen, neben dem Frühstück auch noch ein einigermaßen entspanntes, liebevol-les Gesicht zustande zu bringen.

In der Kombüse setzte Kate Wasser auf und begann Schin-ken und Eier zu braten, während sie gleichzeitig die vorliegenden Indizien Revue passieren ließ: die neue Kleidung, das Bücherregal, das eher für einen Knast-Autodidakten typisch schien als für einen Millionär, und die Geschichte mit den fünf Assen und Cary Grant. Das alles ließ wohl nur einen Schluß zu. Dave war wirklich ein Dieb, und zwar einer, der im Knast gesessen hatte. Ihr wurde klar, daß er tatsächlich alles so ernst gemeint hatte, wie er beteuerte.

Al, den der Duft von frischem Kaffee, Bratwurst und brutzelndem Schinken in die Kombüse gelockt hatte, brachte ihr zu Bewußtsein, daß das hier kein Cary-Grant-Film war. Al war Luca Brazzi, Tony Montana und Jimmy Conway in Personalunion, komprimiert zu dieser wandelnden Pump gun: Visierblick, die Ausstrahlung eines Hartholzschafts und stahlblaues Kinn.

«Wie spät?» knurrte er.

«Kurz nach sechs», beschied sie ihn so beflissen wie eine Flugzeugstewardeß einen Erster-Klasse-Passagier. Was fliegt heutzutage nicht alles erster?

«Sechs Uhr? Himmelherrgott, was ist los? Wird das Schiff evakuiert oder was? Sechs Uhr.»

«Möchten Sie was frühstücken?»

Al seufzte gequält und beugte sich vor, um durchs Kombüsenfenster nach dem Wetter zu sehen. Er schniefte so geräuschvoll, als hätte er ein paar Lines Koks vor sich, und sagte dann: «Ich kann mich nicht entscheiden, ob ich besser was essen soll, damit ich was drin habe, was ich auskotzen kann, oder ob ich besser nichts esse, damit ich nicht kotzen muß.»

Kate lächelte freundlich und versuchte, ihre Nerven im Griff zu behalten. Wer waren diese Typen? Und was machten sie hier auf diesem Schiff? War es möglich, daß sie etwas mit Rocky Envigado zu tun hatten?

«Al», sagte sie. «Sie kennen doch sicher den Spruch, der Lohn der Köchin sind strahlende Gesichter? In diesem konkreten Fall verlangt die Köchin nichts weiter als ein «Ja bitte» oder «Nein danke». Wo dieses Essen, das ich hier mache, letztendlich landet, ob im Klo oder im Ozean, interessiert mich absolut nicht.»

Al grunzte mißmutig. Unschlüssig beäugte er das Frühstück, das Kate zubereitete. Dann rieb er sich den nackten Bauch – er trug nur Boxershorts – und sagte: «Vielleicht eß ich einfach nur ein paar Wheaties.»

«Haben Sie einen Kater oder was?»

«Nein. Mir ist nur jetzt schon schlecht, weil ich weiß, daß mir von diesem Wetter noch viel schlechter wird.» Al schüttete Frühstücksflakes in ein Schälchen, gab Milch dazu und begann, sich den Pamps in den Mund zu schaufeln.

«Vom Wetter? Wieso?»

«Sie merken nichts, was?» sagte er, wobei ihm Milch über das unrasierte Kinn rann. «Sie sind wohl auch so seefest. Wie der Boß.»

Kate sah aus dem Fenster. Über dem Sex und dem Schock, Dave betreffend, hatte sie kaum mitbekommen, daß der Seegang heftiger geworden war. Der Himmel draußen war bedrohlich grau, und ein steifer Wind ließ die Fahne am Heck der *Jade* vor ihnen peitschen. Es sah aus, als ob der Sturm sie doch noch einholte.

«Ich bin nicht besonders seefest», gestand Al. «Mir wird schon schlecht, wenn ich nur ein Glas Salzwasser sehe.»

«Sieht allerdings ein bißchen ungemütlich aus», gab Kate zu.

Dave, der eben die Kombüse betrat, sagte: «Sprichst du von Al oder vom Wetter?»

Al grinste höhnisch, stellte sein leeres Schälchen in die Spüle und griff nach der Kaffeekanne. Kate wich ihm indigniert aus wie einem großen, stinkenden Hund.

Dave sah sie vor Als nacktem Oberkörper zurückzucken

und sagte: «Könnten Sie nicht ein Hemd oder so was anziehen, Al? Das ist ja, als ob hier eine Riesenkokosnuß rumkullert.»

Al schlürfte seinen Kaffee und sagte: «Manche Frauen mögen behaarte Männer.»

Dave sagte: «Dian Fossey und Fay Wray sind aber leider nicht hier an Bord.»

«Dieser Gorilla-Quatsch ist völlig daneben», sagte Al. «Behaarte Männer sind intelligenter als solche babyarschglatten wie Sie, Boß. Das ist ein Fakt. Wissenschaftlich nachgewiesen. Stand im *Herald*. Intelligente Männer haben Haare auf der Brust. Jede Menge Ärzte haben welche. Und Collegeprofessoren. Nicht so viele Rechtsanwälte. Keine Bullen. Massenhaft Schriftsteller. Und die ganz Intelligenten haben auch noch einen behaarten Rücken.»

«Stand da auch was von behaarten Gehirnen, Al?» sagte Dave lachend. Er sah Kate an, die matt zurücklachte. «Also, das ist mir neu. Rückt jedenfalls die Story von Samson in ein völlig neues Licht. Nicht sein Verhältnis zu Gott war am Arsch, als sie ihm die Haare abgeschnitten hat, sondern sein IQ.»

«Lachen Sie nur», sagte Al und stapfte aus der Kombüse. «Bleibt trotzdem ein Fakt.»

Kate räusperte sich nervös und bemühte sich immer noch, ein richtiges Lächeln hinzukriegen, auch, als Dave sie jetzt entschuldigend angrinste. Irgendwie sah er plötzlich wirklich so aus, als könnte er ein Edeljuwelendieb sein. Al war vermutlich dazu da, sein Fluchtauto zu fahren und nötigenfalls rohe Muskelkraft walten zu lassen.

Als Al verschwunden war, schüttelte Dave den Kopf. «Al», sagte er nur. «Ist echt eine Marke, was? Ich hab dir ja gesagt, er ist ein Tier.»

«Ich glaube, das war das erste Mal, daß ich euch beide zusammen gesehen habe», sagte sie.

«Das ist leicht zu erklären.» Dave schloß sie in die Arme und inspizierte das Frühstück, das Al zurückgewiesen hatte. «Wir sind wie Dr. Jekyll und Mr. Hyde. Mmmm, sieht prima aus.»

«Und wer von euch ist Mr. Hyde?»

«Er natürlich. Hast du nicht seine behaarten Handrücken gesehen? Der Kerl ist eine verflixte Fußmatte.»

Kate entzog sich ihm und begann, ihm sein Frühstück zu servieren.

«Ist irgendwas?» fragte er. «Alles okay wegen heut nacht?»

«Alles bestens», sagte sie, und um ihn zu beruhigen, setzte sie hastig hinzu: «Eigentlich bin ich davon ausgegangen, du seist die Nachtseite eurer Person.»

«Wir tauschen manchmal die Schichten.»

Er fragte sich, ob da hinter ihrem Rollenspiel überhaupt irgendwas war. Wollte sie sich nur während einer ansonsten ereignislosen Oberservierungsaktion ein bißchen amüsieren? Oder war es wirklich mehr? Es schien unmöglich, das herauszufinden, solange das Kaperunternehmen nicht gelaufen war. Er setzte sich an den Klapptisch und begann zu essen, was sie ihm vorsetzte. Er sagte: «Auf jeden Fall würde ich lieber mit dir ein gespaltenes Bewußtsein teilen als mit Al. Denk mal drüber nach. Fifty-fifty. Eine ehrliche Partnerschaft.»

«Ehrlich? So kenn ich dich ja gar nicht.»

Da Dave den Mund voll hatte, zog er nur die Brauen fragend in die Höhe.

«Ich meine ja nur», erklärte sie hastig, «daß du mir noch nicht gerade viel über dich erzählt hast. Ich kann doch meinen Job bei Kent nicht einfach aufgeben, ohne ein bißchen mehr über dich zu wissen. Was du machst. Wo du lebst.»

«Ich hab's dir doch schon gesagt», sagte Dave. «Ich klaue Juwelen. Genau wie der gute John Robie in *Über den Dächern von Nizza.* Die Katze. Allerdings benutze ich keinen Künstlernamen. Und keine weißen Handschuhe mit Monogramm. Warum soll ich es der Polizei erleichtern, mich – in dem unwahrscheinlichen Fall, daß sie mich erwischen – gleich noch für einen Haufen anderer Sachen dranzukriegen. Natürlich bestehle ich nur die Leute, die es verschmerzen können. Ich dachte mir, daß hier auf diesem Schiff ein paar nette Klunkern zu holen sein müßten. Aber dann mußte ich erfahren, daß die Eigner nur selten mit ihren Booten reisen. Das war allerdings, bevor die Fluglotsen von meinem Problem erfahren und sich meiner angenommen haben.»

«Ist vorbei», sagte Kate. «Der Streik. Kam gestern nachmittag im Radio.»

«Ach, tatsächlich? Na ja, bis jetzt war dieser Trip ziemlich enttäuschend, in beruflicher Hinsicht jedenfalls. Keine Juwelen, kein Bargeld, noch nicht mal ein kleiner Picasso. Man fragt sich, wofür die Leute heutzutage ihr Geld ausgeben. Sicherheit und Pornos, vermute ich mal. Da ist für jemanden wie mich nicht viel drin, Kate.» Er seufzte. «Hoffentlich ist es an der Côte d'Azur besser.»

«Meinst du das alles wirklich ernst?»

«In Sachen Partnerschaft meine ich's immer ernst. Das müßtest du doch nach dieser Nacht eigentlich wissen. Aber da ist noch was. Ich habe schon einen Partner. Al.»

Kate merkte, wie sie die Fassung zumindest partiell wiederfand.

«Als Stelle einnehmen, das ist wirklich sehr schmeichelhaft», sagte sie. «Aber weißt du, vom Geschäftlichen her könnte es verlockender klingen. Warum machst du es mir nicht ein bißchen schmackhafter, indem du mir ein paar überzeugende Konditionen nennst? Was springt für mich dabei raus? Was soll ich tun? So in der Art.»

«Ich hab dir ja schon gesagt, das ist nicht mein Stil. Und

außerdem kennst du die Konditionen. Gestern hast du sie selbst zitiert. In guten wie in schlechten Tagen, in Armut wie in Reichtum. Fifty-fifty, Kate. Was sagst du dazu?»

«Ist das wirklich ein Heiratsantrag?»

Dave steckte sich eine Ladung Schinken in den Mund und nickte.

Kate lächelte. «Aber ich kenn dich doch gar nicht.»

«Jeden Tag heiraten Leute, die sich gar nicht kennen. Ich weiß es. Stand in der Zeitung.»

Verwirrt setzte sie sich ihm gegenüber. Wäre er auch nur halb so erpicht darauf, sie zu heiraten, wenn er wüßte, daß sie FBI-Agentin war?

«Wann ist deine Scheidung durch?» fragte er.

«In zwei, drei Monaten.»

«Also heiraten wir dann.»

Er genoß ihr Dilemma. Er spürte, daß sie ihn genauso liebte wie er sie. Vielleicht wollte sie ihn ja sogar heiraten und hätte ja gesagt, wenn sie keine Undercover-Agentin wäre. Gleichzeitig dachte er, wie schön diese Nacht gewesen war. Und wie wohl er sich jetzt mit ihr fühlte. Wie ungern er sie verlassen würde. Die Zeit verstrich so schnell. In achtzehn Stunden würden er und Al die Sache durchziehen. Und danach würde er sie vielleicht nie mehr wiedersehen. Die Wahrheit war, daß er das eben ernst gemeint hatte. Wenn das Problem nur wäre, daß er sie heiraten müßte, um mit ihr zusammenbleiben zu können, dann würde er es auf der Stelle tun. Die einzige Karte, die er auf der Hand hatte, war die Tatsache, daß er wußte, wer sie war. Eine FBI-Agentin. Aber diese Karte würde er erst ausspielen, wenn es soweit war, daß er verschwinden mußte, wenn sie schon mehr oder weniger alles wußte, vorher nicht.

«Du stehst wohl auf Tempo, Van?»

«Schließlich fahre ich ja zum Grand Prix von Monaco.»

«Ich dachte, der Finanzhai fährt dorthin, nicht John Robie.»

«So ein Grand Prix ist prima für Einbrecher. Macht jede Menge Krach. Während eines Formel-I-Rennens und danach hören die Leute nicht viel. Und Monte Carlo ist immer noch Monte Carlo. Dort liegen jede Menge Klunkern rum. Ist wie Tiffany's mit einem Roulette und einem hübschen Strand.» Dave legte Messer und Gabel weg und griff über den Tisch, um eine Strähne von Kates Haar um seine Finger zu wickeln. Sie hatte noch nicht geduscht und roch dennoch wunderbar. «Kann doch nicht so ein Problem sein für ein Mädchen von der Weltraumküste. Die Sorte Mädchen, die Allure benutzt.»

«Woher weißt du das?»

«Ich erkenn's. Ist mein Lieblingsparfüm. Jetzt jedenfalls.»

Kate legte die Wange in die Hand und seufzte wehmütig. Howard konnte kein Parfüm von Zigarettenqualm unterscheiden. Typisch sie, just dann einen Mann zu finden, der sich auf Anhieb in sie verliebte, wenn sie sich gerade für jemand anders ausgab. Einen Mann, der Dichter zitieren konnte. Einen Mann, der im Bett nicht egoistisch war. Einen Mann, der etwas von Parfüm verstand. Einen Mann, der ein Dieb und Exsträfling war. Das war wieder einer dieser angeschnittenen Bälle, die einem das Leben zuspielte. Sie stand auf.

«Ich brauche noch ein bißchen Zeit», sagte sie und sah automatisch auf die Uhr. «Und außerdem sollte ich jetzt besser gehen. Kent wird in solchen Dingen leicht komisch.»

Das wunderte Dave nicht weiter. Seiner Erfahrung nach wurden Feds in vielen Dingen leicht komisch.

## 18

Dave war gerade am Lesen, als er Schritte auf dem Cock-pitdeck hörte.

Es war der Bordelektriker, Jock. Jetzt nicht mehr in Weiß, sondern in einem dicken marineblauen Wollpullover und marineblauen Hosen.

«Wollte nur mal nach Ihrem Boot sehen. Ob die Vertäuung hält.»

«Und? Hält sie?»

«Bis jetzt schon. Aber falls uns der Sturm einholt, könnten wir alle ein paar Probleme kriegen. Momentan sind wir direkt vor ihm. Machen ordentlich Fahrt. Wir rasen wie ein gedopter Windhund.»

«Aber wir sind noch auf Kurs?»

«Aye, aye, ziemlich genau auf Kurs. Aber wenn's so weitergeht, sind wir einiges zu früh da.»

Dave runzelte die Stirn. Zu früh am Treffpunkt zu sein konnte genauso fatal sein, wie zu spät zu kommen.

«Wieviel zu früh?»

«Kann ich nicht genau sagen. Sobald das Wetter besser wird, können wir's abschätzen. Ach, übrigens, wie geht's Ihrem Handmikro?»

Dave sagte nichts, da seine Gedanken immer noch um diese neue Information kreisten. Wie es aussah, würden sie länger an Bord des Fluchtboots bleiben müssen als geplant. Von jetzt an würde er ihre Position mit Hilfe des GPS-Geräts der *Juarista* genau verfolgen. Nur etwa so groß wie ein Handy, vermochte einem das GPS-Gerät jederzeit genau zu sagen, wo man sich befand, in welche Richtung man sich bewegte und wie schnell man war: sobald man es einschaltete, registrierte es die Signale von Satelliten des GPS-Systems, bis es genügend Information hatte, um die eigene relative Position zu bestimmen.

Jock wiederholte seine Frage.

«Oh, funktioniert immer noch, danke. Möchten Sie ein Bier?»

«Warum nicht? Wenn schon naß, dann lieber von innen und außen.»

Dave sah durchs Fenster. Regen peitschte auf das Dach der *Juarista*, und selbst hinter dem Schanzkleid der *Duke* fühlte sich das Deck des Boots an wie ein Surfbrett. Er reichte Jock ein Corona.

«Allerdings», sagte er. «Das ist ja wie in *Moby Dick* da draußen.»

«Nicht ganz leicht, am Schanzkleid langzugehen», gab Jock zu. «Aber nicht halb so schlimm, wie wir gedacht haben. Der Käpt'n hat recht gehabt. Der Sturm wird sich bald abreagiert haben.»

Jock kippte die halbe Flasche Bier hinunter. Als er ein lautes Würgegeräusch aus dem Inneren des Boots hörte, guckte er in Richtung Niedergang. Mit einem leisen Grinsen sagte er: «Da ist wohl jemand mächtig am Dübeln?»

Dave runzelte die Stirn, bemüht, dem Idiom des Schotten einen Sinn abzugewinnen. Schließlich dämmerte ihm, daß es sich um einen Fall von Reim-Slang handeln mußte.

«Ja. Das ist Al. Er ist nicht sonderlich seefest.» Sein Ton war nicht weiter besorgt, obwohl ihm der Gedanke zusetzte, die Sache womöglich allein durchziehen zu müssen. Das einzig Positive an diesem Wetter war, daß es den Männern auf den Russenbooten vielleicht auch nicht besserging als Al.

«Aber Sie sind okay?» sagte Jock.

«Mir geht's gut», sagte Dave. «Sie haben nicht zufällig was, was ich ihm geben könnte? Ich hab's mit Kwells und so was versucht, aber das scheint nichts zu nützen.»

Jock trank sein Bier aus und zog eine verächtliche Grimasse.

«Das ist doch Kinderkram», sagte er. «Was haben Sie sonst noch probiert?»

«Antihistamintabletten. Hat auch nichts genützt. Hat ihn nur für ein Weilchen eingeschläfert.»

«Wann hat er die letzte Dosis gekriegt?»

«Schon ein paar Stunden her.»

«Also, wenn ich was brauche, nehm ich Hyoscin. Blockiert das parasympathische Nervensystem. Das Zeug wird normalerweise vor der Narkose gegeben, um zu verhindern, daß der Vagusreflex die Herztätigkeit beschleunigt.»

«An Als Nervensystem ist garantiert nichts Sympathisches», sagte Dave. «Und ich bin mir nicht mal sicher, ob er überhaupt ein Herz hat.» Er zündete sich eine Zigarette an. «Sind Sie auch noch Arzt oder was?»

«Auf diesem Schiff hier schon. Mein Vater war Tierarzt. Hab eine Menge von ihm gelernt.» Er zuckte die Achseln. «Die Kerle hier auf dem Schiff sind doch sowieso alle Tiere, macht also keinen Unterschied.» Er nahm eine von den Zigaretten, die ihm Dave anbot, und zündete sie sich rasch an. «Leidet Ihr Freund am grünen Star?»

Dave hatte keine Ahnung, schüttelte aber dennoch den Kopf, weil es klang, als sei Jock im Begriff, etwas Wirksames herauszurücken. Vielleicht dieses Hyoscin.

«Tja, ich hab da noch einen Rest Scopoderm. Ist gut, das Zeug. Nicht frei verkäuflich.» Er klaubte die Zigarette aus seinem Mundwinkel und inhalierte durch die geschlossenen Zähne. «Aber teuer, wenn Sie verstehen, was ich meine.»

Dave glaubte zu verstehen und grinste. «Ich denke schon.»

Jock sagte entschuldigend: «Sie sind der mit dem schicken Boot, nicht ich. Ich versuch nur, über die Runden zu kommen.»

«Wieviel?»

«Fünfzig. Für so viel, daß es reicht, bis wir aus dem Schlechtwetter raus sind.»

«Gemacht.»

Jock zog ein kleines Päckchen aus der Tasche.

«Sie haben es bei sich?»

«Heute geht's etlichen Leuten beschissen», sagte Jock lachend. «Da läuft das Geschäft.»

«Hübscher kleiner Nebenerwerb», sagte Dave und schob ihm die fünf Zehner hinüber.

«Jeder guckt, wie er durchkommt.»

«Stimmt», sagte Dave.

«Da sind Tabletten und Pflaster», erklärte Jock, als er Dave das Päckchen gab. «Geben Sie ihm jetzt eine Tablette, und kleben Sie ihm ein Pflaster auf den Arm. Er wird Probleme mit dem Wasserlassen haben. Und vielleicht ein bißchen verschwommen sehen. Und die Schweißproduktion wird aufhören.»

«Ich kann's kaum erwarten», sagte Dave. «Wann wirkt das Zeug?»

«Sofort. In einer Stunde müßte er wieder auf den Beinen sein. Dann alle sechs Stunden wieder ein Pflaster und eine Tablette. Aber keinen Alkohol.»

«Okay.»

«Danke für das Bier.»

«War mir ein Vergnügen, mit Ihnen Geschäfte zu machen, Doc.»

Jock stolperte heckwärts.

«Ach ja, was ich noch sagen wollte. Dieses U-Boot. Ich schätze, es ist weg. War schon eine ganze Weile kein Funkverkehr mehr, und auf dem Echolot ist auch nichts. Ist ihm wohl zu langweilig geworden, und es hat sich verzogen.»

«So wird's sein», pflichtete ihm Dave bei.

«So sind diese Überfahrten nun mal», sagte Jock. «Ich weiß auch nicht, warum ich gedacht hab, zur See gehen wär interessanter als Tierarzt werden. Auf diesem Pott passiert doch nie was.»

«Glaub ich wohl.»


Al lag auf dem Boden, einen Arm ums Klo geschlungen, als wäre es sein bester Freund. Dave kniete sich hin, hievte einen von Als anakondagroßen Armen um seinen Nacken und schleppte Al in die Kabine.

«Eins gefällt mir an Ihnen, Al. Sie kennen Ihren Platz im Leben. War mir wirklich ein Vergnügen, mit Ihnen zu reisen, wissen Sie? Einer wie ich, der grade aus dem Gefängnis kommt. Da ist es ein großer Trost, jemanden um sich zu haben, der noch tiefer gesunken ist.»

«Scheiß drauf», stöhnte Al.

Dave ließ ihn aufs Bett fallen, suchte sich ein Handtuch und trocknete ihm sorgfältig die Arme ab.

«Der Doc war grade da, um mir was für Sie zu geben», sagte Dave. «Um ehrlich zu sein, er ist eigentlich Tierarzt. Aber ich hab mir gesagt, einem Gorilla wie Ihnen macht das sicher nichts aus.»

Dave packte das Scopoderm aus und klebte Al je ein Pflaster auf die Innenseiten der mächtigen Unterarme.

«Normalerweise behandelt der Mann ja nur Haustiere, aber ich hab ihn überredet, in Ihrem Fall eine Ausnahme zu machen. Ich hab ihm gesagt, er soll einfach so tun, als ob Sie ein Rindvieh wären, und er hatte überhaupt kein Problem damit.»

Dave legte eine der Tabletten auf Als unkontrolliert lallende gelbe Riesenzunge und klappte ihm dann den Mund zu, bevor er nach dem Wasserglas auf dem Nachttisch griff. Das Glas fiel ihm fast aus der Hand, als er merkte, daß in dem Wasser ein Gebiß lag.

«Heiliger Strohsack, was ist das?» sagte Dave lachend und hob dann Als Oberlippe mit der Fingerkante an. Mit einem

Grinsen, das seine eigenen blitzenden Zähne enthüllte, spähte er in Als Kotzmund. Er sagte: «Mann, nicht ein Zahn in der ganzen verflixten Freßlade.» Dave guckte weiter fasziniert in Als Mund und kam sich vor wie das Weibsstück in *König Lear*, das sich hämisch an den leeren Augenhöhlen dieses alten Knaben weidet. Bis Als behaarte Pratze seine Hand wegfegte.

«Arschloch.»

«Okay, Sie müssen sich jetzt aufsetzen und diese bittere kleine Pille schlucken, Al. Dann geht's Ihnen gleich wieder besser. Das ist eine Pille gegen Seekrankheit, also seien Sie ein braver Junge und schlucken Sie das verdammte Ding runter. Das Zeug hat mich fünfzig Eier gekostet.»

Al setzte sich auf, schluckte die Pille hinunter, nahm Dave das Glas aus der Hand und trank, bis das Gebiß auf dem Trockenen lag.

«Scheißkerl», flüsterte er und sackte wieder auf das Bett.

«Ja, ich weiß. Alle meine Patienten sagen das. Meine Manieren passen besser in einen Lagerschuppen als an ein Krankenlager.» Dave wischte Al mit dem Handtuch über die Stirn. «Dauert ein Weilchen, bis das Scopoderm wirkt. An Ihrem Arm klebt auch was von dem Dope, für den Fall, daß Ihr Magen nicht so will wie Ihr Hirn. Eins noch. Kein Alkohol, während Sie auf diesem Zeug sind. Sprich, kein Alkohol, solange wir hier auf diesem Schiff sind, verstanden? Wir beide haben einen Job zu erledigen.» Dave sah auf seine Uhr. «In nicht ganz zwölf Stunden. Brauchen Sie noch ein bißchen mentales Aufbautraining? Dann denken Sie mal an das hier: Morgen um diese Zeit sind wir beide Multimillionäre.»

«So», sagte Sam Brockman. «Jetzt sind wir allein. Außer bei Nato-Übungen bleibt die Navy gewöhnlich auf dieser

Seite des Atlantiks. Macht es weniger kompliziert für die Jungs von der UA.»

«UA?»

«U-Boot-Abwehr», erklärte er Kate. «Die Franzosen übernehmen uns in ein paar Stunden, gleich westlich der Azoren.» Er seufzte. «Scheiße.»

«Was ist?»

«Nur, daß ich mir fast schon wünsche, es würde was passieren. Wär doch eine Schande, den Fang Interpol überlassen zu müssen.»

Kate stimmte ihm wenig enthusiastisch zu. Für ihren Geschmack passierte schon mehr als genug. Mehr jedenfalls, als sie geplant hatte. Seit dem Frühstück war sie hier auf der *Carrera* geblieben, froh, daß ihr das schlechte Wetter einen Vorwand lieferte, nicht an Deck zu gehen und womöglich Dave zu begegnen. Vielleicht war es ja ganz gut, daß das U-Boot weg war. Das hieß, daß keine Versuchung mehr bestand, dem FBI-Hauptquartier durchgeben zu lassen, daß sie Dave überprüfen sollten. Angenommen, Dulanotov war sein richtiger Name.

Ein ziemlich grün aussehender Kent Bowen kam in die Kombüse herauf und blieb einen Moment schwer atmend vor der Spüle stehen, bevor er sich ein Glas nahm und Wasser aus dem Hahn hineinließ.

«Wie fühlen Sie sich, Kent?» fragte Sam den ASAC.

«Wie Hundescheiße.»

Kate bedachte Bowen mit einem Blick, der besagte, daß er genau das auch sei. Sie hatte noch keinen Plan, wie sie ihm heimzahlen könnte, daß er Dave gegenüber angedeutet hatte, er schlafe mit ihr. Aber sie arbeitete daran.

«Nützt das Dramamin nichts?» fragte Sam.

«Das Zeug gibt mir den Rest», sagte Bowen. «Wenn ich noch mehr davon nehme, schlafe ich sofort ein. Ich bin so schon stehend k. o.»

«Hören Sie, im Moment passiert hier doch nicht viel», sagte Kate. «Hahn auf dem Mist hat sich verabschiedet. Hat doch keinen Sinn aufzubleiben, wenn Sie sich so mies fühlen. Warum nicht ins Bett gehen?»

Bowen lächelte matt. «Warum nicht ins Bett gehen? Ist das Ihr persönlicher Wahlspruch oder was?»

Kate biß sich auf die Lippe. «Was soll das heißen?» fragte sie ruhig.

«Ich glaube, Sie wissen sehr wohl, was ich meine, Agent Furey.»

«Mein Gott, Sie reden wie meine Mutter.»

«Das bezweifle ich. Das bezweifle ich sehr. Ihre Mutter hat Ihnen ganz offensichtlich nicht allzuviel Sitte und Anstand beigebracht.»

Kate spürte, wie ihr die Röte ins Gesicht stieg. Sie lachte verächtlich. «Hier spricht der Moralapostel. Was wissen Sie denn von Sitte und Anstand?»

Bowen ließ nicht locker. «Wenn sie's getan hätte –»

«Ich unterstelle mal, es ist das Dramamin, das Sie solchen Stuß reden läßt, Kent.»

«Wenn sie's getan hätte, wären Sie letzte Nacht auf dieses Boot zurückgekehrt.»

«Sind Sie extra raufgekommen, um mich zu beleidigen?»

«Sie streiten es also nicht ab?»

«Was soll ich abstreiten?»

«Daß Sie mit diesem Kerl geschlafen haben?»

«Geschlafen haben wir eigentlich gar nicht. Wir waren zu beschäftigt mit Bumsen.»

«Also hatte ich doch recht.»

«Aber was ich letzte Nacht getan und gelassen habe, geht Sie einen verdammten Dreck an.»

«Wenn es gegen die Dienstmoral verstößt, geht es mich sehr wohl etwas an.»

«Ach, Sie haben es gerade nötig, nachdem Sie den ganzen Abend Pornos geguckt haben.»

Bowen beugte sich vor und reiherte in die Spüle.

«Mit dem Kopf in der Kloschüssel wirken Sie wirklich überzeugender», höhnte Kate.

Bowen richtete sich auf und wischte sich den Mund mit einem Stück Küchenpapier ab. «Von ‹den ganzen Abend› kann gar keine Rede sein.»

«Es waren nur zwei Stunden, Kate», sagte Sam. «Oder vielleicht drei.»

«Also erzählen Sie mir nichts von Moral», sagte Kate.

Sam sagte: «So was hab ich noch nie gesehen. Und werd ich vermutlich auch nie wieder sehen. Gestern abend hab ich wohl alles gesehen, was es zu sehen gibt. Da war diese eine Frau –» Er sah verlegen zu Kate hinüber. «Na ja, ich sag nur soviel: Daß ich jetzt weiß, was die Leute meinen, wenn sie sagen, daß die Reizüberflutung durch die modernen Medien zu einer gewissen Hypererregung führt.» Er lachte. «Also, ich seh nicht, daß irgend jemand von uns gegen die Dienstmoral verstoßen hat. Was letzte Nacht war, geht doch nur jeden einzelnen selbst was an. Können wir's nicht dabei belassen, Kent?»

«Solch pubertäres Verhalten mag ja bei der Coast Guard okay sein», hickste Bowen. «Aber Agent Fureys moralwidrige sexuelle Aktivitäten entsprechen nicht der Tradition des FBI.»

«Was glauben Sie, wer Sie sind?» herrschte ihn Kate an. «J. Edgar Hoover? Moralwidrige sexuelle Aktivitäten, meine Fresse.»

Bowen grinste durch eine Übelkeitswelle hindurch, die ihm die letzte Farbe aus dem Gesicht sog. Er sagte: «Ich weiß, wer ich bin. Jawohl, so ist es. *Ich* weiß, wer *ich* bin.»

«Die Geheimakten des Kent Bowen.»

«Aber können Sie dasselbe auch von Ihrem Sexualpartner behaupten? Beantworten Sie mir diese Frage, wenn Sie können. Was genau wissen Sie über Mister David Dulanotov?»

«Das ist doch Quatsch», sagte Kate. Aber in Wahrheit stellte sie sich diese Frage auch schon den ganzen Vormittag.

Bowen holte tief Luft und sagte: «Ich bin ein Hort der Stärke in einer Stadt von schwachen Männern und Frauen. Und ich halte das Gesetz aufrecht. Mister David Dulanotov ist da ein ganz anderer Fall. Er ist kein rechtschaffener Mensch. Das Auge des Hasses und der Finger der Verachtung sind auf ihn gerichtet.» Er atmete zittrig aus.

«Ein Hort des Stusses wohl eher. Wovon reden Sie überhaupt?»

«Das will ich Ihnen sagen. Ich habe ein paar Nachforschungen über Mister David Dulanotov angestellt. Und siehe da, sein Boot ist in Grand Cayman registriert.»

«Das ist doch nicht verboten.»

«Der Vorbesitzer war ein gewisser Lou Malta, Exgeschäftspartner von Tony Nudelli. Der Name Tony Nudelli dürfte ja selbst Ihnen bekannt sein.»

Kate schwieg.

«Naked Tony Nudelli. Ich sage, Exgeschäftspartner, weil Lou Malta beim Police Department von Miami als vermißt gemeldet ist. Seit Monaten hat ihn niemand mehr gesehen.»

Kate sagte achselzuckend: «Und was besagt das?»

«Nichts. Außer, daß dieser Lou Malta vermutlich ermordet wurde.»

«Wenn einem jemand etwas verkauft, erwartet man lediglich, daß er der rechtmäßige Eigentümer der betreffenden Sache ist. Nicht, daß er ein rechtschaffener Mensch ist.»

«Das stimmt, Kent», pflichtete ihr Sam Brockman bei. «Der Kerl, der mir meinen ersten Wagen verkauft hat, war einer der größten Gauner von ganz Florida.»

«Halten Sie sich da raus», sagte Bowen.

«Vorsicht, Sam», sagte Kate. «Sonst legt er über Sie auch gleich eine Akte an.»

Bowen sagte: «Über den anderen Kerl habe ich noch nichts rausgefunden. Diesen Gorilla, mit dem er reist. Aber es würde mich gar nicht wundern, wenn er auch ein Gangster wäre.»

«Das klingt ja, als wäre David für Sie schon überführt», sagte Kate. «Und die Beweise? Was ich da bisher von Ihnen gehört habe, ist so windig wie das Wetter da draußen. Mann, wenn Sie sich mal auskotzen, dann kommt nicht nur das gestrige Abendessen raus, was? Dann kommt gleich noch jede Menge Galle und sonstiger Unrat mit. Falls Sie's vergessen haben, Kent, Hunde stehen auf Kotze, nicht aber der Staatsanwalt. Für das, was Sie mir bis jetzt erzählt haben, hat der nur ein müdes Lachen.»

«Ich habe nie etwas anderes geäußert –» Bowen hielt inne, schluckte, hielt sich die Hand vor den Mund und wartete, daß eine weitere Übelkeitswelle verebbte. Nach einem Weilchen fuhr er fort: «... als den starken Verdacht, daß er nicht der richtige Umgang für eine FBI-Agentin ist.» Dann rülpste er.

«Das war das Intelligenteste, was Sie heute von sich gegeben haben», sagte Kate und stand auf. «Ich muß hier raus. Hier drinnen riecht es langsam etwas säuerlich.»

«Agent Furey, ich bin noch nicht fertig», sagte Bowen und erbrach sich in die Spüle.

«Ganz offensichtlich nicht», sagte Kate und zwängte sich hinter dem Tisch hervor.

Kaum hatte Bowen sich wieder aufgerichtet, landete eine dicke Schmeißfliege laut brummend auf seiner Kotze.

«Tja, was sagen Sie nun, Kent?» sagte Kate auf dem Weg zur Kombüsentür. «Sieht aus, als ob eine Ihrer Freundinnen zu Besuch gekommen ist.»

Den Rest des Nachmittags verbrachte Kate allein in ihrer Kabine. Sie wollte niemanden sehen, auch nicht Dave. Sie hörte ihn so gegen sechs an Bord kommen, aber als Sam erschien, um es ihr mitzuteilen, erklärte sie, er solle Dave sagen, ihr sei schlecht und sie werde sich morgen melden.

Sie konnte ja nicht ahnen, daß Dave bei ihrer nächsten Begegnung eine Waffe in der Hand halten würde.

Um die Abendessenszeit, als der Sturm immer noch in heftigen Böen blies und die See unvermindert rauh war, brachte Dave ein selbstgemachtes Omelett, ein Stück Lemon-Pie und eine Tasse starken schwarzen Kaffee in Als Kabine.

«Ihre Bordmahlzeit», sagte er in der Tür. «Wie geht's?»

Al setzte sich auf und öffnete den Mund zu einem ranzigen Gähnen. Er setzte sich das Gebiß ein und sagte: «Besser, danke. Das Zeug hilft echt.»

«Ich dachte, Sie sollten was essen.» Dave setzte das Tablett auf dem Bett ab. «Leerer Magen bringt Zittern und Zagen. Bei dem, was wir vorhaben, brauchen Sie ein paar Energien.»

Al nickte und schlang dann das Omelett gierig hinunter.

«Kein Bier?» fragte er.

«Nix da», sagte Dave. «Sehen Sie diese beiden Pflaster da auf Ihren Armen? Warnung des Gesundheitsministeriums. Sie besagen, daß Sie trocken zu bleiben haben, bis wir auf der *Ercolano* sind. Wegen des Medikaments. Danach können Sie für den Rest Ihres Lebens Champagner trinken.»

«Ich mag keinen Champagner», sagte Al und machte sich über die Lemon-Pie her. «Von der Kohlensäure fühl ich mich so voll.»

«Da ist ja der Sinn der Sache.»

«Ach?»

«Na, klar. Die Kohlensäure soll ja bewirken, daß man schneller abgefüllt ist.»

Al guckte, als hätte er diese Möglichkeit noch nie erwogen, und schaufelte sich den Rest Pie in den Mund. Dave fragte sich, ob Al schon mal was von gründlich kauen gehört hatte.

«Danke für das Essen. War nett von Ihnen.»

«Nicht der Rede wert.»

«Mein Magen war so leer wie ein verdammtes Wahlkampfversprechen.» Al rülpste und kippte dann seinen Kaffee hinunter. «Mistwetter, was? Wird uns wohl Zeit kosten, oder?»

Dave sagte: «Wenn es so bleibt, macht es die Sache sicher nicht leichter.»

«Wieso werden Sie eigentlich nie seekrank?»

«Reine Einstellungssache, schätze ich. Irgendwann hab ich das Kotzen einfach eingestellt.» Dave zündete sich eine Zigarette an und grinste. «Außerdem denke ich, daß mich dreißig bis vierzig Millionen Dollar so ziemlich von allem kurieren. Verdammt, Mann, ich werd überhaupt nie mehr irgendwelche Beschwerden haben.»

Al grinste zurück. Es gab Momente, in denen er diesen Burschen ganz sympathisch fand. Momente wie diesen. Wenn es soweit war, daß er Dave töten mußte, so gelobte er sich im stillen, würde er es kurz und schmerzlos machen. Eine Kugel in den Hinterkopf. Der Bursche würde gar nichts mitkriegen. Das war wohl das mindeste, was er tun konnte.

# 19

Jimmy Figaro hielt viel von Geschichte. Aber wozu war die Geschichte gut, wenn man nicht aus ihr lernte? Wenn man nichts von ihr wußte, war man dazu verdammt, ihre Fehler zu wiederholen, und wenn Figaro sich eins nicht leisten konnte, dann waren es Fehler. Nicht bei seiner Klientel. Bei manchen von diesen Burschen baute man einmal Mist, und das war's dann. Dann war man selbst Geschichte.

Eine der Lehren der Geschichte war die Sache mit dem Überbringer schlechter Nachrichten. Er hatte mal einen Cop in Orlando gekannt, der mitten in der Nacht aus dem Schlaf gerissen wurde, weil ein anderer Cop vor seiner Tür stand und erklärte, er habe eine schlechte Nachricht für ihn. In Wirklichkeit ging es nur darum, daß sich der erste Cop um eine Unfallsache kümmern sollte, bei der eine Menge Kinder ertrunken waren, und daß er dabei auch nicht umhinkommen würde, sich die Leichen der Kinder anzusehen. Doch als der Mann erfuhr, daß es eigentlich gar keine richtig schlechte Nachricht war und daß niemand aus seiner Familie tot war oder was, wurde er so wütend, daß er die Waffe zog und den Kollegen in seiner Tür erschoß.

Es gab viele Variationen dieses Schießen-Sie-nicht-auf-den-Boten-Themas. Niemand konnte denjenigen leiden, der schlechte Nachrichten brachte. Und dieser Niemand konnte sehr unangenehm werden, wenn er zufällig jemand wie Tony Nudelli war. Die Ironie an der Sache war, daß sich Figaros schlechte Nachrichten ausgerechnet auf die Sache bezogen, die ihn überhaupt erst gelehrt hatte, im Umgang mit Tony Nudelli und seinem jähzornigen Temperament besonders vorsichtig zu sein. Und das war die Sache mit Benny Cecchino.

Benny Cecchino war ein gemachter Mann gewesen, ein Kredithai, der sich zu einem halben Prozent pro Woche eine Viertelmillion Dollar von Tony geborgt hatte, um sie dann auf der Straße weiterzuverleihen, zu dem Zinssatz, den er für richtig hielt. Zu einem oder zu hundert Prozent. Tony war es egal, wer wieviel blechen mußte, solange er seine tausendzweihundertfünfzig die Woche von Cecchino kriegte. Cecchino hatte viertausend Dollar einem gewissen Nicky Rosen geliehen, der daraufhin prompt verschwand. Drei Wochen später, als Cecchino gerade die Collins rauffuhr, glaubte er, Rosen in einem anderen Auto zu sehen. Als Cecchino merkte, daß es gar nicht Rosen war, hatte er den Doppelgänger bereits so heftig mit seinem Mercedes gerammt, daß der Pechvogel ins Krankenhaus mußte. Ein Versehen, weiter nichts, nur daß der Doppelgänger sich dummerweise als Tony Nudellis höchsteigener Schwager entpuppte. Das war einfach Pech, und Tony hätte es Cecchino vielleicht verziehen, wenn der die Sache nicht in ganz Miami Beach herumposaunt hätte, als wäre es die lustigste Geschichte der Welt. Als wär's ihm scheißegal, wessen Schwager es war. Und sobald Tony Nudelli davon erfuhr, schnappte er sich eine Pistole und fuhr zu Cecchinos Stammlokal – einem Mafiaschuppen –, um die Sache persönlich zu regeln. Und es war nicht einfach irgendeine Pistole, sondern eine teuflische kleine Kanone, Kaliber zwölf, nicht größer als eine Derringer, mit einer einzigen Capiscum-Patrone, die einen Grizzly außer Gefecht zu setzen vermochte. Eine todsichere Killerwaffe, die den Hauptteil von Cecchinos Kopf auf seinen Schoß pustete.

Danach hatte nicht nur Jimmy Figaro besonderen Respekt vor Tony gehabt, sondern jeder. Auch Dave Delano.

Als Figaro seinen BMW in Nudellis Einfahrt parkte, dachte er, daß es doch seltsam war, wie sich die Geschichte selbst immer wieder neu schrieb. Da hielt man ein Kapitel für abgeschlossen, und Jahre später tauchten plötzlich neue Fakten auf, die etwas, worüber man Bescheid zu wissen glaubte, in ein völlig neues Licht rückten.

Figaros Klient Tommy Rizzoli – der Mann mit dem Eistransportgeschäft und den Mangobäumen, der inzwischen von allen Erpressungsvorwürfen freigesprochen war – hatte das Krümelchen Information geliefert, das Figaro veranlaßt hatte, ein paar Dinge noch einmal genauer zu überprüfen.

Und dabei hatte Figaro herausgefunden, daß Dave Delano in der Nacht, als er gesehen hatte, wie Naked Tony in das Lokal marschierte und Benny Cecchino erschoß, selbst dort gewesen war, um mit Cecchino einen Deal wegen Nicky Rosen auszuhandeln, dem Kerl, der mit Bennys vier Riesen verschwunden war. Rosen war nämlich, wie sich herausstellte, der Verlobte von Daves Schwester Lisa gewesen, und Dave hatte sicherstellen wollen, daß seinem zukünftigen Schwager nicht dasselbe passierte wie dem Schwager von Naked Tony. Dem Doppelgänger. Nur daß die teuflische kleine Kanone den Verhandlungen ein jähes Ende gesetzt hatte.

Benny Cecchinos Leiche war nie gefunden worden. Aber es hatte nicht lange gedauert, bis das Gerücht umgegangen war, daß Nudelli mit der Sache zu tun habe und daß Dave Delano der letzte gewesen sei, der Cecchino lebend gesehen hatte. Die Staatsanwaltschaft hatte jedoch wegen mangelnder Beweise keine Anklage gegen Naked Tony erheben können, und an diesem Punkt hatten die Feds, die Nudelli zu der Zeit bereits wegen Bildung einer kriminellen Verschwörung dranzukriegen versuchten, Dave als Zeugen vor ein Geschworenengericht geladen. Nur wenige Wochen nachdem Dave wegen vorsätzlichen Nichterscheinens vor Gericht zu fünf Jahren Haft verurteilt worden war, hatte Naked Tony dann Benny Cecchinos Gläubigerliste übernommen. Drei Monate später war Nicky Rosen tot in einem Hafenbecken am Dinner Key gefunden worden. Jemand hatte ihm mit einer abgeschlagenen Flasche den Kopf halb abgesäbelt.

Nicht, daß Jimmy Figaro glaubte, Dave wolle Tony reinlegen oder was. Er hatte ja keine Ahnung, was für ein Geschäft die beiden miteinander laufen hatten. Er wußte nur, daß Dave und Al Cornaro irgendwie außerhalb waren, um die Sache durchzuziehen. Eigentlich war seine Nachricht ja gar nicht so schlecht. Doch nachdem Nudelli schon so paranoid auf die

Nachricht von Daves Haftentlassung reagiert hatte, konnte sich Figaro nicht vorstellen, daß sein Klient diese neue Eröffnung mit Gleichmut aufnehmen würde. Deshalb stellte er sicher, daß er zugleich auch eine gute Nachricht zu überbringen hatte.

Mit steinernem Gesicht hörte Nudelli zu, wie Figaro ihm die ganze Geschichte auseinandersetzte. Dann spannte er seine Wangenhaut mit den Fingern über den Jochbeinen, während er nachdachte. Schließlich sagte er:

«Und was ist das Zuckerchen, mit dem Sie mir diesen Haufen Scheiße versüßen wollen, Jimmy?»

«Nur eine Kleinigkeit», sagte Figaro lächelnd und rutschte aufgeregt auf die vorderste Kante des Ledersofas. Das war der Moment, auf den er sich die ganze Zeit gefreut hatte. «Das Berufungsgericht hat das Urteil der ersten Instanz bestätigt, das die Einwendungen gegen die öffentlichen Zuschüsse für unser neues Hotel abschmettert. Das heißt, es ist legal, daß die Stadt die Gegend als Sanierungsgebiet ausgewiesen hat, um das Projekt mitzufinanzieren.»

«Das ist eine gute Nachricht, Jimmy.»

«Nicht wahr?» Figaro lächelte. Das hatte er gut gedeichselt, dachte er.

«Wann können die Baufirmen loslegen?» fragte ihn Nudelli.

«Sobald Sie die Anzahlung geleistet haben, Tony.»

Nudelli schwieg.

«Das ist doch kein Problem, oder? Fünfundzwanzig Millionen Cash. Ist schon ein ganzer Haufen Kohle. Aber ohne das –»

«Das Geld ist unterwegs. Muß jeden Tag dasein. Sobald Al wieder zurück ist. Nur keine Sorge. Also, was glauben Sie, wann wir das Hotel eröffnen können?»

«Anfang 98.»

«Darauf sollten wir ja wohl eine Flasche Schampus köpfen.» Nudelli drückte den Knopf auf seinem Bibliotheksschreibtisch, um Miggy, den Butler, herbeizubeordern. «Ich kann Ihnen gar nicht sagen, wie mich das freut, Jimmy.»

«Da bin ich sehr froh. Und erleichtert. Ich hatte, offen gestanden, ein bißchen Sorge, wie Sie diese andere Sache aufnehmen würden. Das mit Dave Delano.»

«Ich weiß Ihre Anteilnahme zu schätzen, Jimmy. Jetzt verstehen Sie mich vielleicht ein bißchen besser, was? Ich hatte doch gleich den richtigen Riecher, was den Jungen angeht, erinnern Sie sich?» Er zielte mit dem ausgestreckten Zeigefinger auf Figaro. «Und Sie haben mich für paranoid gehalten.»

Jimmy Figaro wollte das heftigst verneinen, doch in diesem Punkt duldete Nudelli keinen Widerspruch.

«Reden Sie sich nicht raus.» Aber Nudelli lachte dabei und drohte Figaro noch immer scherzhaft mit dem Finger. «Ich hab's an Ihren Augen gesehen. Sie haben es gedacht, auch wenn Sie's nicht gesagt haben. Ich habe einen Instinkt für so was. Vielleicht bin ich deshalb das geworden, was ich jetzt bin. Nicht durch irgendein Collegestudium oder einen reichen Daddy oder eine Ehe mit einer reichen Schickse. Auch was wert. Ich bin da hingekommen, wo ich jetzt bin, indem ich auf meine verflixten Instinkte vertraut habe, verstehen Sie? Als ob ich gewußt hätte, daß dieser Sanierungsscheiß durchkommt.»

Nudelli tippte sich mit dem Finger auf den einen Nasenflügel und dann an die Schläfe. Schmunzelnd sagte er: «Ist ein Urinstinkt. *Basic instinct*, verstehen Sie? So wie Sharon Stones Möse. Blitzt nur mal für eine Sekunde auf, ist aber immer da. Immer einsatzbereit.»

Figaro grinste zurück und sagte mit einem staunenden Kopfschütteln: «Ich muß zugeben, Tony, Sie hatten von Anfang an recht.»

Das war alles, was Nudelli von Jimmy Figaro wollte. Bestätigung.

«Und was soll jetzt passieren?» fragte Figaro. «Mit Delano?»

«Wie meinen Sie das?»

«Ich hatte den Eindruck, daß es da zwischen Ihnen zu irgendeiner Art Abschluß kam.»

Nudelli sah auf die altmodische Standuhr an der Wand seines Arbeitszimmers. Zwanzigtausend Dollar. Original englisch. Ein Acht-Tage-Werk in einem George-II-Walnußgehäuse. So groß wie ein Basketballer. Wie der Stapel Geld, den Al von dem Atlantikunternehmen mitbringen würde.

«Abschluß? Das ist gut.» Tony Nudelli lachte. «Noch ein paar Stunden, und die Sache ist allerdings abgeschlossen.»

## 20

Dave war außer Atem. So ein Marsch über das schmale Laufdeck zum Deckshaus, bei Nacht und hoher See, konnte einen schon schaffen. Mehrmals hatten er und Al stehenbleiben und sich festhalten müssen, bis sich die Wogen etwas gelegt hatten und sie sich wieder bewegen konnten. Normalerweise dauerte dieser Weg fünf Minuten. Diesmal brauchten sie über zwanzig. Und als sie schließlich ihr Ziel erreichten, waren sie beide bis auf die Haut naß. Flüchtig schoß ihm die Frage durch den Kopf: «Was zum Teufel mach ich hier?» Dann fing er sich wieder und ließ die Frage unbeantwortet, um Al nicht zu reizen: Ihnen beiden war klar, was sie sich da vorgenommen hatten, und sie trennten sich schweigend, aus Angst, die Zweifel herauszulassen, die sie jetzt beschlichen. Dave ging in Richtung Funkraum, und Al verschwand nach unten, um sich den Maschinenraum vorzunehmen.

Vor dem Funkraum preßte Dave das Ohr an die Tür und horchte lange und aufmerksam, um sich zu vergewissern, daß die Luft rein war. Wie Raskolnikow, bevor er der Alten den Schädel einschlug. Nicht, daß er vorgehabt hätte, jemanden zu töten. Schon gar nicht Jock. Aber obwohl es schon nach zwölf war, war da drinnen jemand. Er hörte das Geräusch eines laufenden Geräts. Wenn das Jock war, würde der Schotte hoffentlich nicht so dumm sein, sich zu widersetzen. Ein Blick auf seine Breitling sagte Dave, daß er nicht länger warten konnte. Ihr Zeitplan war ziemlich eng. Dafür hatte der Sturm gesorgt. Für Fehler war keine Zeit. Dave hatte nur ein, zwei Minuten, um den Funkraum zu verschließen und dann die Brücke unter Kontrolle zu bringen, ehe Al unten in Aktion trat.

Er öffnete die Tür: Dunkel und ein kleines grünes Licht, wie ein einäugiges Nachttier. Der Funkraum war leer, und er merkte, daß das Geräusch von einem Faxgerät kam, das eine lange Papierschlange auf den Fußboden spie. Er knipste die Taschenlampe an, um zu prüfen, welche Art Information da einging. Vielleicht war sie ja relevant für ihr Rendezvous mit dem Tanker. Aber Dave sah, daß es nur die Mittwochs-Fußballergebnisse aus England waren. Und Arsenal, wer immer das war, hatte wieder verloren. Dave schloß die Tür von außen ab, steckte den Schlüssel in die Tasche seiner Jagdweste, die er über der kugelsicheren Weste trug, und ging weiter zur Brücke.

Die Wache hatte gerade gewechselt. Um Mitternacht war der Dritte Offizier vom Zweiten, Niven, abgelöst worden. Normalerweise war dies die ruhigste Wache, bis vier Uhr morgens. Dann sollte der Erste Offizier Niven ablösen. Doch wegen des Wetters hatten die Wachgänger reichlich damit zu tun, das Kollisionsvermeidungssystem des Schiffs im Auge zu behalten. Das bedeutete unter anderem, mit dem ARPA Abstands- und Peilwinkeldaten auszuwerten, um die Bewegungsrichtung eventuell in der Nähe befindlicher Schiffe zu erhalten. Die *Duke* machte im Moment 105 Umdrehungen. Niven hatte soeben den Rudergänger «Backbord eins» sagen hören und wollte gerade die Computer-Ruderkorrektur um ein Grad bestätigen, als er plötzlich in die schalldämpferbewehrte Mündung von Daves MP guckte. Das rote Licht, das aus dem Laserzielmodul unter dem Lauf kam, besagte, daß es dem Träger der Waffe Ernst war.

Dave hoffte, daß die Männer, die auf dem schwankenden Brückenboden balancierten, trotz seines bummernden Herzschlags hören würden, was er ihnen zu sagen hatte.

«Befehlen Sie langsame Fahrt voraus, oder Sie sind ein toter Mann.»

Niven zögerte keinen Moment, denn ihm war klar, daß nur im Film Leute auf die Idee kamen, die Anweisungen eines Mannes in Frage zu stellen, der eine Schußwaffe im Anschlag hielt. Schnurstracks nahm er das Maschinenraumtelefon ab, gab Daves Order weiter und wartete, daß der Zweite Ingenieur sie bestätigte. Den Hörer noch in der Hand, sagte er: «Langsame Fahrt voraus ist bestätigt.»

«Stellen Sie den Kreiselkompaß auf Selbststeuerung», befahl Dave.

«Ist schon eingestellt. Sie können's ja überprüfen.»

Dave grinste. «Warum sollten Sie lügen?»

Niven schluckte. Dave schwenkte die MP kurz in Richtung Brückenfenster.

«Irgend jemand achtern?»

«Nicht bei dem Wetter.»

Dave nahm den Hörer aus Nivens zitternder Hand und bedeutete dem Ersten Offizier, ein Stück zurückzutreten. Dann sagte er ins Telefon: «Ich will den Mann mit der Waffe sprechen.»

Kurzes Schweigen, dann Als Stimme.

«Maschinenraum unter Kontrolle.»

«Brücke auch unter Kontrolle», sagte Dave. «Wir kommen jetzt runter.» Er warf den Hörer zu Niven hinüber, der ihn in seiner Angst nicht richtig zu fassen kriegte und fallen ließ.

«Sorry», sagte Niven, hob den Hörer langsam auf und hängte ihn auf den Wandapparat.

«Ganz ruhig bleiben, dann passiert Ihnen nichts», riet ihm Dave. «Von jetzt an ist das eine reine Frage der Kooperationsbereitschaft. Ein Mangel könnte ziemlich ungesund sein. Ist das klar?»

«Wie Kloßbrühe.»

«Braver Junge», sagte Dave. «Okay, gehen wir runter.»

«Entschuldigung, aber was ist mit dem Ruder?» fragte Niven.

«Wir sind auf Selbststeuerung», sagte Dave. «Der Computer checkt das ARPA.»

«Ja, aber trotzdem. Bei diesem Wetter ist es besser, die Dinge im Auge zu behalten.»

Dave hatte keine Zeit zum Diskutieren. Stumm deutete er mit der Waffe in Richtung Brückennock und Niedergang. Die beiden Männer sahen aufmerksam auf die MP und dann in Daves Gesicht und marschierten zur Brückenhaustür. Ein paar Minuten später traten sie und der Mann, der unten im Maschinenraum gewesen war, fügsam durch die Tür der Werkstatt. Dave sah Al den Zweiten Ingenieur grob mit dem Flintenlauf hineinstoßen und dann die Tür hinter ihm verriegeln.

«Hat er irgendwelche Probleme gemacht?» fragte Dave.

«Er lebt doch noch, oder?» sagte Al finster.

«Tun Sie nicht so verdammt knallhart. Smith und Jones, okay?»

Al zuckte die Achseln, und in diesem Moment bemerkte Dave, daß an einem der Goldkettchen um seinen Hals ein

Kruzifix hing. Al trug immer eine Menge goldenes Zeug, aber das war das erste Mal, daß Dave ein Kruzifix an ihm sah. Er ergriff es mit seiner halbbehandschuhten Hand und sagte: «Was ist das?»

«Wonach sieht's denn aus, Blödmann?»

Al ruckte das Kruzifix los und stopfte es hinter den harten Brustschild seiner kugelsicheren Weste.

«Glauben Sie wirklich, Gott beschützt Sie, wenn Sie hier mit einer Schrotflinte zugange sind?» sagte Dave lachend.

«Wer sind Sie? Billy Graham oder wer? Was zum Henker geht's Sie an, was ich glaube?»

«Ich denke nur, ein Mann sollte sich auf sich selbst verlassen und auf sonst gar nichts. Mir gefällt die Idee nicht, daß es so was wie Beistand von oben gibt. Macht die Leute unvorsichtig. Der einzige, der hier Ihren Arsch beschützt, bin ich, Al. Nicht Gott. Denken Sie dran.»

«Kümmern Sie sich um Ihren eigenen Scheiß und überlassen Sie mir meinen. Ich kann mit den kleinen Widersprüchen meiner psychischen Konstruktion durchaus umgehen. Ich seh den Ungereimtheiten des Seins gelassen ins Auge. Verstehen Sie, was ich meine? Dann halten Sie sich gefälligst aus meinen Gewissensangelegenheiten raus und lassen Sie uns die anderen Kerle in den Arsch treten.»

Nachdem sie drei Männer eingesperrt hatten, blieben noch vierzehn aus dem Weg zu schaffen. Die Offiziers- und Mannschaftskabinen waren alle auf demselben Deck. Die meisten Männer schliefen. Ein paar waren betrunken. In beiden Fällen widersetzten sie sich nicht. Mit Ausnahme von Jellicoe. Er war der letzte, der mit vorgehaltener Waffe unsanft aus seiner Koje geholt wurde. Seine Männer so kleinlaut unter Daves bewaffneter Kuratel auf dem Gang stehen zu sehen schien in ihm etwas von der stolzen Widerstandstradition seines Volkes wachzurufen.

«Sie wissen ja wohl, was das ist, nicht wahr?» sagte er steif.
«Maul halten.»

«Das ist gottverdammte Piraterie», insistierte Jellicoe. «Verletzung des Völkerrechts, das ist es. Ich warne euch, ihr Scheißkerle, außerhalb der normalen Hoheitsgebiete bin ich hier das Gesetz. Und ich verspreche euch, damit kommt ihr nicht durch. Ungeachtet eurer Nationalität und eures Wohnorts werde ich euch verfolgen, festnehmen, vor Gericht stellen und bestrafen, wie es mir nach internationalem –»

Al rammte Jellicoe den abgesägten Lauf seiner Flinte unter die Nase, betätigte den Spannschieber und brachte den Kapitän mit sofortiger Wirkung zum Schweigen. Dann sah er mit höchst gereizter Miene Dave an, als wäre der schuld, und sagte: «Okay, nichts gegen diesen Smith-und-Jones-Scheiß. Aber wenn der hier noch weiter einen auf Admiral Halsey macht, jage ich ihm eine Ladung Schrot in jedes von seinen verdammten Nasenlöchern.»

«Tun Sie, was der Kerl sagt, Sir», sagte einer von Jellicoes Männern. «Um Himmels willen. Sonst bringt er uns alle um.»

Al wandte seinen finsteren Blick wieder Jellicoe zu und sagte: «Hast du gehört, du Scheißschwuchtel? Ist ein guter Rat. Noch ein Pieps, und du machst da unten Jagd auf Roter Oktober, so wahr mir Gott helfe. Kapiert?»

Bevor er die Tür des Werkstattraums verriegelte, nahm Dave Jock beiseite.

«Tut mir leid, Jock. Schauen Sie, da auf dem Boden liegt Werkzeug und so was, damit können Sie sich befreien. Aber ich würde nicht vor sechs damit anfangen. Es macht Al bestimmt nervös, wenn er Sie hier rumhämmern hört, und wenn er nervös ist, zuckt sein Abzugfinger. Verstehen Sie? Das Schiff ist auf Selbststeuerung und macht langsame Fahrt voraus, von daher also kein Grund zur Sorge. Noch eins. Auf der *Carrera* werden Sie ein paar Leute in Handschellen finden. Die Schlüssel zu den Handschellen und der Schlüssel zum Funkraum sind in dem Safe auf meinem Boot. Er hat eine vierstellige Kombination. Die erste Zahl habe ich schon eingestellt. Sie brauchen sich also nur durch die restlichen neunhundertneunundneunzig Möglichkeiten zu arbeiten. Dauert nur ein paar Stunden. Hab's selbst ausprobiert. Alles klar?»

«Aye, Sir, ich glaub schon.» Jock runzelte die Stirn. «Was soll das Ganze überhaupt?»

«Wie Sie schon sagten, Jock. Jeder guckt, wie er durchkommt.»

Das Deckshaus zu räumen und die Crew einzusperren war der leichteste Teil des Plans gewesen. Im Dunkeln von einer Yacht zur anderen zu klettern und Eigner und Crewmitglieder von ihren Booten zu holen und die Deckwand entlang zu bugsieren war von Anfang an schwieriger erschienen. Jetzt, bei hoher See, schien es völlig unmöglich. Wie Dave und Al auf ihrer Wanderung zum Deckshaus gemerkt hatten, war das Risiko, daß jemand über Bord ging und ertrank, nur zu groß. Aber Dave war ja flexibel, was die Vorgehensweise anging, und diese FBI-Marken und -Ausweise, über die er da zufällig gestolpert war, hatten ihn auf eine Idee gebracht, wie sich Mühe und kostbare Zeit sparen ließen. Sobald Offiziere und Besatzung sicher hinter Schloß und Riegel waren, erläuterte Dave seinem Partner die kleine Planänderung.

«Al», sagte er ruhig. «Ich habe ein Geschenk für Sie. Aber ich will nicht, daß Sie erschrecken, wenn Sie's sehen, okay? Normalerweise würden Sie nämlich so reagieren. Unter normalen Umständen würde Ihnen sehr unbehaglich werden, sobald Sie nur einen Blick drauf werfen würden. Und ich könnt's Ihnen weiß Gott nicht verdenken. Aber in kreativen

Dingen, ich meine, wenn das Ergebnis wirklich was taugen soll, ist immer ein gewisses Maß an Improvisation im Spiel. Wie bei gutem Jazz, verstehen Sie? Oder bei Jimmy Hendrix?»

«Improvisation?» Al sah ihn mit tief zerfurchter Stirn an. «Was zum Henker ist das hier? Was quatschen Sie da von Improvisation? Seh ich vielleicht aus wie der olle Lee Strasberg oder wer? Das hier ist ein Raubüberfall, kein gottverdammtes Vorsprechen.»

Sie standen auf der leeren Brücke und starrten auf die vagen Konturen der gefangenen kleinen Yachtenflotte hinab. Bis auf den Schein der beiden Hecklichter war alles dunkel. Dave nickte und sagte:

«Das ist gut. Lee Strasberg ist ein gutes Beispiel. Viel besser als Jimmy Hendrix, weil es hier nämlich um Schauspielerei geht. Wollten Sie jemals Schauspieler werden, Al?»

«Ich hasse Scheißschauspieler.»

«Auch das ist gut. Bleiben Sie dabei. Am besten können Sie Ihre Verachtung für Schauspieler doch dadurch äußern, daß Sie demonstrieren, wie leicht die Schauspielerei ist.»

«Kommen Sie auf den Punkt, Mann.»

«Okay, das hier ist Ihre Rolle.» Dave klappte Kent Bowens FBI-Ausweishülle auf und streckte sie Al hin. Er hoffte, daß Al in dem Schummerlicht der Brücke Bowens auf dem Foto nicht erkennen würde. «Sie heißen Kent Bowen und sind Assistant Special Agent in Charge beim FBI.»

Al musterte den Ausweis. «Wo zum Teufel haben Sie das Ding her?»

«Ist doch im Moment egal. Dieser Ausweis und der andere, den ich in der Tasche habe, werden uns beiden eine Menge Beinarbeit ersparen.» Er sah auf die Uhr. «Gefährliche und zeitaufwendige Beinarbeit», setzte er hinzu. «Schauen Sie mal da runter auf diese Boote und denken Sie drüber nach.

Verdammt viele Boote, um da überall rumzukraxeln, im Stockfinstern und bei diesem Wetter, oder? Das FBI-Ding ist einfach nur ein Mittel, um diese Phase der Operation zu beschleunigen. Verstehen Sie?»

Weniger Mühe für denselben Lohn war Al immer recht. «Ich schätze schon.»

Dave nahm Al die Dienstausweishülle aus der Hand und steckte ihm die eine Hälfte so unter den Schultergurt der Weste, daß die Marke auf seiner Brust baumelte.

«Wunderbar», sagte er. «Sie sehen aus wie Al Pacino. Also, die Sache läuft so. Wir beide gehen auf diese Boote und geben uns als Feds aus. Wir sagen den Leuten, daß wir ein bestimmtes Boot auf diesem Transport observiert haben, weil es Drogen schmuggelt. Aber jetzt müssen wir zuschlagen und die Burschen festnehmen, bevor sie den Stoff auf ein anderes Schiff umladen. Deshalb ersuchen wir alle, in ihren Kabinen zu bleiben, falls irgendwelche Schüsse fallen, und sich ganz still zu verhalten. Meinen Sie, Sie kriegen das hin?»

Al sah auf die Marke, die auf seiner Brust hing. Er sagte kopfschüttelnd: «Heiliger Strohsack, ist das ein verrücktes Gefühl. Klar krieg ich das hin. Schauspielerei. Ist doch nichts dabei. Wenn Arnie Schwarzenegger das kann, kann's doch jeder. Ich bin Jack Webb, kein Problem. Als Kind hab ich immer *Polizeibericht* gesehen.»

«So gefallen Sie mir», sagte Dave.

«Wer soll ich noch mal sein?» fragte Al, und ehe Dave sich einschalten konnte, hatte er den Ausweis aus seiner Weste gezogen und studierte ihn. «Ich muß mich in die Rolle einfühlen.»

«Sie heißen Kent Bowen», sagte Dave, um Al abzulenken, denn er wußte nicht recht, wie Al reagieren würde, wenn er spitzkriegte, daß drei echte Feds auf der *Duke* waren. «Und Sie sind, wie die Feds das nennen, ein ASAC.»

«Ein Saftsack wohl eher», knurrte Al. «Hey, der Lappen ist echt nicht schlecht. Mit dem Ding hier könnte ich –»

«Ja, schon gut, Al, gehen wir.»

«Moment mal», sagte Al stirnrunzelnd. «Warten Sie mal eine verflixte Sekunde. Den Kerl da kenne ich doch. Das ist doch der Typ auf dem Boot von dem Mädel. Dem Mädel, das Sie –»

«Al, jetzt ist wirklich keine Zeit für Erklärungen.»

«Das ist er doch, oder? Daher kenne ich diese Visage doch. Das hier ist Coca-Cola, Mann. *The Real Thing.*»

«Das spielt doch jetzt keine Rolle.»

«Von wegen. Zeigen Sie mal Ihren Lappen.»

«Diese Dinger hier werden uns die Sache wirklich erleichtern, Al. Sie müssen nur mitspielen.»

«Her damit, Blödmann.»

Dave merkte, daß jede weitere Diskussion sinnlos war. Er gab Al Kates Ausweis und sah den Hünen entsetzt zusammenzucken.

«Grundgütiger, sie ist auch ein Fed. Sie haben eine FBI-Agentin gebumst, Mann. Ich faß es nicht. Was zum Henker haben Sie sich dabei gedacht? War Ihnen dabei nicht mulmig oder was?»

«Ich wußte nicht, daß sie ein Fed ist, als ich sie gebumst habe», log Dave. «Ich habe in ihrer Wäscheschublade rumgeschnüffelt, und da habe ich ihren Ausweis gefunden.»

«Und der andere Typ? Der Lange mit der Brille? Ist der auch ein Fed?»

«Nein, der ist von der Coast Guard.»

«Haben Sie den auch gefickt? Oder stehen Sie nur auf Feds?» Al schüttelte verblüfft den Kopf. «Heiliger Strohsack. Ich faß es nicht. Macht Ihnen das keinen Schiß? Also ich, ich möcht mich nur an Mamis Titten verkriechen.»

«Beruhigen Sie sich, okay? Ist alles in bester Ordnung. Sie

tun uns nichts, glauben Sie mir. Erstens mal sind sie undercover hier, um Jellicoe zu observieren. Sie haben den Verdacht, daß er Drogen oder Waffen oder so was schmuggelt. Mit uns hat das nichts zu tun. Gar nichts. Verstehen Sie? Und zweitens habe ich mir, als ich ihre Ausweise geklaut habe, auch gleich ihre Kanonen geschnappt und sie sicherheitshalber über Bord geworfen.»

Dave dachte, daß diese Jellicoe-Story für Als Seelenfrieden besser war als die wahrheitsgemäße Auskunft, daß er keine Ahnung hatte, wen die Feds warum beobachteten, daß es aber mit Sicherheit nicht um sie ging.

«Sie hatten Kanonen?»

«Klar hatten sie Kanonen. Sie sind vom FBI, nicht von der verflixten *Baywatch*.»

«Gefällt mir trotzdem nicht.»

«Muß Ihnen ja auch nicht gefallen, Al. Das einzige, was ich von Ihnen verlange, ist, daß Sie verdammt noch mal Ihre Rolle spielen.»

«Und sie? Die Feds. Was soll mit denen passieren?» Al warf ihm Kates Ausweis zu.

«Keine Panik. Ich kümmere mich um sie.»

«Romantischer Abschied, was?»

«So in der Art.»

«Eins muß ich Ihnen lassen, Mann. Eine FBI-Agentin bumsen. Das könnt sich jeder als Trophäe an den Bettpfosten hängen. Aber jemand wie Sie. Ein Exknacki, direkt aus dem Bundesgefängnis. Wenn ich das Tony erzähle. Er wird's nicht glauben. Sie, Dave Delano. Mister *Sang Freud*. Das ist französisch», erläuterte er. «Heißt, Sie haben die Ruhe weg. Als ob Sie Flüssigeis in den Adern hätten.»


Kate lag auf dem leise schaukelnden Bett in ihrer Kabine und konnte nicht richtig schlafen. Fotodrucke vager Gedanken stapelten sich in ihrem Kopf, aber sie konnte sich auf keinen davon konzentrieren. Was sollte sie tun? Sie konnte Dave ja wohl kaum für den Rest der Reise aus dem Weg gehen. Angenommen, er hatte tatsächlich mit dem organisierten Verbrechen zu tun. War das schlimmer oder weniger schlimm, als wenn er ein Juwelendieb wäre? War da an dem, was er gesagt hatte, irgendwas, was sie glauben konnte? Ja. Daß er sie liebte. Daß er sie sogar heiraten wollte. Soviel glaubte sie. Und nicht nur, weil sie es glauben wollte, sondern weil sie einfach wußte, daß es wahr war. Und wenn dem so war und sie ihm gegenüber genauso fühlte, war das nicht das einzige, was wirklich zählte? Was wogen ihre Arbeit beim FBI und ihr Leben in Florida gegen diese Gefühle? Und hatte sie sich nicht die ganze Zeit so etwas gewünscht? Etwas Außergewöhnliches? Was machte es da schon, daß sie ihn gar nicht kannte? Wie Dave sagte: Es passierte jeden Tag, daß sich Leute, die sich gar nicht kannten, ineinander verliebten und daß sie heirateten. Waren diese Ehen schlechter als andere? Howards und ihre zum Beispiel. Sie hatten sich drei Jahre gekannt, bevor sie geheiratet hatten. Und was war daraus geworden …

Es war weniger ein Aufschrecken aus dem Schlaf. Eher ein Zurückgeholtwerden in die Realität. Als ob da etwas gewesen wäre: etwas anderes als der Sturm, der immer noch an das Bullauge peitschte. Als ob jemand in ihrer Kabine wäre. Kate rollte sich zur Lampe hinüber, doch bevor sie den Schalter erreichen konnte, preßte sich eine Hand fest auf ihren Mund.

«Ich bin's, Dave.» Im nächsten Moment nahm er die Hand weg und preßte seinen Mund an deren Stelle.

Ein, zwei Minuten lang überließ sie sich seinem Kuß und schob alle Gedanken weg. Er war jetzt bei ihr, und das war doch alles, was zählte. Sie schlang die Arme um ihn und versuchte, ihn auf sich herabzuziehen, weil sie wollte, daß er mit ihr schlief, egal, was sie inzwischen über ihn wußte. Sie flüsterte: «Mein Gott, Dave, du bist ja ganz naß. Ist irgendwas mit dem Schiff?»

«Nein.»

«Trotzdem schön, daß du da bist.»

«Kate, ich muß mit dir reden.»

«Ich bin dir aus dem Weg gegangen, tut mir leid. Ich war wohl einfach total von den Socken. Wußte nicht, wie ich reagieren sollte ... Was hast du denn da an? Warte, laß mich mal Licht machen.»

Aber Dave hielt sie fest. Sie spürte, daß er kein Licht wollte, und langsam dämmerte ihr, daß da irgendwas nicht stimmte.

Er sagte: «Du sollst wissen, daß ich das alles ernst gemeint habe. Daß ich dich liebe. Und daß ich dich heiraten will.»

«Ich weiß ja. Ich weiß.»

«Und?»

«Können wir nicht nach der Liebe drüber reden?»

Er seufzte und wich ein Stück zurück.

«Ich würde ja gern, ehrlich. Aber verstehst du, ich gehe von Bord. Heute nacht.»

«Von Bord? Dave, wovon redest du? Was ist denn los?»

«Hör gut zu. Da sind zwei Dinge.»

Kate griff zum Lichtschalter und knipste die Lampe an. Mit einem Blick registrierte sie die kugelsichere Weste, die 45er Automatik, die MP, das Nachtsichtgerät und das Walkietalkie. Er sah aus wie ein Navy-Kommando. Wenn nicht Schlimmeres.

«Großer Gott.»

Dave sagte mit einem entschuldigenden Achselzucken: «Tja, das ist das eine.»

«Was zum Teufel geht hier vor?»

Dave wollte antworten, aber sie kam ihm zuvor. Schmallippig sagte sie: «Nein, sag nichts. Ich schätze, ich kann es mir denken. Das ist ein Überfall, stimmt's?»

Dave sagte: «Bist du sicher, daß du nicht doch mit mir kommen willst?»

Kate lachte verächtlich. Aber die Verachtung galt nicht ihm. Sie galt ihr selbst. Sie hatte sich getäuscht, in diesem Mann, dem Mann, den sie liebte, und ausgerechnet Kent Bowen hatte recht behalten. Das würde er sie nie vergessen lassen, dieser Armleuchter. Sie hörte sich sagen: «Ich soll mich mit einem Drogen-Highjacker aus dem Staub machen? Wohl kaum.»

«Schade», sagte Dave. Also hatte er recht gehabt: Irgendwo auf diesem Schiff waren Drogen. Und sie glaubte, die wolle er klauen. «Weil ich jedes Wort ernst gemeint habe.»

«Ja, das sagtest du schon.» Sie lächelte bitter. «Du hast einen Haufen Zeug gesagt, der jetzt nichts mehr bedeutet. Und ich? Ich bin voll auf dieses Millionärsgetue reingefallen. Und dann dieser Scheiß mit dem Edeljuwelendieb. Du hast mich an deinen Fäden tanzen lassen, und wie.»

«Okay, ich bin ein Lügner», gab Dave zu. «Jeder auf dieser Welt gibt sich doch für was aus, was er nicht ist.» Er hielt inne, in der Hoffnung, daß sie etwas über ihre eigene Schwindelei herauslassen würde.

Sie sagte: «Ein Lügner? Weiter nichts? Mach dir nichts vor, Dave. Falls das dein richtiger Name ist. Du bist nichts als ein mieser kleiner rückfälliger Knacki aus Homestead.» Kate lächelte über Daves verdutztes Gesicht. «Ja, ich weiß Bescheid.»

Dave versuchte dahinterzukommen, wie sie herausgekriegt haben konnte, daß er ein Exsträfling war. Sie wußte zwar nicht genau, wie er wirklich hieß, brachte ihn aber irgendwie mit Homestead in Verbindung.

«Du solltest besser aufpassen, wessen Bücher du klaust.»

Das war es also. Da mußte etwas in einem seiner Bücher

gewesen sein. Eine Kennzeichnung oder so was. Er hätte vorsichtiger sein müssen. Dave begriff, daß er sie unterschätzt hatte.

«Du glaubst vermutlich, du hast alles genau ausgeklügelt.» Kate glitt langsam aus dem Bett. «Na ja, ich werd dir kein Glück wünschen. Jemand wie du überläßt sowieso nichts dem Glück. Du willst auf Nummer Sicher gehen. Aber da ist was, was ich dir geben möchte, als Souvenir. Damit du an mich denkst. Wenn du wieder sitzt.»

Dave sah sie ganz cool die Überdecke anheben und bewunderte ihre Haltung. Hier war er, bis an die Zähne bewaffnet, und sie, nur im Pyjama, versuchte es trotzdem, unbeeindruckt, glaubte ihn immer noch drankriegen zu können. Wollte sich nicht geschlagen geben. Kein Zweifel, er hatte wirklich einen guten Griff getan. Kate Furey war eine Wahnsinnsfrau.

Sie zog langsam die Bettlade heraus und sagte: «Ein kleines Andenken an unsere Liebe. Damit du weißt, was dir verlorengegangen ist, als du dir meine Achtung verscherzt hast, Dave.»

Kate griff lächelnd in die Schublade, ganz nach hinten, dorthin, wo sie ihren Dienstausweis und die 38er Ladysmith versteckt hatte. Wie er da saß, breitbeinig, mit verschränkten Armen und einem leisen Grinsen, als hätte er die Beute schon im Sack. Das letzte, womit er rechnete, war eine im Umgang mit Schußwaffen trainierte FBI-Agentin, die aus der Bettlade auftauchte und mit einer Pistole auf seine Eier zielte.

Dave sah, wie ihre Sucherei hektischer wurde und das verschlagene kleine Lächeln von ihrem Gesicht verschwand. «Sieht aus, als wär dir selbst was verlorengegangen», sagte er. Er zog ihre Ausweishülle aus der Tasche seiner Jagdweste und klappte sie lässig auf. «Suchen Sie vielleicht das hier, Agent Furey?»

Kate hechtete nach ihrer Ausweishülle.

«Mm-mm», sagte er und steckte sie wieder in die Tasche. «Das hier und die Pistole, die dabeilag. Was hättest du gemacht, wenn du sie gefunden hättest? Hättest du mich wirklich erschossen?»

Kate setzte sich hin und verschränkte gelassen die Arme. «Das werden wir wohl nie wissen, oder?»

«Agent Furey. Gefällt mir. Paßt besser zu dir als Parmenter. Agent Furey klingt wie was, was die Army in Vietnam benutzt hat. Ein Entlaubungsmittel vielleicht. Also, mich hast du jedenfalls so gründlich durchgeschüttelt, daß meine Blätter alle abgefallen sind. Sie liegen in der ganzen Gegend verstreut.»

«Parmenter ist mein Ehename.»

«Stimmt der Teil? Das mit der Scheidung?»

«Ja.»

«Ist er auch beim FBI?»

«Nein, er ist Anwalt.»

Dave nickte.

«Wann bist du dahintergekommen?» fragte sie.

«Oh, dasselbe könnte ich dich auch fragen. Aber ich fürchte, wir haben jetzt keine Zeit mehr.» Dave griff in seine Weste und warf ihr ein Paar Handschellen hin. «Nur um ein Handgelenk, wenn's recht ist.»

«Und wenn ich mich weigere? Glaubst du, du bringst es fertig, mich zu erschießen?»

«Nein. Ich könnte nicht mal eine Waffe auf den Inhalt deines Kleiderschranks richten. Aber ich möchte wetten, daß es mir gar nichts ausmachen würde, deinem Boß, diesem Bowen, ordentlich eins auf die Nuß zu geben.»

«Da sind wir schon zwei.»

«Und Al – na ja, Al ist zu allem fähig, wenn's um einen Fed geht.»

«Dachte ich mir schon.» Kate ließ die eine Handschelle um

ihr Handgelenk zuschnappen. Sowenig sie Bowen mochte, würde sie es doch nicht ertragen können, wenn sie ihm etwas antäten.

«Falls es dich interessiert, Bowen und dieser andere Bursche sind in ihren Luxuskabinen sicher angekettet.»

Kate hob den Arm mit der Handschelle. «Kannst du mir passende Ohrringe dazu besorgen?»

Dave zeigte zum Bad. «Da rein, bitte.»

Sie stand auf und ging durch die Tür. Er befahl ihr, sich auf den Boden zu setzen und das Schränkchen unterm Waschbekken aufzumachen, wo das Tonband versteckt war.

«Nette Stereoanlage», sagte Dave. «Ach, übrigens, hinter wem wart ihr eigentlich her?»

«Was? Erwartest du vielleicht, daß ich dir sage, wo das Dope steckt?» Kate ging davon aus, daß das nur Frotzelei war. Ein weiterer Versuch, sie aufzuziehen. «Hinter dir. Wir waren hinter dir und deinem Freund Al her.»

Er sagte: «Nein, wart ihr nicht. Ich habe das Band da schon abgehört.»

«Warum fragst du mich dann?»

«Du hast recht. Ist ja auch egal. Jetzt streck mal den Arm hinter dem Abflußrohr durch und schließ das andere Handgelenk fest.»

Als sie das getan hatte, klimperte er mit den Schlüsseln und sagte: «Die hier lege ich in meinen Safe. Du weißt ja bestimmt, wo der ist. Ich schätze, du hast ihn schon zu öffnen versucht, als du meine Kabine durchsucht hast. Der Schlüssel zum Funkraum ist auch dort drin. Es ist eine vierstellige Kombination. Die erste Zahl ist schon eingestellt. Es dauert etwa zwei Stunden, die restlichen neunhundertneunundneunzig Möglichkeiten durchzuprobieren. Die gesamte Schiffsbesatzung ist in der Werkstatt eingesperrt, aber in zwei, drei Stunden dürften sie sich befreit haben. Ich habe ihnen gesagt, daß ihr hier seid, also braucht ihr wohl nicht allzu lange auszuharren. Wir sind bis dahin natürlich weg.»

Er holte eine Rolle Klebepflaster heraus. Nur für den Fall, daß sie loszuschreien gedachte. Damit sie die Männer auf den Rußkibooten nicht alarmierte.

«Tut mir leid, daß ich das tun muß», sagte er. «Echt. Du hast den hübschesten Mund –»

«Spar dir das fürs Gericht, du Arsch.»

«Kann ich dir vorher noch was bringen? Ein Glas Wasser vielleicht?»

«Wie wär's mit einem Glas Wasser und einem Abschiedskuß?»

«Kein Problem.» Dave holte ihr unter weiteren Entschuldigungen ein Glas Leitungswasser und setzte es ihr an den Mund. Sie trank das meiste, doch als er sich zu ihr beugte, um sie zu küssen, spritzte sie ihm einen Wasserstrahl ins Gesicht.

Lachend sagte sie: «So, da hast du deinen Kuß. Einen dikken, feuchten, den du nie vergessen wirst.»

Dave nahm ein Handtuch und trocknete sich das Gesicht ab. Er versuchte zu lächeln und sagte: «Im nächsten Leben solltest du's als Springbrunnen versuchen.»

«Du solltest mir danken. Vielleicht wirst du dich nie mehr so sauber fühlen.»

Als er ihr den Mund verklebt hatte, fragte er sie, ob sie genug Luft bekomme. Sie nickte mürrisch.

«Willst du's dir wirklich nicht noch mal überlegen und doch mit mir kommen? Wir könnten es uns zusammen schön machen.»

Sie schüttelte den Kopf.

«Okay, falls du je deine Meinung ändern solltest …»

Kate drehte den Kopf weg.

«Dann halt ein Auge auf die Dienstagsausgabe des *Miami Herald*. Kleinanzeigenteil. Rubrik Verloren / Gefunden. Guck nach folgender Annonce: Auf See abhanden gekommen. Sibirischer Husky. Hört auf den Namen Rodya. Außerdem wird da stehen: keine Belohnung, nur damit nicht irgendwelche Arschlöcher anrufen. Unter der Nummer meldet sich ein Telefondienst. Dort kannst du eine Nachricht hinterlassen. Falls du möchtest.» Dave hielt inne und tat einen langen Seufzer. «Was ich sehr hoffe.»

Kate guckte immer noch in die andere Richtung. Gleich darauf hörte sie die Tür hinter ihm zufallen.

«Wo sind Sie denn abgeblieben?» knurrte Al. «Hat Sie plötzlich der Drang überkommen, diese Fed-Biene noch mal zu bumsen? Um der alten Zeiten willen?»

«Sie würden's doch nicht verstehen», beschied ihn Dave. «Es war viel poetischer als ein banaler Fick.»

Al lachte. «Nichts ist poetischer als ein banaler Fick, Klugscheißer. Außer vielleicht ein analer. Diese ganzen Bücher dort im Gefängnis haben Ihren Schwanz wohl in Wackelpeter verwandelt.» Al wischte sich die schweißnasse Stirn mit einem Geschirrhandtuch, das er auf einem der Boote hatte mitgehen lassen. «In einem hatten Sie allerdings recht.»

«Das hört man gern.»

«Dieses FBI-Ding zieht besser als eine Kanone. Man sagt den Leuten einfach, was sie tun sollen, schnippt einmal mit den Fingern wie die olle Mary Poppins, und schon tun sie's. Ist echt besser als eine Knarre. Und keiner stellt irgendwelche Fragen.»

Dave sagte: «Was habe ich Ihnen gesagt? Alias Smith & Jones. Man braucht nicht zu schießen, wenn man diese Marke da auf der Brust trägt.»

«Sagen Sie das David Koresh. Eins muß ich allerdings sagen. Man entdeckt allen möglichen Scheiß, wenn man einfach so unangemeldet bei den Leuten reinspaziert. Dieses Weibsbild von der *Jade* zum Beispiel? Rachel Dana?»

«Was ist mit ihr?»

«Lag grade mit einem von den Mädels aus ihrer Crew im Bett. Beide nackt wie am ersten Tag. Ich hab echt nicht gewußt, ob ich meinen Schwanz zücken soll oder meine Marke. Lesben, alle zwei. Ich schwör's, sie hingen beide am selben verdammten Dildo. Wie an einer lebenserhaltenden Maschine.»

Sie standen am Backbord-Heckschornstein der *Duke* und schauten zum Bug des Schiffs zurück. Al schmiß das Handtuch angewidert in die brodelnde See und zündete sich eine Zigarre an.

«Hatte ich ganz vergessen – Ihre Homophobie», sagte Dave. Achselzuckend setzte er hinzu: «Hey, jedem Tierchen sein Pläsierchen.»

«Das hat nichts mit Homophobie zu tun», insistierte Al. «Ich kann nur diesen Dildoscheiß nicht verstehen. Ich meine, wenn eine lesbisch ist, steht sie doch auf Mösen, oder? Wenn sie ein Zwanzig-Zentimeter-Ding in sich drin haben will, kann sie doch auch gleich das Original nehmen, oder nicht? Statt so einen Plastikschwanz, der aussieht wie aus dem Spielzeuggeschäft. Ich meine, können Sie mir das erklären?»

«Bin ich der Fernsehpsychologe?» sagte Dave. «Was haben sie gesagt, als Sie sie gestört haben?»

«Sie waren ganz schön sauer. Aber ich hab ihnen gesagt, mir sei's egal, was und womit sie's treiben. Von mir aus könnten sie eine tote Katze ficken. Mir egal, solange sie auf ihrem Boot bleiben würden. Außer, sie wollten, daß ihnen jemand die Birne wegpustet.»

«Sehr schlau», sagte Dave. «Okay, wie viele Boote haben wir noch abzuklappern?»

«Außer unseren drei Rußkibooten? Nur noch das eine.» Al zeigte auf die *Britannia*. «Das da. Unser Leckt-uns-alle-am-Arsch-Boot.»

«Gut gemacht. Sie waren echt schnell.»

«Wie gesagt, mit dieser FBI-Masche läuft es wie geschmiert.»

«Gönnen Sie sich eine Verschnaufpause. Die *Britannia* übernehme ich.»

«Bitte, bedienen Sie sich. Hey, wußten Sie schon, daß Calgary Stanford hier auf diesem Schiff ist? Der Schauspieler? Ich hab ihn dabei erwischt, wie er sich grade ein Pfeifchen reinziehen wollte. Mieser kleiner Kiffer.»

«Gott schuf alles mögliche Gewürm und Getier, Al. Steht doch jedenfalls in der Bibel, oder?» Dave stieg die Treppe zum Heck der *Britannia* hinunter.

«Woher zum Teufel soll ich das wissen?»

«Na ja, Sie sind doch hier der Katholik, oder nicht?»

«Wissen Sie denn nicht? Die katholische Kirche sieht's gar nicht gern, daß Leute die Bibel lesen. Früher haben sie einen dafür abgemurkst.»


Im Mondschein wirkte die See wie etwas Lebendiges, wie die Schuppenhaut eines riesigen Reptils. Des Ungeheuers vielleicht, als das Dave sich fühlte. Er hatte gedacht, er hätte Kate eine Wahl gelassen – mit ihm zu kommen oder auf dem Boot zu bleiben. Aber in Wahrheit hatte sie gar keine Wahl gehabt. Und sie wäre nicht die Frau, die er liebte, wenn sie bereit gewesen wäre, mit ihm zu kommen. Das war ihm klar, und er konnte sich darum nicht besser leiden.

Als Dave das Deck der *Britannia* betrat, wußte er immer noch nichts von der besonderen Fracht, die in deren vergrößerten Treibstofftanks lagerte. Er war nur darauf programmiert, die Personen an Bord mit seinen Top-Referenzen zu beeindrucken. Über all den Dingen, die Al und ihm noch zu tun blieben, hatte er völlig vergessen, daß die Feds ja irgend jemanden observiert hatten. Er konnte ja nicht ahnen, daß es die Leute auf der *Britannia* nicht so gelassen nehmen würden, vom FBI aus dem Bett geholt zu werden. Sein Herz war noch mit Kate im Bett. Seine Gedanken waren schon auf dem ersten Russenboot, wo er, wie er glaubte, auf den ersten echten Widerstand stoßen würde. Von dem Geld ganz zu schweigen.

Auf der *Britannia* schien alles friedlich, wenn auch der Geschmack des Eigners zu wünschen übrigließ. Als Dave mit seiner starken Stablampe im Salon umherleuchtete, gefiel ihm zwar die Möblierung ganz gut, aber die Bilder an den eichengetäfelten Wänden waren schlimmster Kitsch – die Sorte triviales Zeug, das man ausschließlich im Hinblick auf die Farbkomposition des Raums kaufte. Er ging nach unten. Wenn er erst mal Geld hatte, würde er sich ein paar echte Kunstwerke kaufen. Gemälde. Keine Dekoartikel.

Unter Deck, in den drei hintereinander liegenden Kabinen, war alles ruhig. Dave öffnete die erste Tür und fand dahinter eine Zweibettkabine. Überall lagen Kleidungsstücke herum, aber die Betten waren leer. Er öffnete die zweite Tür und erblickte einen stilvollen Art-déco-Raum, der schon eher nach seinem Geschmack war, ein Doppelbett und darin einen nackten Mann und eine nackte Frau, die verschlafen in den grellen Lichtkegel seiner Stablampe blinzelten. Die Kabine hatte weder Fenster noch Bullauge, also schloß Dave die Tür leise hinter sich und knipste das Licht an.

«Wer zum Teufel sind Sie? Was geht hier vor, verdammt noch mal?» herrschte ihn der Typ an.

«FBI, Sir», sagte Dave und schwenkte Kates Dienstmarke. «Tut mir leid, daß ich einfach so mitten in der Nacht hier hereinplatze. Aber wenn Sie bitte leise sein könnten, erkläre ich Ihnen, was Sache ist.»

Die Frau schlug mit beiden Händen auf das Decklaken und schüttelte grimmig den Kopf.

«Ich glaub's nicht. Ich glaub's einfach nicht. Himmelarsch. Das ist ja wirklich super», sagte sie. «Scheiße. Scheiße. Scheiße.»

Dave sagte: «Beruhigen Sie sich, okay? Schauen Sie, wir sind im Begriff, auf einem der anderen Boote eine Verhaftung vorzunehmen. Ein paar Drogenschmuggler. Aber vorher möchten wir alle Passagiere dringend ersuchen, in ihren Kabinen zu bleiben. Falls Sie Schüsse hören, werfen Sie sich einfach flach auf den Fußboden und bleiben Sie liegen, bis wir Entwarnung geben. Nur sicherheitshalber. Das ist nur eine Vorsichtsmaßnahme. Es besteht garantiert kein Grund zur Beunruhigung.»

«Jesus Maria», sagte Nicky Vallbona.

«Du blödes Schwein», sagte Gay Gilmore und boxte ihn heftig in die Schulter.

«Ich? Was zum Teufel hab ich denn gemacht?»

«Ich hab dir gesagt, sie sind uns auf den Fersen. Schon in Lauderdale. Ich hab gesagt, sie beobachten uns. Aber nein, du wolltest ja nicht hören. Du doch nicht. Du weißt ja immer alles besser. Mister Superprofi-Arschloch.»

«Haben Sie gehört, was ich gesagt habe?» fragte Dave.

«Du konntest ja nicht glauben, daß ich was gesehen habe, was du nicht gesehen hast. Aber wenn du glaubst, ich geh für einen Idioten wie dich in den Knast, hast du dich geschnitten, Nicky. Das werd ich nicht tun. Ich werd ihnen alles sagen. Ich hab noch den ganzen Rest meines Lebens vor mir, und den will ich nicht im Gefängnis verbringen.»

«Würden Sie bitte leise sein?»

«Halten Sie das Maul», fauchte Gay. «Warum sollten wir? Wenn Sie uns verhaften wollen, dann tun Sie's, aber erwarten Sie nicht, daß wir uns drüber freuen, Mann. Oder ist Verhaftetwerden so eine Art Fest? Erklären Sie's mir, Mister Recht und Ordnung. Ich wüßte echt gern, wie ich Ihrer Meinung nach auf diese Scheiße reagieren soll.»

«Verhaften?» sagte Dave stirnrunzelnd. Plötzlich ging ihm ein Licht auf. Das war die Frauenstimme auf Kates Tonband gewesen. Das hier war das Boot mit den Drogen. Kein Wunder, daß seine Gegenwart die beiden so nervös machte. Wenn diese Frau nur mal eine Sekunde die Klappe halten würde, könnte er ihnen die Sache erklären.

«Wir haben uns vorhin ein bißchen Koks reingezogen», erklärte Vallbona. «Sie ist immer noch etwas high.»

«Jetzt nicht mehr, mein Lieber. Jetzt bin ich auf einem verfluchten Downer, wegen dir.»

«Würden Sie jetzt mal still sein?» blaffte Dave. «Halten Sie die Klappe. Nur für eine Minute. Hören Sie, das hier ist keine Razzia. Niemand will Sie festnehmen.»

«Sie haben gesagt, wir sollen uns auf den Boden legen», insistierte Gay.

«Dann tun Sie's, Herrgott noch mal.» Dave deutete mit einer kurzen Bewegung seiner schallgedämpften 45er auf den Fußboden. Er würde den beiden sowieso grob kommen müssen, wenn es ihnen ihr Boot wegzunehmen galt. Warum dann nicht gleich? «Ich hab keine Zeit für diesen Quatsch.»

Plötzlich ging die Tür hinter ihm auf und knallte ihm an den Kopf. Draußen auf dem Gang sagte jemand: «Was zum Teufel geht hier vor?»

Das war die Chance, auf die die beiden im Bett nur gewartet hatten. Sie schnappten sich jeder eine Pistole.

Die schwere Automatik in Daves Hand schien selbsttätig zu reagieren, und mit dem Nachtzielgerät war alles so leicht wie das Fotografieren mit einer idiotensicheren Kamera. Binnen eines Sekundenbruchteils hatte sich die Welt für Dave auf einen roten Kreis mit einem schwarzen Punkt in der Mitte reduziert, und er hatte schon mehrmals gefeuert, ehe die Tür hinter ihm abermals aufflog und ihn auf das blutbespritzte Bett katapultierte.

Dave glitt auf den Fußboden, gefolgt von diesem neuen Angreifer, dessen eine Hand seine Waffenhand ebenso fest umkrallte wie die andere seine Kehle. Dave verpaßte dem Mann einen heftigen Fausthieb unters Kinn, der jedoch keinerlei Wirkung zeitigte, und sie rappelten sich beide hoch, nur um prompt durch die Badtür zu krachen. Für eine Sekunde lockerte sich der Griff um Daves Gurgel, und er roch den Pulverdunst von den Schüssen, die er abgefeuert hatte. Er hätte vielleicht auch diesen Mann erschossen, wenn der Lauf seiner Waffe kürzer gewesen wäre. Sie taumelten über den Wannenrand. Daves Handgelenk verfing sich an der Tür der Duschzelle, und die Waffe landete klappernd unter ihm in der Wanne. Dave holte Schwung, rammte dem Mann seinen Schädel mit Wucht in die Mundgegend und fiel dann wieder gegen die Fliesenwand. Er tastete unter sich nach der Maschinenpistole, aber bis er den Griff erwischt hatte, hatte der Mann schon die Nylonleine aus dem Wäschetrockengestell an der Wand gezerrt und Dave einen Teil davon um den Hals gewickelt. Diesmal war die Würgeumklammerung fester, und Dave trat um sich und zerschmetterte mit seinem Stiefel das Glas der Duschzellentür. Der Kerl strangulierte ihn. Dave ruckte hin und her wie ein Hund an einer kurzen Leine und versuchte, dem Mann seinen Ellbogen in den Bauch zu rammen, aber seine Weste und die Maschinenpistole behinderten ihn. Noch eine Minute, und alles war aus. Noch sechzig Sekunden, und er würde tot sein. Schon jetzt wurde die Welt von den Rändern her dunkel und verschwommen, als schlösse sich das Nichts um ihn.

Die Badtür flog krachend auf, und etwas spuckte zweimal in die Luft. Der Mann in seinem Rücken zuckte wie von einem elektrischen Schlag. Die Leine um Daves Hals gab nach, und etwas dampfend Heißes rann seinen Nacken hinunter. Es dauerte ein, zwei Sekunden, bis er begriff, daß es das Blut des sterbenden Mannes war, der jetzt stöhnte, als Al ihn von Dave herunterwuchtete. Al trat zurück, justierte den Schalldämpfer und feuerte dem Mann sicherheitshalber noch einmal in die Kehle.

Al sah seinen hustenden Partner besorgt an und fragte: «Alles okay?»

Zitternd tat Dave einen tiefen, ungehinderten Atemzug. Er hielt sich den wunden Hals und steckte den hämmernden Kopf unter die kalte Dusche, ohne groß auf das Blut zu achten, das immer noch aus den Schußwunden des Toten in die Wanne rann und in den Abfluß gespült wurde. Als Dave schließlich antwortete, klang seine Stimme, als hätte er mehrere Stangen Zigaretten geraucht.

«Ich glaube schon. Danke. Er hätte mich todsicher stranguliert.»

«Nicht der Rede wert. Sie sind mir ein feiner Schauspieler. Ich meine, für das hier gibt's jedenfalls keinen Oscar. Noch nicht mal einen lausigen Emmy. Gucken Sie sich das verdammte Schlafzimmer an. Sieht aus, als ob *The Wild Bunch* hier durchgetobt wäre.» Al zündete Dave eine Zigarette an. «Hier. Damit Sie wieder zu Atem kommen. Was war denn hier los, nur mal so, aus akademischem Interesse?»

Dave schlug sich ein Handtuch über den Kopf und seufzte.

«Der Teufel soll mich holen, wenn ich's weiß.»

«Wie ich gesagt habe. Der Alias-Smith-und-Jones-Faktor? Quatsch. Leute haben Knarren, Leute werden erschossen. Ist doch logisch.»

«Ich hatte keine Wahl. Ich mußte sie erschießen. Die Frage war, sie oder ich.»

«Ganz ohne Zweifel. Ich schätze, irgendwas an Ihrem

Benehmen hat ihnen nicht gepaßt. Also, ich kann das nach-
vollziehen. Ihre Konversation ist manchmal wie ein Sack
Juckpulver. Vielleicht haben sie auch den Anblick dieser
Marke nicht verkraftet. Wer zum Teufel weiß das schon? Ihr
Glück, daß ich hier runtergekommen bin, sonst wären Sie
jetzt hinüber, Mann.»

«Sie dachten, das sei eine echte Razzia. Sie dachten, wir
wollten sie hopsnehmen. Deswegen haben sie versucht, an
ihre Knarren zu kommen.»

Doch Al hörte gar nicht richtig zu. Er war schon wieder
auf dem Rückweg durch die Kabine, wo die beiden Leichen
grotesk verrenkt auf dem blutbespritzten Bett lagen. Er sagte:
«Na und? Was macht das für einen Unterschied? Sie sind doch
hops, oder? Hopser geht's nicht.»


Als sie ins Mondlicht hinaustraten, sog Dave die kühle
Nachtluft tief in seine Lungen. Die *Britannia* wirkte so rein
und weiß, daß es schwerfiel, sie mit der blutigen Szene dort
unten zusammenzubringen. Es dauerte ein paar Minuten, bis
Dave merkte, was noch passiert war.

«Der Sturm hat sich gelegt», sagte er.

«Deswegen bin ich ja runtergegangen, um's Ihnen zu sagen», sagte Al. «Hat einfach plötzlich aufgehört.»

«Ist doch immerhin etwas.»

«Wollen Sie's immer noch auf die harte Tour durchziehen?» fragte Al.

«Was soll das heißen?»

«Keine Toten.»

«Jetzt erst recht.»

«Sie sind schon ein bißchen wunderlich, Mann. Die Typen
dort auf den Booten sind bestimmt kein bißchen kooperativer
als die drei, die wir gerade umgelegt haben.»

«Al? Ich weiß ja, Sie sind ein Profikiller. Aber ich? Ich bin ein blutiger Amateur. Wie gesagt, ich wollte nie ein Killer sein. Und jetzt, wo ich zwei Leute umgelegt habe – die ersten in meinem ganzen Leben –, will ich noch viel weniger einer sein. Von der Sache da unten ist mir total übel.»

«Hey, lassen Sie sich dadurch den Abend nicht verderben. Das war reine Notwehr. Die oder Sie, wie Sie gesagt haben. Was zählt, ist doch nur der Vorsatz. Das weiß doch sogar die Justiz. Ein echter Fed hätte die beiden genauso abgeknallt, wie Sie's getan haben. Es ist deren eigene Schuld, daß sie tot sind, nicht Ihre. Die waren einfach stinkblöd. Muß doch Blödheit sein, zu glauben, man kann eine Knarre ziehen, wenn jemand mit so einer Kanone vor einem steht.»

«Das eine war eine Frau, Al.»

«Soviel hab ich auch bemerkt. Sogar ein ganz hübsches Mädel. Klasse Titten. Aber ein hübsches Mädel mit klasse Titten und einer Knarre. Das macht nun mal den Unterschied auf dieser Welt. Und in der nächsten auch, wenn Sie mich fragen.» Al zuckte die Achseln. «Ich finde immer noch, wir sollten diese Armleuchter umlegen. Dafür haben wir doch diese Schalldämpfer auf unseren Dingern hier.»

«Wissen Sie was, Al? Ich schlage Ihnen einen Deal vor. Wenn es uns gelingt, weiteres Blutvergießen zu vermeiden, können Sie die Hälfte meines Anteils haben.»

Al überlegte kurz. Da er sowieso vorhatte, Dave zu töten, sobald die *Ercolano* auf den Treffpunkt zugedampft kam, und da Naked Tony ihm Daves Anteil ohnehin schon versprochen hatte, klang dieser Deal nicht allzu verlockend. Aber er hatte keine große Wahl, wenn er nicht riskieren wollte, daß Dave mißtrauisch wurde. Für einen toten Mann war er ja ein netter Kerl.

«Okay, einverstanden. Die Hälfte von Ihrem Anteil und keine menschlichen Tragödien mehr.»

«Wir schießen nur aus Notwehr.»

«Okay», sagte Al seufzend. «Aber werden Sie mir nicht weich, Dave. Vergessen Sie nicht, ich bin hier der mit dem Gewissen. Nicht Sie. Ich bin hier der Katholik. Sie, Sie sind Atheist. Sie glauben an gar nichts.»

Al stolperte über die Erklärung für den ausgebliebenen Widerstand an Bord der *Baby Doc*, kaum daß sie den miefenden Decksalon betreten hatten. Der schäbige Raum war mit leeren Wodkaflaschen übersät, und auf dem Eßtisch fanden sich die Relikte einer, wie es schien, mit großer Verve betriebenen Monopolyschlacht – verständlich, da es um echtes Geld gegangen war. Überall lagen lose Stapel von Dollarnoten herum, und für Dave war leicht erkennbar, was sich hier abgespielt haben mußte.

Zuerst eine mächtige Sauferei; obwohl auf den drei Booten – wenn überhaupt – nur wenige Russen waren, schien es, als ob die Idee des Russentums einen so mächtigen Einfluß auf die Besatzungsmitglieder ausübte, daß sie sich verpflichtet fühlten, dem Ruf, den ihre Arbeitgeber in puncto Trinkfreudigkeit genossen, nach Kräften gerecht zu werden. Dann, zweitens, der Einfall, das ultimative Monopoly zu spielen, mit echten Scheinen aus dem Fundus an Geld, den sie nach Rußland schmuggeln sollten. Und drittens neuerlicher mächtiger Wodkakonsum. Ein Besatzungsmitglied lag völlig weggetreten auf dem Sofa des Salons, ein zweites auf dem Boden eines der Waschräume. Ein drittes fanden sie sturzbesoffen im Steuerhaus, wie ein Baby im Steuersitz zusammengerollt. Die restlichen Männer schliefen ihren Rausch in den Kajüten der *Baby Doc* aus. Die meisten waren so stockvoll, daß sie nicht einmal zu sich kamen, als Dave und Al sie mit Plastikleinen fesselten.

«Schauen Sie sich diese besoffenen Arschlöcher an», sagte Al lachend, als sie den letzten Mann auf seiner Koje verschnürt hatten. «Wird eine ganze Weile dauern, bis sie überhaupt kapieren, daß wir hier waren. Mannomann, ist ja ein heißes Monopoly da oben. Auf dem Spielbrett liegen bestimmt ein paar hunderttausend Dollar.» Er stand auf, prüfte den Knoten und verpaßte dann dem Mann einen Tritt ins Kreuz. Der Mann wälzte sich grunzend weg. «Wie viele haben wir jetzt?»

Dave checkte die Crewmitglieder auf der Passagierliste durch. Er nickte und sagte: «Das sind alle.»

«Ich wette, Sie beißen sich jetzt in den Arsch wegen unserem Deal», sagte Al schroff. «Das hier war doch ein Kinderspiel.» Er griff sich eine halbleere Wodkaflasche, schraubte sie auf und nahm einen Schluck. «Oder?»

Dave sagte nichts, und in diesem Moment bemerkte Al das Klappmesser in der Hand des Jüngeren. Seine eigene Waffe lag auf dem Couchtisch ein Stück weiter. Er schluckte nervös, wegen des Deals und wegen der Leichtigkeit, mit der sie ihr Ziel erreicht zu haben schienen. Vielleicht hatte er den Bogen ja überspannt. Er streckte Dave die Flasche hin.

Dave dachte, daß er wohl einen Drink gebrauchen konnte. Seit er die beiden in ihrem Bett erschossen hatte, fühlte sich sein Magen an, als hätte er irgendwas Widerliches gegessen. Vielleicht würde ein bißchen Wodka ja helfen. Er ergriff die Flasche, nahm einen guten Schluck und gab dann die Flasche wieder zurück. Dann wälzte er den Mann, den er eben gefesselt hatte, grob vom Bett, kippte die Matratze auf ihn und stach das Messer tief in die Naht der Bespannung darunter. Er riß den Stoff auf und enthüllte ein eins neunzig auf eins neunzig großes Geviert von etwas Grünlichem unter einer dicken Plastikschicht. Wieder blitzte das Messer auf, und die beiden Männer starrten auf eine riesige Lagerstatt aus Bargeld, das in kissengroßen Plastiksäcken steckte.

«Hab ich's nicht gesagt?» sagte Dave grinsend.

«Sie hatten recht.»

«Ich hab's doch verdammt noch mal gesagt.»

«Was glauben Sie, wieviel das ist?»

Dave nahm eins der Bündel, schlitzte den Rand der Plastikhülle mit dem Messer auf und blätterte mit dem Daumen die Ecke eines Stapels abgenutzter Banknoten durch.

«Schwer zu sagen. Sind gemischte Scheine. Hunderter, Fünfziger und Zwanziger. Nichts Kleineres. Keine Ahnung. So zwei Millionen vielleicht?»

«Auf diesem Boot sind fünf Kabinen», hauchte Al. «Wissen Sie, was das macht?»

«Fünf mal zwei? Das kriegen Sie sicher selbst raus, wenn Sie sich ein bißchen Mühe geben, Al.»

Doch der Anblick des vielen Geldes machte Al taub für Daves Sarkasmus, und statt zu schimpfen, sagte er: «Dieser Deal da, von vorhin? Vergessen Sie's.» Eins konnte Al jetzt gar nicht gebrauchen: daß Dave sauer auf ihn war. Ein saurer Dave würde womöglich schwerer zu erledigen sein, wenn es soweit war. «Behalten Sie Ihren Anteil. Sie haben ihn verdient.»

«Hab ich's nicht gesagt?» wiederholte Dave. Jetzt schwang ein Hauch von Triumph in seiner Stimme.

Al sagte: «Ich hol die Taschen. Suchen Sie solange das restliche Geld.»

Ein paar Minuten darauf kam Al wieder, auf jeder Schulter einen Packen flach zusammengelegter Nike-Sporttaschen. Dave hatte inzwischen die restlichen vier Bettsockel und die dreiteilige Ledersitzgarnitur im Salon der *Baby Doc* aufgeschlitzt.

Al lachte wie ein Irrer und stopfte eine der robusten Nylontaschen mit Geldpäckchen voll. Dann nahm er sich die nächste vor. «Mann, sehen Sie sich das an. So ein Riesenhaufen Knete.»

Dave machte zwei volle Taschen zu, legte sich die Tragriemen über die Schultern und richtete sich auf. Reichsein war verflixt unhandlich. Er war froh über die Handschuhe und die Flak-Jacke, da jede der Taschen an die fünfzig Pfund wog.

Al wankte bereits die Treppe hinauf und keuchte unter dem Gewicht seiner beiden Taschen. Er sagte: «Heiliger Strohsack, das ist ja wie mit Madonna und den Kindern am Flughafen.»

«Jetzt wissen Sie, was die Leute meinen, wenn sie von der Bürde des Reichtums sprechen.»

«Ich hoffe nur, ich schaff's noch, das Zeug auszugeben. Von dieser Plackerei pocht mein Herz so heftig wie der verdammte Fuß von Klopfer dem Hasen.»

«Sie müssen sich drauf einstellen, daß Sie jetzt ein reicher Schlaffsack sein werden und keiner von diesen kraftstrotzenden Burschen, die einen dauernd um Kleingeld anbetteln.»

«Damit kann ich mich abfinden.»

Die beiden Männer erreichten jetzt schnaufend das Deck und setzten dankbar die Taschen ab.

Al sagte: «O Mann, das ist ja Schwerarbeit.»

«Irgendwelche Probleme damit?»

«Und ob. Ich bin meinen Modus vivendi gewöhnt, Mann. Ein Scheißhoteldiener wollt ich nie werden.»

«Bin selbst ein bißchen geschafft», gab Dave zu.

«Wie spät?»

«Da sind noch zwei Bootsladungen Kohle. Sie werden noch eine ganze Menge Taschen schleppen müssen, bevor Sie Ihren Arsch in der Lobby parken können.»

«Das weiß ich. Ich hab ja nur gefragt, wie spät es ist. Ich dachte, Sie würden's mir gern sagen, als stolzer Besitzer des Rolls-Royce unter den Uhren.»

«Wird bald hell werden.»

«Seh ich aus wie ein verdammter Scheißvampir? Wenn ich das wissen will, warte ich, daß der Hahn kräht. Exakte Zahlen.

Das will ich hören. Gottverdammte Minuten und Sekunden. So ist das nun mal unter zivilisierten Stadtmenschen üblich.»

«Wer sind Sie? Stephen Hawking oder was? Es ist kurz vor drei. Und? Was bringt das? Ich sag's Ihnen schon, wenn wir im Verzug sind. Wenn wir wieder in Miami sind, dann kaufe ich Ihnen als erstes eine Uhr, Al. Damit Sie immer wissen, wann es Zeit ist, Ihren Mund zu halten. Und jetzt lassen Sie uns in die Gänge kommen, bevor diese Typen auf ihren Booten noch neugierig werden, was hier draußen läuft. Ich habe für einen Abend genug Leute umgelegt.»

«Geht Ihnen das immer noch nach?»

«Komischerweise ja.»

«Nehmen Sie's locker. Wie gesagt, es war Notwehr. Die oder Sie. Ein Unfall.»

«Klingt nicht gerade nach einem Unfall.»

«Klar doch. Ein unvorhersehbares Zusammentreffen von unglücklichen Umständen. Weiter gar nichts. Und jetzt gewinnen Sie der Sache gefälligst mal was Positives ab. Machen Sie mir hier nicht einen auf Leonard Cohen. Heben Sie Ihre Augen auf zu der frohen Botschaft, deren die Stunde voll ist. Erstens sind Sie jetzt ein reicher Sack. Und zweitens hätten's auch die Feds sein können, die Sie umlegen mußten. Die echten, meine ich. Stellen Sie sich mal vor, wie beschissen Sie sich jetzt fühlen würden, wenn Sie diese Fed-Tante statt der anderen abgeknallt hätten.»

## 22

In Quantico hatte Kate gelernt, daß das Geheimnis von Handschellen-Entfesselungstricks à la Houdini ein sehr simples war. Man hatte die Schlüssel.

Wenn man ohne Schlüssel oder Dietrich arbeiten wollte,

bedurfte es einer Handschelle mit einer eingebauten Schnapp-
feder und eines kurzen Schlags auf die richtige Stelle. Aber
Houdini selbst hatte meistens einen Schlüssel im After oder
einen winzigen Drahtdietrich in der Hornhaut unter seinen
Fußsohlen gehabt. Selbst mit einem Drahtwerkzeug, so
glaubte Kate, wäre es ihr vermutlich nicht gelungen, all die
kleinen Hebelchen in dem winzigen Schlüsselloch aufzudrük-
ken. Das war die Sorte Fertigkeit, die jahrelange Übung vor-
aussetzte. Und außerdem pflegte sie ihre Füße sorgfältig. Sie
hatte immer einen Bimsstein auf dem Badewannenrand liegen
und ging regelmäßig zur Pediküre. Gesundheit und Fitneß
waren ihr wichtig. Sie machte Yoga zur Entspannung und um
ihren Körper beweglich zu halten. Und zeitweise lebte sie ve-
getarisch. Howard hatte immer gesagt, davon werde sie zu
dürr, aber sein weibliches Schönheitsideal war ja auch Anna
Nicole Smith. Dabei war Kate keineswegs ein Bügelbrett oder
was. Sie war einfach nur feminin. Zart gebaut. Nicht so eine
Fickpuppe von Goodyear. Einmal hatte Howard gesagt, zart
gebaut sei nur ein anderer Ausdruck für knochendürr. Kurz
nachdem sie ihn mit den Beweisen für seine Untreue konfrontiert hatte. Warum hatte er andere Frauen gebraucht? Fand er
sie nicht attraktiv? Stimmte mit ihrer Figur irgendwas nicht?
Es war ihr Fehler gewesen, so was überhaupt zu fragen. Sie
war schlank. Geschmeidig. Grazil. Knochig hatte sie sich nur
ein einziges Mal gefühlt: als Howard sich auf der Suche nach
einem schnellen Fick zu ihr in die Duschzelle hatte quetschen
wollen. Zur Hölle mit dem fetten Schwein. Schlank und rank,
das war sie. Aber nicht so schlank, daß sie die Handschelle
hätte abstreifen können wie einen engen Armreif.

Einmal, als kleines Kind daheim in T'ville, war sie mit dem
Kopf zwischen den Stangen eines Geländers steckengeblieben,
und ihre Mutter hatte die Feuerwehr gerufen. Eine halbe
Stunde lang hatte ihr großer Bruder gefrotzelt, die Feuerwehr-

leute würden die Stangen mit dem Schneidbrenner kappen und ihren Hals gleich mit. Aber faktisch hatten sie nur ihren Kopf mit einer dickflüssigen Industrieseife eingeschmiert und vorsichtig herausgezogen. Und jetzt, da sie auf dem Badfußboden saß und auf das Abflußrohr starrte, kam ihr der Gedanke, es auf ähnliche Weise zu probieren. In dem Schränkchen standen mehrere Flaschen Shampoo und Duschgel, die Kate mit den Füßen greifen und in ihre gefesselten Hände transferieren konnte. Es dauerte nicht lange, bis ihre Hände und Handgelenke mit einer dicken grünen Schmiere aus verschiedenen Seifenprodukten überzogen waren. Kates Hände waren nicht viel breiter als ihre Handgelenke, jedenfalls nicht, wenn die Mittelhandknochen unterhalb von Daumen und kleinem Finger nach innen gepreßt wurden, und Dave hatte sich zu sehr geschämt, um die Handschellen unangenehm eng zu stellen. Sie verfluchte ihn hinter dem Klebeband und zerrte, wild entschlossen, den Schmerz zu ignorieren, an den glitschigen Handschellen, als hinge ihr Leben davon ab.

Dave warf die letzte Geldtasche auf das Deck der *Britannia* und ging noch einmal zur *Juarista* zurück, um die Taucherausrüstung zu holen. Wieder an Bord des Fluchtboots, zog er sich aus und stieg, unter Als grimmem und zunehmend verschwommenem Blick, in einen Neoprenanzug.

Al schüttelte den Kopf und sagte schaudernd: «Nichts für mich, dieser *Abenteuer-unter-Wasser*-Scheiß.» Er spähte vorsichtig über die Reling und spuckte ins Wasser. «Sieht nicht grade sauber aus, die Brühe da.»

Dave setzte an, etwas zu den Wodkaflaschen in Als behaarter Pranke und der möglichen Reaktion mit dem Wirkstoff der beiden Medikamentenpflaster zu sagen, unterließ es dann aber. Als Job war beendet. Von jetzt an lag so gut wie alles bei Dave.

Er zog sich eine Art Rettungsweste aus schwarzem Gummi über. Am Vorderteil befanden sich ein paar Schläuche, ein Mundstück und ein grüner Zylinder von der Größe eines Haushaltsfeuerlöschers.

Al sagte stirnrunzelnd: «Das da ist alles? Das ist Ihre Sauerstoffflasche? Da ist ja die Gaspatrone von meinem Siphon größer.»

Dave nickte. «Das ist ein Dräger-Rebreather», sagte er. «Ein geschlossenes System. Fängt die ausgeatmete Luft wieder auf, damit keine Blasen aufsteigen. Ist leicht und bequem.» Er schloß Schritt- und Taillengurt. «Reiner Sauerstoff, kein Gemisch, ideal für Arbeiten in geringer Tiefe. Und außerdem, wie Sie schon sagten, sehr klein.»

Al schaute noch einmal über die Reling und sagte: «Wie tief ist das denn?»

Dave sah zum Himmel empor. Die Sonne ging jetzt gerade auf. Sie lagen ein bißchen hinter ihrem Zeitplan zurück, aber darüber war er froh. Ihm hatte die Vorstellung nicht sonderlich behagt, im Dunkeln in das schwimmende Hafenbecken der *Duke* hinabzutauchen. Er sagte: «Etwa sieben Meter» und testete die Sauerstoffzufuhr durch das Mundstück. Er hoffte, daß diese Angabe stimmte. Ab zehn Meter Tiefe war Sauerstoff toxisch.

«Na ja», sagte Al und nahm wieder einen Schluck aus der Flasche. «Besser Sie als ich. Das ist alles, was ich dazu sagen kann.»

Dave spuckte in die Tauchermaske und verrieb die Spucke auf der Sichtscheibe. Lachend sagte er: «Al? Lassen Sie mich raten. Sie können nicht schwimmen, stimmt's?»

«Eine Masse Leute können nicht schwimmen.»

«Klar. Und eine Masse Leute ertrinken auch jedes Jahr.»

Al grinste zurück. «Nicht, wenn sie gar nicht erst ins Wasser gehen. Wenn Sie mich fragen, ertrinken vor allem Leute, die schwimmen können und die deshalb auch schwimmen gehen. Eine Frage: Wer von uns beiden riskiert im Moment eher abzusaufen? Sie oder ich?»

«Ein Punkt für Sie.»

«Absolutamente. Weil Sie hier der Klugscheißer sind, der schwimmen und mit einem Preßluftgerät umgehen kann. Richtig?»

«Tröstlicher Gedanke», räumte Dave ein und nahm Stablampe und Messer an sich.

«Q.e.d.», sagte Al achselzuckend.

Dave grinste. «Q.e.d.?»

«Ja, das ist eine Abkürzung. Heißt soviel wie: Na bitte, da haben Sie's.»

«Ich weiß, was es heißt», sagte Dave, der jetzt ans Heck des Boots zurücktrat und auf die Leiter stieg. «Ich war mir nur nicht sicher, ob Sie wissen, wofür die Buchstaben stehen.»

«Klar weiß ich das. Ich lese vielleicht keine Bücher, aber dumm bin ich trotzdem nicht. Das steht für: Quatschköpfen eins drauf. Will sagen, daß auch Klugscheißer, die meinen, sie haben das Wasser für sich gepachtet und wären James Bond oder was, genauso absaufen können wie das olle Atlantis. Eins will ich Ihnen sagen. Passen Sie da unten gut auf. Wenn Sie in der Scheiße sitzen, erwarten Sie bloß nicht, daß ich da reinspringe und Sie raushole. Dann hat Ihr letztes Stündlein geschlagen. Um das zu wissen, brauchen Sie dann nicht mal mehr diese Ticktackmaschine an Ihrem Arm.»

Dave sah auf seine Uhr. «Wenn ich ertrinke, ist es Ihre.»

«Klar doch. Als ob ich da runterkommen und sie holen würde. Ist sie wenigstens wasserdicht?»

«Natürlich. Das ist ein echter Tachymeter.»

«Was soll ich denn mit einem Tauchimeter?» Al lachte. «Nee, Mann, behalten Sie das Ding mal. Ich hab schon genug Scheiß.»

Noch immer lächelnd, ließ sich Dave ins Wasser gleiten. Es war wesentlich kälter, als er erwartet hatte, und er war froh über den Neoprenanzug. Er hielt kurz inne und sah zu den hohen Bordwänden und den umliegenden Booten empor. Er war nicht nur dankbar für das Tageslicht, sondern auch für die ruhigere See. Bei einem solchen Sturm in das schwimmende Dockbecken der *Duke* hinabzutauchen wäre um einiges gefährlicher gewesen. Er knipste die Stablampe an, rückte die Tauchmaske zurecht, justierte das Mundstück zwischen seinen Zähnen und verschwand dann unter der öligen Wasseroberfläche.

Als Dave unter den vertäuten Bootsrumpf hinabtauchte, drohte das Gefühl des Eingeschlossenseins für einen Moment in Panik umzuschlagen. Es war, als sei er wieder in seiner Zelle in Homestead. Durchtränkt vom kalten Schweiß seines schlimmsten Alptraums, in die Unendlichkeit seiner fünfjährigen Haftstrafe hinabgesogen. Dave riß sich zusammen und steuerte mit kräftigen Beinschlägen auf die am Dockboden festgeschweißte Halterung zu, an der die *Britannia* vertäut war. Er brauchte nur die Taue durchzuschneiden, damit sich das Boot von dem Sockel lösen konnte. Wenn Al etwas mehr Ahnung von Navigation und der Bedienung einer modernen Motoryacht gehabt hätte, wäre dies das Stadium der Aktion gewesen, in dem Dave am meisten Angst gehabt hätte, sein Partner könnte ihn reinlegen. Denn wenn die Unterwassertaue einmal gekappt waren, brauchte Al nur noch die Leinen loszumachen, mit denen die *Britannia* an der Bordwand der *Duke* fixiert war. Ein kurzer Motorschub rückwärts, und das Boot wäre draußen auf dem Atlantik. Noch nie war Als Ignoranz in seemännischen Dingen so beruhigend gewesen wie jetzt.

Da das Heck der *Duke* zur See hin offen war, schwammen

im Wasser des Docks Fische. Es waren hauptsächlich Meerbarben und Knurrfische, und er beachtete sie nicht weiter, als er jetzt energisch unter den Rumpf schwamm und die Schraube zu fassen bekam. Das Tau war dick, und er benutzte die Sägeklinge seines Tauchmessers, um es durchzusäbeln. Doch auch so dauerte es mehrere Minuten, bis das Tau gekappt war und er darangehen konnte, das an der Schraube befestigte Ende loszuknoten, damit es nicht in den Propeller kam, wenn sie losfuhren. Indessen sank das an der Bodenhalterung befestigte Ende hinab und erschreckte einen kleinen Schwarm Meerbarben. Die Fische hielten das Tau wohl für einen Raubfisch, einen Aal vielleicht. Sie schwenkten jäh herum und schwammen direkt an Dave vorbei, nur Zentimeter von seinem Gesicht, fast als suchten sie bei ihm Deckung. Er staunte immer noch über ihre Schönheit und Schnelligkeit und wollte sich gerade zur problemlosen Erledigung seiner Aufgabe beglückwünschen, als er den wahren Grund für die plötzliche Flucht der Meerbarben entdeckte. Es war überhaupt nicht das Tau gewesen, sondern die stromlinienförmige, silberblaue Silhouette eines riesigen Barrakudas. Vor Schreck ließ Dave die Stablampe fallen.

Wendig und mächtig, mit zwei klar getrennten Rückenflossen, vorstehendem Unterkiefer und einem großen Maul voller scharfer Zähne, war der knapp zwei Meter lange Barrakuda ein beeindruckender Fisch, und Dave wußte genug über die Aggressivität dieser Spezies, um größten Respekt vor ihm zu haben. In Florida wurden mehr Schwimmer von Barrakudas angegriffen als von Haien. Barrakudas fraßen zwar keine Menschen, konnten ihnen aber schwerste Verletzungen zufügen. Instinktiv schwamm Dave langsam bugwärts, und der große Fisch folgte ihm neugierig. Barrakudas wurden angeblich von glänzenden Gegenständen angezogen, und Dave wußte nicht recht, ob das Messer in seiner Hand seine letzte

Rettung oder die Ursache der Gefahr war. Er schwamm rückwärts, um die Kreatur nicht aus den Augen zu lassen, für den Fall, daß sie sich doch noch zum Angriff entschloß. Er glaubte zwar nicht, daß der Fisch ihn töten würde, aber die rasiermesserscharfen Zähne mancher Barrakuda-Arten waren mit einer toxischen Substanz imprägniert. Und das letzte, was Dave mitten auf dem Atlantik gebrauchen konnte, war eine übel infizierte Bißwunde.

Er glitt ein Stück tiefer hinab, um sich nicht den Kopf am Rumpf oder Ruder irgendeines anderen Boots zu stoßen. Und der Barrakuda schwamm langsam hinter ihm her, verschwand zuweilen im Schatten eines Boots, nur um dann wieder silbern aufzublitzen, sobald er in sonnendurchstrahltes Wasser gelangte. Es war, reflektierte Dave so cool, wie es die Umstände zuließen, als verfolgte ihn ein tückischer, feiger Hund, der nur auf eine günstige Gelegenheit wartete, ihn anzufallen – wenn er ihm den Rücken kehrte zum Beispiel. Und so kräftig sich Dave auch durchs Wasser katapultieren mochte, der Barrakuda hielt mit einem mühelosen Schlag seiner dreieckigen Schwanzflosse immer dieselbe Drei-Meter-Distanz.

Dave wagte einen kurzen Blick auf seine Uhr. Wertvolle Minuten ihrer ohnehin knappen Zeit tickten dahin. Und als er merkte, daß er bereits die volle Länge der *Duke* zurückgelegt hatte und sich jetzt direkt unterm Bug der *Jade* am Vorderende des Dockbeckens befand, wurde ihm klar, daß er bald etwas unternehmen mußte, weil das bißchen Sauerstoff nicht mehr lange reichen würde. An einer sonnenhellen Stelle schaute er nach oben und sah die Bugleiter der *Jade* etwa drei Meter über seinem Kopf ins Wasser ragen. Als er sich in eine senkrechtere Position manövrierte, brach sich das Sonnenlicht in seiner Uhr, und er sah den Barrakuda sofort einen minimalen Schwenk in Richtung des funkelnden Lichtflecks machen. Es gab nur eins. Widerstrebend löste Dave die Uhr von seinem

Arm und transferierte sie in die Hand, die noch immer das Messer hielt. Ein, zwei Sekunden ließ er die Sonne auf die Kollektion von glänzendem Metall spielen. Erst als er sich ziemlich sicher war, daß der Barrakuda die beiden blitzenden Gegenstände fixierte, ließ er sie los. Sie sanken auf den Dockboden hinab, und der Barrakuda schlug mit dem Schwanz und tauchte hinterher. Die Fangeisenkiefer klappten auf und schlossen sich um das fischschuppensilberne Metallarmband der Uhr.

Dave zögerte nicht lange. Mit aller Kraft stieß er sich zu der flimmernden Oberfläche und dem Leiterende empor.

Als er die Leiter erreichte und zu fassen bekam, spürte er den Riesenbarrakuda hinter sich. Ein Adrenalinstoß schoß durch sein Herz und seine Schultermuskeln und katapultierte ihn mit solchem Schwung die Leiter empor, daß er schon fast glaubte, ein hilfreicher Arm zöge ihn aus dem Wasser. Nur Zentimeter von der untersten Leiterstufe und Daves bloßer Ferse schnellte der Barrakuda durch die ölige Oberfläche und verschwand dann in dem trübblauen Wasser.

Dave zog das Mundstück des Atemgeräts zwischen den Zähnen hervor und schnappte nach Luft.

«Heiliger Strohsack», keuchte er. «Das war knapp.»

Jetzt, da der Fisch verschwunden war, war auch die Kraft aus Daves Armen gewichen, und es dauerte ein, zwei Minuten, bis er es schaffte, auf das Deck der *Jade* zu klettern. Dort blieb er stehen, holte wieder tief Luft und versuchte sich erst einmal zu sammeln. Im nächsten Moment hörte er einen Schuß, und etwas pfiff über seinen Kopf hinweg und prallte vom Bugschott der *Duke* zurück. Er warf sich flach aufs Deck, fassungslos ob dieser neuen tödlichen Wende der Dinge.

«Großer Gott. Was jetzt?»

Im Liegen versuchte er die Richtung zu bestimmen, aus der der Schuß gekommen war. Wer konnte ihn abgegeben haben? Hatten er und Al jemanden von der Besatzung oder den Passagieren übersehen? Jemanden mit einer Waffe? Oder hatte sich Kate befreit und mit einer Pistole bewaffnet, die ihm entgangen war? Er hob den Kopf ein paar Zentimeter, um nach dem Schützen auszuspähen, zog ihn aber wieder ein, als ein zweiter Schuß in den Funkmast über ihm krachte. Warum unternahm Al nichts? Oder war das der Verrat, den er befürchtet hatte?

Er mußte es herausfinden. Er robbte zur Reling und schrie: «Hey, Al, ich bin's, Dave. Wer zum Teufel ballert da rum?»

Kurze und, wie es Dave schien, unheilvolle Stille. Dann sagte Al: «Sind Sie das, Dave?»

«Natürlich bin ich's, Blödmann. Wer denn sonst?»

«Was zum Henker machen Sie da unten? Ich dachte, Sie wären irgend so ein neugieriger Arsch, der nicht drin bleiben kann, wie sich's gehört.»

Dave sprang auf. Er riß sich ärgerlich das Atemgerät herunter, erklomm die Bordwand und stapfte sie entlang.

«Sie hätten mich fast erschossen, Sie dämlicher Armleuchter.»

Dave wartete, bis er auf der *Britannia* war, ehe er weiterschimpfte. Al hatte die Waffe in der Kombüse abgelegt, um Dave nicht noch mehr zu reizen. Aber ansonsten machte er keine Anstalten, sich zu entschuldigen.

«Woher zum Henker soll ich denn wissen, daß Sie das sind?»

«Ich habe Ihnen doch gesagt, Sie sollen auf dieses Medikament keinen Alkohol trinken, oder etwa nicht? Himmelherrgott, Sie hätten mich erschießen können.»

«Sie klettern hier über Bord und kommen am anderen Ende von diesem Scheißschiff wieder hoch? Wer bin ich denn? Ein verdammter Scheißhellseher? Seh ich aus wie Mr. Spock?

Natürlich bin ich davon ausgegangen, daß Sie hier wieder auftauchen, wo Sie hier doch auch runtergestiegen sind und wo das hier nun mal unser Fluchtboot ist, mit etlichen Millionen Dollar drauf.»

Als wollte er Daves Gedächtnis auf die Sprünge helfen, zeigte er auf die prallen Sporttaschen, die jetzt Salon und Deck füllten. Er sagte: «Was hat meine Alkoholtrinkerei damit zu tun, daß Ihr Orientierungssinn total am Arsch ist? Daß Sie vom einen Ende dieses verdammten Luxusyachthafens zum anderen schwimmen?» Al runzelte die Stirn und deutete mit einem Kopfnicken auf Daves Handgelenk. «Hey, Ihre Uhr ist ja weg. Und da ist Blut an Ihrem Bein.»

Dave sah auf seine blutende Wade hinab. Er mußte sie sich aufgerissen haben, als er sich auf die Leiter und außer Reichweite der Rasiermesserzähne geschwungen hatte.

«Was zum Teufel war da unten los?» fragte Al.

Dave schüttelte den Kopf, als könnte er selbst kaum glauben, was geschehen war. Er begann, die Vorleinen zur Backbordwand der *Duke* loszumachen. «Der verdammte *Weiße Hai* war los. Da unten war ein Scheißbarrakuda. Mindestens zwei Meter lang.»

Al sah beeindruckt drein. «So groß wie mein Schwanz, was? Ganz schöner Brummer von Fisch.»

«Fisch? Das war ein prähistorisches Monster. Nur Zähne und Flossen. Hat mir einen Scheißschrecken eingejagt. Ich kann von Glück sagen, daß ich noch zwei Arme und zwei Beine habe.» Er löste die Springleinen und sah dann auf sein nacktes Handgelenk. «Es hat meine Uhr gefressen. Können Sie sich so was vorstellen?»

«Spricht nicht gerade für seinen Geschmack.»

«Eine Fünftausend-Dollar-Uhr.»

«Sie können sich sieben von der Sorte kaufen, wenn Sie wieder zu Hause sind. Für jeden Wochentag eine.»

«Das stimmt. Kein Problem, was?» Dave dirigierte Al mit einer Handbewegung zu den Heckleinen. «Machen Sie das Heck los, okay? Und lassen Sie uns von hier verschwinden, bevor noch irgendwas passiert.»

«Ich hab Ihnen ja gesagt, Schwimmen ist gefährlich», sagte Al vergnügt. «Dieses Mädel im *Weißen Hai*? Die, die am Anfang nackt planschen geht? Wo jeder weiß, ihr Arsch endet gleich als Haifischdinner. Mann, wie ich diesen verflixten Film gesehen hab, war mir sofort klar, daß ich meinen Schwanz nie in Salzwasser tunken werde. Und was wir in Costa Rica erlebt haben, hat das nur noch dreimal unterstrichen. Die See ist eine üble Gegend. Sie ist wie Overtown bei Nacht, und man selbst ist ein blöder Tourist in einem dicken weißen Mietwagen mit einem Aufkleber auf der Heckscheibe, wo «naiver Trottel» draufsteht. Einer, der rumfährt und das Radio aufdreht und einen draufmacht und sich amüsiert und nichts Böses denkt. Und's nur drauf anlegt, daß ihm irgendein Nigger mit einem Messer den Arsch zu Hackfleisch macht. Haifische? Barrakudas? Kommt aufs selbe raus.»

Kate konnte es kaum glauben, als sie – vor Schmerz nach Luft schnappend, weil ihr Gelenk so wund war wie von einem Sonnenbrand schlimmster Sorte – plötzlich ihre Hand aus dem Metallring flutschen fühlte. Sie riß sich das Klebeband vom Mund, trank rasch ein Glas Wasser und ging aufs Klo. Sie wollte gerade an Deck hinaufsteigen, als sie die Schüsse hörte. Ihre pappigen Lippen verzogen sich zu einem bitteren Lächeln. Sie waren also noch an Bord. Und wenn sie noch an Bord waren, bestand noch eine Chance, sie zu kriegen. Ihn zu kriegen. Der andere Kerl war ihr ziemlich egal. Selbst die Drogen waren ihr ziemlich egal. Sie wollte jetzt nur noch Dave.

Sie kroch nach oben und zum Steuerhaus, nur um feststellen zu müssen, daß der Hörer der Sprechfunkanlage verschwunden war. Sie nahm ihr Fernglas vom Instrumentenbord, kniete sich ans Fenster und suchte das Schiff nach irgendeiner Spur von Dave und seinem Komplizen ab. Sie entdeckte Dave sofort: er stapfte heckwärts die Backbordwand entlang. Er hatte einen Neoprenanzug an und schien sauer, als ob irgendwas nicht ganz nach Plan verlaufen wäre. Dann sah sie ihn auf die *Britannia* klettern und mit Al debattieren.

«Mistkerl», murmelte sie. «Glaubt, er kann mich und das FBI aufs Kreuz legen und sich einfach verdrücken.»

Es war schlimm genug, befand sie, ein Drogenschmuggler zu sein. Aber anderer Leute Drogen zu klauen war unter aller Sau. Wahrscheinlich hatten sie irgendwo mitten auf dem Atlantik ein Treffen mit einem anderen Schiff arrangiert. Mit einem großen Frachter. Na ja, dagegen konnte sie etwas tun. Wenn irgendwo auf diesem Schiff noch ein funktionierendes Funkgerät war, konnte sie das französische U-Boot alarmieren. Aber das U-Boot war ja vermutlich schon ganz in der Nähe ihres vorgesehenen Treffpunkts. Mit etwas Glück würde es mitkriegen, was los war, und die *Britannia* abfangen.

Das mindeste, was sie tun konnte, war, die *Britannia* irgendwie aufzuhalten. Aber wie, ohne Waffe? Vielleicht konnte sie Daves Boot ja rammen. Es womöglich sogar versenken. Und sich selbst vermutlich gleich mit. Eine solche Attacke wäre weniger gefährlich, wenn da nur ein Boot mit irgendeiner Art von Geschütz an Bord wäre, so wie das Coast-Guard-Boot von Sam Brockmans Team mit seinen 25-Millimeter-Schnellfeuergeschützen. Sam war ihr jetzt auch keine Hilfe. Und Kent Bowen ebensowenig. Es war einfach keine Zeit, das Zahlenschloß des Safes auf der *Juarista* zu knacken und die Handschellenschlüssel herauszuholen, um die beiden zu befreien. Bowen wäre wohl sowieso nur hinderlich. Je länger sie drüber nachdachte, desto klarer wurde ihr, daß sie besser daran tat, Bowen zu lassen, wo er war. Was ihre

Zukunft beim FBI betraf, hatte sie ohnehin nicht mehr viel zu verlieren. Die Besatzung zu finden und zu befreien schien da schon der bessere Ansatz.

Kate kroch an Deck, erklomm die Dockwand und rannte in Richtung Deckshaus. Hinter sich hörte sie ein Geräusch, das ihr Hoffnung machte, doch etwas mehr Zeit zu haben, als sie gedacht hatte. Die *Britannia* schien Startschwierigkeiten zu haben. Nach ein paar Fehlzündungen erstarben die Motoren wieder. Das Knallen erinnerte sie an Jellicoes Beute-Kanonen, und plötzlich sah sie doch noch eine Möglichkeit, ins Geschehen einzugreifen. Hatte sich der Kapitän nicht gebrüstet, mit diesen Dingern alljährlich einen Salut zu Nelsons Geburtstag abzufeuern? Vielleicht bescherten ihr Jellicoes exzentrische Einfälle ja jetzt genau das Einschüchterungsmittel, das sie brauchte, um Dave aufzuhalten. Wenn es ihr nur gelang, den Käpt'n und seine Crew rechtzeitig zu befreien.

«Wieso springt sie nicht an?» blaffte Al.

Dave zuckte zusammen. «Keine Ahnung.» Er drehte abermals den Zündschlüssel, horchte genau hin und sah dann auf die Treibstoffanzeige. Wenn die Nadel nicht auf «voll» gezeigt hätte, hätte er geschworen, daß der Diesel alle war. Entnervt schüttelte er den Kopf und probierte es noch einmal. Nichts.

«Vielleicht hat eine verirrte Kugel irgendwas getroffen», spekulierte Al. «Fünfundvierziger schlagen glatt durch Menschen durch. Irgendwo müssen sie ja gelandet sein.»

«Möglich. Ich geh mal runter und sehe nach.»

«Aber machen Sie schnell.»

Der Maschinenraum lag im Heck des Bootes, von der Hauptkabine, wo die beiden Leichen lagen, durch ein gut isoliertes, wasserdichtes Schott getrennt. Zum Glück mußte Dave, um hinzukommen, nicht durch die Kabine gehen. Nur

einen engen Treppenschacht hinuntersteigen und eine Dop-
peltür öffnen. Im Maschinenraum angelangt, kniete er sich neben einen der beiden Detroit-Dieselmotoren. Eine flüchtige
Inspektion der Treibstoffzuleitung ergab, daß überhaupt kein
Diesel in den Motor gelangte. Dave öffnete den Tankver-
schluß und leuchtete mit der Taschenlampe in den Tank. Er
war voll.

«Die Dieselleitung muß irgendwie verstopft sein», sagte
er, als Al in der Tür auftauchte. Er prüfte die Zuleitung zum
anderen Motor und runzelte die Stirn. «Aber sie können doch
nicht alle beide verstopft sein. Die Treibstoffpumpe muß ver-
reckt sein.»

«Scheiße.» Al schlug mit der Faust gegen das Schott.
«Scheiße.»

Irgendwo in Daves Kopf regte sich etwas. Was hatte Kate
auf dieser Party gesagt? Irgendwas von Impellern. Wenn sie
ihren Geist aufgaben, dann tat es auch die Pumpe, und dann
war Schluß mit der Dieselzufuhr. Aber da waren zwei Motoren, zwei Treibstoffpumpen und zwei Impeller. Wie groß war
die Wahrscheinlichkeit, daß beide Impeller gleichzeitig ausfie-
len? Alles war zweimal vorhanden, bis auf den Tank. Es gab
nur einen Tank. Also mußte das Problem da liegen.

«Wir schnappen uns wohl besser ein anderes Boot», sagte
Al. «Und ich hab gedacht, ich hätte für den gottverdammten
Rest meines Lebens genug geschuftet und geschleppt.»

«Moment mal», sagte Dave. «Ich habe eine Idee.»

Er ging nach oben an Deck und kam gleich darauf mit einem Bootshaken wieder.

«Ist nur so eine Vermutung», erklärte er, während er das
Ende der Stange in den Tank einführte und damit herumzu-
rühren begann. «Aber es könnte sein…» Prompt schoß gol-
dener Diesel in die beiden durchsichtigen Plastikleitungen.
Dave grinste. «Das war's.»

«Was?»

«Da ist was im Tank. Ich kann es mit dem Stangenende fühlen. Irgendwas Weiches, Nachgiebiges. Nicht so hart wie der Tankboden. Fühlt sich an wie ein Lappen. Oder ein Plastikbeutel.» Plötzlich dämmerte ihm, was er da am Ende des Bootshakens fühlte. «Na klar. Dieser Tank ist voll mit Rauschgift. Deshalb waren sie so nervös, Al. Das hier war das Boot, das die Feds observiert haben.»

«Haben Sie nicht gesagt, sie hatten Käpt'n Jellicoe auf dem Kieker?»

«Der muß da auch mit drinhängen», improvisierte Dave. «Wahrscheinlich hat sich bei dem Sturm ein Beutel selbständig gemacht und den Ansaugstutzen verstopft. Hören Sie, Sie bleiben wohl besser mit dem Haken hier unten, für den Fall, daß es wieder passiert. Wenn der Motor ausgeht, einfach nur rühren. Aber nicht zu heftig. Wenn der Beutel platzt, kriegen die Motoren einen vollen Hit von dem Zeug, was immer es ist. Koks vermutlich. Und von so einer Überdosis flippt uns der ganze Kahn aus. Gegen diese Art Trip gibt's keine Adrenalinspritze.»

«Okay», sagte Al. «Können wir jetzt verdammt noch mal endlich abhauen?»

«Sind schon unterwegs.»

Kate war noch nie unten im Maschinenraum der *Duke* gewesen, aber sie dachte sich, daß das wohl ein guter Ort sei, um diese Werkstatt zu suchen. Daß Dave ihr gesagt hatte, wo die Besatzung eingesperrt war, sparte ihr einiges an Zeit. Wenn er eingeplant hatte, daß die Crew innerhalb von zwei, drei Stunden freikommen würde, hatte er vielleicht auch keine allzu gründlichen Vorkehrungen dagegen getroffen, daß sie jemand befreite.

Noch ehe sie am Fuß der Treppe angekommen war, hörte

sie jemanden gegen eine Tür hämmern. Das mußten die Männer von der *Duke* sein. Vor der Werkstattür griff sie sich einen herumliegenden Schraubenschlüssel, hämmerte zurück und schrie: «Käpt'n Jellicoe? FBI. Ich versuche, die Tür aufzubrechen.»

Sie horchte einen Moment an der Tür und vernahm Jellicoes Stimme. Als er ausgeredet hatte, warf sie den Schraubenschlüssel weg und sah lachend zur Ober- und Unterkante der Stahltür.

Die Tür war bloß verriegelt.

Wieder im Steuerhaus der *Britannia* angekommen, drehte Dave erneut den Zündschlüssel. Sofort sprangen beide Motoren an. Er betätigte das Bugstrahlruder, und ein, zwei Minuten später schaukelten sie im Kielwasser der *Duke*. Er wartete noch ein paar Sekunden, bis das Boot richtig vom Schiff freigekommen war, bevor er anfuhr und auf die Steuerbordseite der *Duke* hinüberzog. Dann gab er die Kurskoordinaten in den Computer ein und begann, seine Position auf der vereinbarten Funkfrequenz durchzugeben. Es war einfacher, wenn Al nicht auf der Brücke war. Dann mußte er nicht ständig haarklein erklären, was er machte: wann sie den Treffpunkt erreichen würden und all so was.

Als die Motoren auf Touren kamen und die *Britannia* an Tempo gewann, sah Dave noch einmal zur *Duke* hinüber. Er dachte an die *Carrera* und an Kate dort im Bad und bedauerte bitterlich, daß er sie hatte verlassen müssen. Daher war er nicht wenig überrascht, als er sie auf dem Backdeck der *Duke* stehen sah, zusammen mit Käpt'n Jellicoe und einigen seiner Männer. Doch noch überraschter war er, als er plötzlich eine Rauchwolke aus einer von Jellicoes antiken Kanonen quellen sah und einen lauten Knall hörte, gefolgt von einem lauten Heulen über seinem Kopf.

Al kam gerade in dem Moment aus dem Maschinenraum heraufgestürzt, als die Kanonenkugel ein ganzes Stück von der *Britannia* entfernt ins Wasser schlug. Er keuchte: «Haben Sie das gesehen? Dieses verrückte Arschloch denkt wohl, er ist der rote Korsar.»

Dave kurbelte das Boot hart nach Steuerbord herum und gab Gas, um von der Schiffskanone wegzukommen.

«Ich glaube, er sieht sich eher als den Arm des Gesetzes», brüllte er.

Die Kanone krachte wieder los. Diesmal landete die Kugel dicht genug bei der *Britannia*, um eine Gischtwolke über den Bug zu schleudern.

«Heilige Maria Muttergottes», sagte Al. «Der hat uns beinah erwischt.»

Zu seinem eigenen Erstaunen hörte sich Dave lachen.

«Was ist denn so komisch?» fuhr ihn Al an.

«Daneben ist auch vorbei, oder?»

«Wenn uns einer von diesen Scheißbleiklumpen trifft, werden Sie nichts Komisches mehr an unserer Situation finden. Falls Sie's vergessen haben, Papiergeld ist nicht wasserfest.»

«Cool bleiben, Al. Das ist nicht die Nimitz, die's auf Ihren stinkreichen Krösusarsch abgesehen hat. Das ist Horatio Lord Nelson persönlich. Das ist lebendige Geschichte, Mann. Die letzten Männer, auf die mit diesen Kanonen gefeuert wurde, standen in Napoleons Diensten.»

Aber Al schien ganz und gar nicht beruhigt.

«Diesen Ärschen werd ich's geben», fauchte er, kletterte über ein paar Geldtaschen hinweg, schnappte sich seine Maschinenpistole, spannte und zielte auf die Gestalten am Bug des Schiffes.

Dave blieb keine Zeit, etwas zu sagen. Das letzte, was er wollte, war, daß noch jemand sterben mußte. Schon gar nicht Kate. Und Al wäre wohl ohnehin nicht in der Stimmung gewesen, ihm zuzuhören. Dave blieb nichts anderes übrig, als das Ruder hart nach Backbord und gleich darauf wieder hart nach Steuerbord herumzukurbeln, so daß Al von einer Seite des Achterdecks auf die andere flog und seine Neun-Millimeter-Garbe harmlos in die Luft ratterte. Als Al sich schließlich von den Decksplanken emporrappelte, war die *Duke* längst außer Schußweite, und die dritte Kanonenkugel landete irgendwo in der breiten, cremigweißen Kielwasserspur der *Britannia*.

«Was zum Henker sollte das sein?»

«Ausweichmanöver. Kleiner Zickzack.»

«Ich wollte grade diese miese englische Scheißschwuchtel abknallen.»

«Aber warum sollte jemand in Ihrer privilegierten Situation so etwas tun? Ein reicher Mann wie Sie? Schießen ist jetzt nicht mehr die angemessene Lösung. Wenn Sie von jetzt an etwas erreichen wollen, ziehen Sie besser die Brieftasche, keine Kanone. Und vergessen Sie nicht, allein die Dicke zählt.»

Al grinste, als ihm allmählich dämmerte, daß er ja jetzt ein gigantisches Vermögen besaß.

«Scheiße noch mal, Sie haben recht. Ich bin reich, stimmt's? Verdammich, vielleicht laß ich mir die Haare und die Fingernägel ganz lang wachsen und konserviere meine Scheiße in kleinen Fläschchen, so wie dieser andere Multimillionär. Der Kerl, der Jane Russells Titten erfunden hat.»

«Howard Hughes.»

«Genau.»

«Al, jetzt, wo Sie reich sind, können Sie alles machen. Aber im Moment brauche ich Sie erst mal dort unten, am Tank. Wenn Sie irgendwelche Aussetzer hören, schön den Teelöffel nehmen und rühren.»

«Geht in Ordnung. Wie lange noch, bis wir am Treffpunkt sind?»

Dave sah auf das Instrumentenbord und drückte die Anzeigetaste des GPS-Computers. Auf dem Display erschienen der Wegpunkt und die Plotterschnittstelle und darüber eine elektronische Seekarte. Der Computer hatte bereits Entfernungsmeßringe eingeblendet, um anzuzeigen, wie nahe sie ihrem nächsten Wegpunkt waren.

«Wir müssen ein Stückchen zurück», sagte Dave. «Durch den Sturm sind wir ein ganzes Ende weiter als geplant. Fünfzig Minuten bis eine Stunde, dann sind wir an unserem Treffpunkt.»

«Prächtig», sagte Al und ging nach drinnen. Gerade genug Zeit für seinen Morgenschiß und ein Bier, ehe er wieder raufkommen würde, um Dave umzulegen.


Als die dritte und letzte Kanonenkugel abgefeuert war und Jellicoe zu fluchen aufgehört hatte, erklärte Kate, sie sollten jetzt besser mal nachsehen, wie Jock mit der Kombination des Safes auf der *Juarista* vorankam.

Sie fanden Bert Ross dabei vor, wie er unter Jocks Aufsicht Zahlen eintippte.

«Ich habe gerade ausgerechnet, wie lange diese Prozedur dauern wird», sagte Jock. «Die erste Ziffer war neun. Man braucht etwa zehn Sekunden, um jede Kombination auszutesten, 9000, dann 9001 und so weiter. Das heißt, wenn wir alle 999 Kombinationen durchspielen, kostet uns das zwei Stunden und sechsundvierzig Minuten.»

Kate schlug sich mit der Faust in die andere Hand. «Mist. Wir brauchen den Funkraumschlüssel», sagte sie grimmig.

«Immer vorausgesetzt, er ist wirklich da drin», sagte Jellicoe. «Immer vorausgesetzt, neun ist wirklich die erste Ziffer dieser verflixten Safekombination. Vielleicht ist es ja auch nur ein Hinhaltemanöver. Vielleicht hat er den Schlüssel ja über Bord geworfen.»

«Das glaube ich nicht», sagte Kate. «Ich kenne diesen Mann, und ich glaube nicht, daß er so was tun würde. Ich muß Sie bitten, mein Wort darauf zu nehmen und mit dem Safe weiterzumachen.»

«Und was passiert solange?»

«Es gibt nur eins, was wir tun können: sie verfolgen.»

«Unsere Spitzenfahrt ist fünfzehn Knoten», sagte Jellicoe. «Sie machen doch viel mehr.»

«Stimmt, Sir, aber ich meine, wir sollten eins von den anderen Booten nehmen.»

«Mitten auf dem Atlantik?»

«Sie haben's auch getan.»

«Ohne Funkgerät?»

«Na ja, Sie müssen wissen, wir sind nicht allein», erklärte Kate. «Irgendwo hier in der Gegend befindet sich ein französisches U-Boot. Es sollte uns etwa um diese Zeit treffen. Und auf meinem Boot sind ein FBI-Beamter und ein Coast-Guard-Mann, mit Handschellen im Bad angekettet. Sobald Ihre Leute die Schlüssel haben, können die beiden dem U-Boot eine Nachricht durchgeben. Das geht nur über spezielle Frequenzen und Code-Wörter. FBI-Zeug eben. Und bis wir wieder zurückgefunden haben, kann die *Duke* ja diese Position hier halten.»

«Angenommen, wir holen sie ein», argumentierte Jellicoe. «Was dann? Sie sind schwer bewaffnet.»

«Wie ich es sehe, haben sie zwei Möglichkeiten», erläuterte Kate. «Sie können die Azoren ansteuern und riskieren, von dortigen Polizeiorganen aufgegriffen zu werden. Oder sie können sich an einem vereinbarten Punkt mit einem größeren Schiff treffen. Ich schätze, sie werden letzteres tun. Das Kokain an Bord schaffen und zwischen der Fracht des Schiffs verstecken und dann die Yacht, auf der sie jetzt sind, versenken, um ihre Spuren zu verwischen. Wenn wir in diesem Moment auf Sichtweite an ihnen dran sind, können wir wenigstens die Identität dieses anderen Schiffs feststellen und es dann später von dem U-Boot aufbringen lassen.»

Jellicoe nickte. «Da haben Sie recht. Bert?»

«9-0-2-3. Nee.» Er schüttelte den Kopf und blickte seufzend von dem Safe auf. «Ja, Jack?»

«Ich möchte, daß Sie die Safeknackerei Jock überlassen.»

«Aye, Sir.»

Jock kniete sich im Wandschrank der *Juarista* hin und begann die nächste Zahlenkombination einzugeben. Er sagte: «9-0-2-4.»

«Sagen Sie Frank, er soll sofort seine Taucherausrüstung holen und nach hinten ans Heck kommen. Das Boot, das am nächsten zur offenen See hin liegt – ich will es in fünf Minuten losgemacht haben. Sobald Sie die Schlüssel aus dem Safe geholt haben, kümmern Sie sich um diese beiden FBI-Burschen. Und dann setzen Sie sie ans Funkgerät.»

«Aye, aye, Sir.»

Kate war schon nach oben gegangen und kletterte gerade von der *Juarista* auf die Steuerbordwand der *Duke*. Die *Britannia*, mit Dave und den Drogen an Bord, war schon fünfhundert Meter querab und entschwand rasch. Sie drehte sich nach Jellicoe um.

«Schnell», rief sie. «Der Mistkerl entkommt uns noch.»

# 23

«Würden Sie vielleicht die Güte haben, mir zu erklären, was hier eigentlich los ist? Haben wir einen Eisberg gerammt? Sind wir die einzigen Überlebenden? Ich will es hoffen, denn ich bin nun mal ein bißchen eigen mit meinem Boot und lasse nicht gern andere Leute ans Steuer, was auch damit zusammenhängt, daß das Ding die Kleinigkeit von einer runden Million Dollar gekostet hat. Aber vor allem rührt es daher, daß man im Umgang mit drei – wohlgemerkt, drei – MAN-Dieselmotoren, die es auf je 2300 Touren bringen, und drei Arneson-Z-Antrieben schon verdammt genau wissen muß, was man tut.»

Kate drehte sich im Cockpitsitz um und setzte, als sie einen rotäugigen Calgary Stanford hinter sich stehen sah, ihr entwaffnendstes Lächeln auf.

Gelassen sagte sie: «Nettes Boot, Mann.» Dann wandte sie sich wieder dem Instrumentenbord zu, warf einen Blick auf den Drehzahlmesser. Das Boot des Schauspielers hob förmlich ab.

Jack Jellicoe, der neben ihr am Ruder saß, stimmte ihr mit einem nervösen Nicken zu. Mit einem dünnen Lächeln sagte er: «Ja, sie ist ein richtiges Vollblut. Ich würde meinen, sie kommt fast auf Renngeschwindigkeit. Stimmt's?»

Stanford ließ sich schwer in den zweiten Kopilotensitz fallen und sagte: «Sparen Sie sich das Gerede und bringen Sie mich einfach nur aufs laufende.»

Kate hob an, ihm zu erklären, daß die *Britannia* ein Drogenschmugglerboot war und daß sie und ihre FBI-Kollegen sie undercover observiert hatten.

«Kommen Sie auf den Punkt, okay?» insistierte der Schauspieler.

«Das ist der Punkt», sagte Kate. «Das FBI hat Ihr Boot requiriert, und jetzt sind wir hinter den Gangstern her.»

«Im Ernst? Eine richtige Verfolgungsjagd?»

«Original.»

«Und wo zum Teufel sind sie?»

Jellicoe, der mit seinem ramponierten Fernglas den Horizont absuchte, sagte: «Noch haben wir keine Spur von ihnen, aber wir sind uns ziemlich sicher, daß sie in diese Richtung fahren.»

Stanford musterte Kate anerkennend. «Eins muß ich Ihnen lassen, Mrs. J. Edgar Hoover. Von Booten verstehen Sie was.»

«Danke.»

«Was gegen ein bißchen Musik?»

«Ihr Boot. Ihre Spielregeln», sagte Kate.

Stanford betätigte einen Schalter am Instrumentenbord, der für den CD-Spieler zuständig war. Grinsend sagte er: «Für eine Bootsjagd empfiehlt sich Rockmusik, finden Sie nicht?» Im nächsten Moment dröhnten Guns n' Roses aus einem riesigen Boxenpaar hinter dem Ruderstand.

Jellicoe zuckte zusammen und sagte: «Sie werden uns hören, bevor wir sie sehen.»

«Und ob. Sorry, daß es kein Wagner ist. Wenn Sie verstehen, was ich meine, Captain Willard.»

«Nicht ganz», gestand Jellicoe. «Und mein Name ist Jellicoe.»

«Filmzitat», sagte Stanford kopfschüttelnd. «Walküre gegen die Schlitzaugen und so weiter.»

«Ich fürchte, ich kann Ihnen immer noch nicht ganz folgen.»

«Vergessen Sie's, Captain Willard.» Stanford sah Kate an. «Wissen Sie, ich war letzte Nacht ein bißchen bedröhnt. Ich habe das vage Bild von einem nächtlichen Besucher mit einer Knarre. Waren Sie das? Oder war ich nicht ganz da?»

«Das war einer von den Gangstern», sagte Kate. «Sie waren auf allen Booten und haben die Funkgeräte mitgenommen, damit niemand die Marine alarmieren kann.»

«Womit sich meine nächste Frage erübrigt», sagte Stanford. Er sah jetzt wieder Jellicoe an und fragte: «Na, wie sieht's aus, Willard? Irgendeine Spur von Mister Christian und den übrigen Meuterern?»

«Nein.»

«Wie gefällt Ihnen die Musik?»

«Musik?» Jellicoe schnaubte verächtlich.

«Guns n'Roses. Was halten Sie davon?»

«Nicht viel.»

«Apropos Knarre», sagte Stanford. «Muß ich mich bewaffnen oder was?»

«Wollen Sie etwa sagen, Sie haben eine Waffe?» fragte Kate.

«Vorsicht ist die Mutter der Porzellankiste», sagte Stanford. «Hollywood ist voll von nervösen Leuten und solchen, die einen nervös machen. Filmstar zu sein beinhaltet erhebliche Berufsrisiken. Zudringliche Fans und dergleichen. Mein Leben war schon unzählige Male bedroht. Von daher: Jawohl, Ma'am, ich habe eine Genehmigung zum Tragen einer Schußwaffe. Tatsache ist, daß es hier auf diesem Boot einen ganzen Waffensafe gibt. Wenn Sie Bedarf haben, kann ich Ihnen vermutlich beiden aushelfen. Highway Patrolman. Glock. Smith & Wesson Sigma. Alle für Expansionsgeschosse ausgelegt. Sie verstehen? Ich bin keine Weihnachtsgans, die sich so einfach rupfen läßt. Aber solange Sie auf meinem Boot sind, *mi arma de fuego, su arma de fuego*.»

Kate nickte enthusiastisch. Sie sagte: «Eine Pistole wäre nett.»

«Und Sie, Captain Willard?»

«Nein danke.»

«Wie Sie meinen», sagte Stanford und erhob sich vorsichtig vom Kopilotensitz. Das Tempo des Bootes machte es schwer, auf den Beinen zu bleiben. Aber Stanford war dieses Kunststück offensichtlich gewohnt.

Jellicoe sagte nichts, als der Schauspieler nach unten ging, um die Pistolen zu holen. Er suchte noch immer den leuchtendblauen Horizont nach irgendeiner Spur der *Britannia* ab. Von Zeit zu Zeit warf er einen Blick auf das Open-Scan-Gerät. Es war ein ähnliches System wie das ARPA auf der *Duke*, nur daß der Schirm zwei Displays hatte: das normale Radarbild und daneben ein Kartenausschnitt mit der aktuellen Anzeige der eigenen Position sowie möglicher Gefahren im Umkreis. Jellicoes geübtes Auge erspähte etwas auf dem kleinen Bildschirm, und er drückte die Zoom-Taste, um es sich genauer anzusehen.

«Da», sagte er aufgeregt. «Auf dem Schirm. Da ist etwas nordwestlich von uns. Keine fünf Meilen entfernt.»

Als Al aus dem Bad kam, fühlte er sich beschissen. Er hatte Kopfschmerzen und schweren Durchfall und war so müde, als hätte er eine schlaflose Nacht hinter sich. So müde, daß es ein paar Minuten dauerte, bis ihm wieder einfiel, daß er ja tatsächlich eine schlaflose Nacht hinter sich hatte. Sie waren ja pausenlos in Aktion gewesen. Und dann war da noch das Medikament. Und der Alkohol. Er riß sich die beiden Scopodermpflaster von den Armen, warf sie ärgerlich auf den Kabinenboden und setzte sich dann auf die Bettkante. Die beiden Leichen neben sich beachtete er so wenig, wie er beim Scheißen den Kerl in der Badewanne beachtet hatte. Sie kümmerten ihn nicht weiter. Tot war tot. Für ihn bestand kein Zusammenhang zwischen Leichen und den lebenden, atmenden Menschen, die sie gewesen waren. Aber er wünschte, er hätte beachtet, was Dave über das Alkoholtrinken in Verbindung mit diesem Zeug gesagt hatte. Dabei war es gar nicht soviel gewesen. Nur ein paar Schluck Wodka. Zwei Bier. Ende. Das war doch nicht mehr als eine kleine Erfrischung. Aber es schien sich wohl doch bemerkbar zu machen.

Um sich wieder in den Griff zu kriegen, atmete Al tief durch die Nase ein. Er hatte schon einen Haufen Leute umgelegt. Auch Leute, die er gut gekannt hatte. Tatsächlich waren es fast immer Leute, die er gut kannte. Das lag nun mal in der Natur seiner Tätigkeit. Man pirschte sich an jemanden ran, den man geschäftlich kannte, behandelte ihn wie den besten Freund und pustete ihm dann das verflixte Hirn aus dem Schädel. Nur, daß Al seinen Job für gewöhnlich mit etwas mehr Begeisterung anging, weil er sich normalerweise eher so fühlte, als ob ein gewisses Quantum Adrenalin in seinen Adern zirkulierte. Adrenalin war gut für dieses Handwerk. Es machte einen konzentriert und wachsam. Im Moment fühlte er sich so stumpf und ungefährlich wie der Türknauf in einer Gummizelle. Grau und schwitzig, als wäre er es, den ein Wikingerbegräbnis erwartete, und nicht dieser Bursche oben an Deck.

Al sah sich nach einer Inspiration um und entdeckte einen Jadeblock und eine Rasierklinge auf dem Nachttisch des toten Mädels. Es war schon ein paar Jährchen her, daß er sich die letzte Portion Koks gegönnt hatte. Nicht schlecht, das Zeug, aber teuer, und Madonna war viel zu geldorientiert, um zuzulassen, daß er einen Haufen Kohle für eine Handvoll Staub ausgab, mit der er dann nichts weiter anfing, als sie sich in die Nase zu ziehen. Außerdem hätte das Naked Tony auch gar nicht gefallen. Er mißtraute Leuten, die regelmäßig koksten. Aber ab und zu mal war es okay. Und im Moment schien es genau das zu sein, was er brauchte, um wieder in Form zu kommen. Um sein Bestes zu geben. Fit per Hit. Das war Wiederherstellung der Arbeitskraft.

Er beugte sich zur Nachttischschublade, wobei er unterwegs beiläufig den nackten Körper der Toten inspizierte und ihre Möpse streichelte. Abgesehen von dem Loch im Kopf und dem ganzen Blut auf dem Gesicht war sie wirklich ein hübsches Mädel. Und noch warm. Wenn sein Terminplan nicht so gedrängt hätte, wäre er vielleicht versucht gewesen, sie noch mal zu vögeln, bevor sie endgültig erkaltete.

Die Schublade war das reinste Minibuffet: ein Sortiment Löffel, goldgefaßte Sicherheitsrasierklingen, goldene Röhrchen – das ganze Instrumentarium des passionierten Koksers, wie die Paraphernalien eines *Premier-Cru*-Liebhabers. Selbst das Glasfläschchen, das ihren Koksvorrat enthielt, war goldummantelt.

«Hast verdammt recht, Babe», erklärte er ihr, während er eine großzügige Portion auf den Jadeblock schüttete. «Das ist ein Luxus, keine Lebensform.»

Als Al den Koks feingehackt hatte, schob er das Pulver zu zwei ordentlichen Häufchen zusammen, nahm eines der goldenen Röhrchen und zog das eine Häufchen in die geweiteten Nasenlöcher. Der Hit warf ihm den Kopf in den Nacken, und ein breites Grinsen zog sich über sein Gesicht.

«Das nenn ich einen Vitaminstoß», gluckste er und schob das zweite Kokshäufchen mit der Rasierklinge von dem Jadeblock in den Bauchnabel der Toten. Dann nahm er das Goldröhrchen, preßte den Kopf an ihren Bauch und sog den Nabel leer, um ihn dann anschließend noch auszulecken. Er fühlte sich bereits gestärkt und sagte: «Erstklassig, das Zeug.»

Seit Dave den Stoff im Tank gefunden hatte, fragte sich Al, ob es irgendwie möglich war, das Zeug dort rauszuholen und zusammen mit dem Geld auf die *Ercolano* zu verfrachten. So ein unverhoffter Extraprofit würde Tony vielleicht freuen. Es schien doch hanebüchene Vergeudung, das Zeug einfach mit dem Boot zu versenken. Wenn es nur annähernd so gut war wie das, was jetzt in seiner Nase kribbelte, wäre es sogar eine gottverdammte Tragödie. Al leckte noch ein bißchen im Bauchnabel des toten Mädchens herum, und als er merkte, daß das Boot die Fahrt verlangsamte, trat er vor die Tür der Hauptkajüte und brüllte die Treppe hinauf.

«Sind wir da?»

«Hier ungefähr muß es sein», schrie Dave zurück.

Al schniefte noch ein paarmal zufrieden, kratzte sich die Nase und ging nach oben in die Kombüse, wo er seine Waffen auf der Arbeitstheke zurückgelassen hatte. Er nahm die 45er

Automatik und schraubte das Laserzielgerät ab. Das würde er nicht brauchen. Nicht auf die Entfernung, die ihm vorschwebte. Den Schalldämpfer hatte er schon abgenommen, als er auf den vermeintlichen neugierigen Passagier geschossen hatte. Je lauter, desto besser, wenn man jemandem klarmachen wollte, daß er einem verflixt noch mal nicht in die Quere kommen sollte. Er warf das Magazin aus, drückte neue Patronen hinein, bis es ganz voll war, und knallte es dann wieder in das Griffstück. Er würde nur einen Schuß brauchen, aber Al war zu sehr Profi, um sich nicht abzusichern. Wenn man eine Gelegenheit zum Nachladen hatte, nutzte man sie. Man wußte nie, was alles passieren konnte, wenn man jemanden umlegen mußte. Das Unerwartete. Das war immer ein Faktor. Aber vor allem bei einem Burschen, den man gut kannte. Den man sogar ganz gut leiden konnte. Der Koks hatte dazu beigetragen, daß Al von seinem ursprünglichen Plan, Dave einfach wortlos zu erschießen, abgekommen war. Jetzt schien ihm das nicht mehr so eine gute Idee. Er mußte mit Dave reden. Sich entschuldigen. Ihm sagen, daß es nicht persönlich gemeint war. Daß es nur Naked Tonys verdammte Paranoia war. Was konnte er, Al, da schon machen? Doch nur tun, wie ihm befohlen, oder sich selbst in eine ähnlich aussichtslose Situation bringen. Nach allem, was er und Dave zusammen durchgestanden hatten, mußte er sich einfach entschuldigen. Das war das mindeste, was er für den Jungen tun konnte. Das und ein rascher, schmerzloser Kopfschuß. Ins Genick vielleicht – auf SS-Art. Wie immer man zu ihrem Mangel an persönlicher Moral stehen mochte, diese Nazis hatten es verstanden, Leute mit der Pistole zu erledigen. Deutsche Gründlichkeit. Die perfekte Tötungsmaschine.

Der ursprüngliche Eigner der *Britannia* war ein begeisterter Taucher gewesen, und das Boot war mit einem Apelco-Fischfinder ausgerüstet. Das Gerät hatte nicht nur die Funktion, dem Betrachter mit optimaler Auflösung Schwärme und Einzelfische anzuzeigen, es war außerdem auch noch mit einem horizontal und vertikal arbeitenden Ultraschallgeber versehen, der Untiefen, Senken im Meeresboden und selbst erkundenswerte Wracks im voraus zu erkennen vermochte. Vom Pilotensitz auf der Brücke aus hielt Dave ein Auge auf den Apelco und das andere durch die Dachluke der Kombüse auf Al. Es konnte nur einen Grund dafür geben, daß Al seine Waffe nachlud. Er hatte vor, sie zu gebrauchen. Gegen ihn. Dies war der Moment, auf den Dave mehr oder weniger gewartet hatte. Jetzt, da er seinen Zweck erfüllt hatte, war der Zeitpunkt gekommen, ihn aus dem Weg zu räumen.

Dave drosselte die Motoren auf das Minimum herunter, nahm die Mossberg vom Instrumentenbord und postierte sich direkt über der Treppe, die von der Kombüse auf die Flybridge führte.

Al kam mit entsicherter Waffe die Treppe heraufgeschlichen und rief: «Sehen Sie schon was?»

Zur Antwort lud Dave durch und legte an: «Nur Ihren Hinterkopf, Al.»

Al, der das charakteristische Geräusch einer in Aktionsbereitschaft versetzten Pump gun sofort erkannte, verharrte so reglos wie das Boot selbst.

«Werfen Sie die Waffe raus, so weit Sie können. Und sorgen Sie dafür, daß sie im Wasser landet, sonst muß ich unleidlich werden.»

«Was soll der Scheiß?» sagte Al.

«Das frage ich Sie.»

«Sind Sie verrückt geworden?»

«Die Waffe, Al, oder ich scheitle Ihnen das Haar. Ich habe heute schon zwei Menschen umgelegt. Ich schätze, einer mehr dürfte für meine unsterbliche Seele keine großen Konsequenzen haben. Aber für Ihre mit Sicherheit.»

«Okay, okay. Ich brauch sie sowieso nicht mehr.»

«Sie sagen es.»

Al warf die Waffe weg. Sie segelte durch die Luft und fiel mit einem kaum hörbaren Platsch hinter dem Boot ins Meer.

«Raufkommen, ganz langsam, Hände hinterm Kopf», befahl Dave und zog sich rückwärts zum Pilotensitz zurück.

Al tat, wie ihm befohlen. Doch im nächsten Moment begann das Schiff heftig zu schaukeln, als wäre es in den Wirbel eines jähen Taifuns oder Mahlstroms geraten. Dave plumpste in den Pilotensitz, und als sein Blick auf den Apelco fiel, sah er die Umrisse von etwas Riesigem auf dem Schirm. Die Geschwindigkeit, mit der es heraufkam, sagte ihm, daß das kein Fischschwarm und auch kein unterseeischer Leviathan war. Er erkannte die elektronische Spur eines U-Boots, wenn er sie sah. Doch da tauchte das U-Boot schon auf, keine fünfzig Meter vom Bug der *Britannia*. Und Al kam auf ihn zu, mit gezücktem Messer und einem mordlustigen Ausdruck im großen, häßlichen Gesicht.

Dave schwang zu Al herum, die Pump gun mitten auf dessen faßförmigen Leib gerichtet. Er hätte ihn erschießen können. Ihm einfach den Schädel wegpusten. Al wußte das, aber er setzte auf Daves – wie er es sah – fehlenden Mumm zu weiterem Töten. Er war nicht darauf gefaßt, daß Dave in letzter Sekunde den Lauf packen und die Mossberg wie einen Baseballschläger schwingen würde. Der Kolben traf Als Schädel mit einem kurzen trockenen Schlag, als pochte jemand einmal kräftig an eine Holztür, und Al sackte Dave vor die Füße.

Die meisten Menschen hätte ein solcher Hieb erst einmal ausgeschaltet, aber Al lag nur ein Weilchen stöhnend da, Zeit genug für Dave, ihm das Messer wegzunehmen, es über Bord zu werfen und dann ein Stück zurückzutreten, während Al sich schon langsam wieder aufrichtete. Er rieb sich grimmig den Schädel und starrte erst auf die Pump gun, dann auf den Kommandoturm, der jetzt vor ihnen aus dem Wasser ragte.

«Mann, Sie brauchen das doch nicht so persönlich zu nehmen», beschwerte er sich. «Fahren Sie um Himmels willen los. Wer immer die da sind, nach dem Weg fragen wollen sie bestimmt nicht. Wir können sie doch noch abhängen.»

«Wo wollen Sie denn hin?»

«Egal, nur weg.»

Dave stellte die Motoren ab.

«Sind Sie durchgeknallt oder was?» sagte Al. «Dieses kleine Mißverständnis da eben, deswegen brauchen wir doch nicht im Knast zu landen. Los doch, machen Sie schon. So eine Motoryacht kriegen die doch nie.»

Dave sagte kopfschüttelnd: «Einem U-Boot entkommt man nicht, Al. Von dem 50-Millimeter-Geschütz im Turm mal ganz abgesehen, haben die diese Dinger namens Torpedos. Sie würden uns abschießen wie in der Schießbude.»

Eine Gestalt erschien jetzt auf dem Turm des U-Boots und rief sie durch ein lautes Megaphon in einem stark ausländisch gefärbten Englisch an.

«*Britannia*. Lassen Sie uns an Bord. Achtung, lassen Sie uns an Bord.»

Weitere Gestalten erschienen auf dem Rumpf, und binnen einer Minute hüpfte ein Schlauchboot mit mehreren Männern über den schmalen Wasserstreifen, der das U-Boot von der Yacht trennte. Dave warf die Pump gun ins Meer, damit Al nicht in Versuchung kam, sie sich zu schnappen und irgendwelche Dummheiten zu machen.

In dem Moment sah er ein weiteres Boot heranrasen. Durchs Fernglas erkannte er, daß es eine schnelle Sportyacht war. Er erriet sofort, daß sie nur von der *Duke* kommen konnte.

«Kate», sagte er matt. «Du hast grade noch gefehlt.»

«Jetzt haben wir ihn», schrie sie triumphierend.

«Sieht aus, als ob Ross doch noch in den Funkraum gekommen ist», rief Jellicoe.

Kate sagte: «Entweder das, oder die Franzosen sind von allein drauf gekommen, sie zu verfolgen.»

Calgary Stanford drehte den CD-Spieler herunter und sagte: «Ich habe mal in einem U-Boot-Film gespielt. Ich war der Sonaroffizier mit dem goldenen Riecher. Damals war ich natürlich noch Kleindarsteller.»

«Oder vielleicht haben sie auch selbst versucht, uns anzufunken, und als sie keine Antwort gekriegt haben, war ihnen klar, daß da was nicht stimmt», fuhr Kate fort.

Stanford hörte gar nicht zu. «Und es war auch kein richtiges U-Boot. Nur eine Attrappe auf dem Paramount-Gelände.»

«Die lautlose Flotte, was?» bemerkte Jellicoe. «Mich hat es nie gereizt, auf einem U-Boot zu fahren. Die ganze Zeit eingesperrt. Ein bißchen wie im Knast, stell ich mir vor.»

«Da werden diese beiden Mistkerle jetzt geradewegs hinwandern», sagte Kate und drosselte die Motoren der Predator herunter. «Ein U-Boot wird ihnen wie das Plaza-Hotel vorkommen, verglichen damit, wo sie jetzt landen. Mit Koks für zwanzig Millionen an Bord können sie von Glück sagen, wenn sie mit zwanzig Jahren wegkommen. Eins pro Million.»

Jellicoe und Stanford wechselten einen Hütet-euch-vor-den-Weibern-Blick.

«Versuch nie, das FBI aufs Kreuz zu legen», sagte Stanford und pfiff durch die Zähne. «Ich werde versuchen, es mir zu merken, Ma'am.»

«Verdammt richtig erkannt», fauchte Kate. Doch noch während sie es sagte, begriff sie, daß sie sich mit aller Macht einzureden versuchte, sie wolle Dave für die längste Zeit seines restlichen Lebens hinter Gittern sehen. Was immer er getan hatte, sie liebte ihn, und mehr noch, sie wollte glauben, daß er sie auch liebte. Doch für all das war es jetzt zu spät. Sie konnte nichts mehr tun als ihre Pflicht. Vor den Augen Käpt'n Jellicoes – von der französischen Marine ganz zu schweigen – konnte sie ja wohl kaum kneifen. Ihre Gefühle hatten da wenig zu sagen. Dave mußte wieder hinter Gitter, und ihre Pflicht war es, dafür zu sorgen, daß er dort landete. Und doch hoffte sie schon fast, der Kommandant des französischen U-Boots, dessen Männer jetzt bereits die *Britannia* enterten, würde ihr die Justizhoheit streitig machen und Dave und Al in sein Schiffsgefängnis, oder wie immer man das auf einem U-Boot nannte, sperren. Mehrarbeit für den Staatsanwalt, wenn er die Auslieferung erwirken mußte, aber wesentlich leichter für sie.

Kate brachte Stanfords Boot längsseits der *Britannia*, und Jellicoe warf einem der U-Boot-Matrosen eine Leine zu, während Stanford Fender ausbrachte, um seinen Lack zu schützen. Aus dem Augenwinkel sah sie Dave neben Al auf dem Achterdeck stehen und zu ihr herüberschauen, aber sie schaute nicht zurück.

«Sie warten hier», beschied sie Jellicoe und Stanford. Dann kletterte sie, bemüht, kein allzu triumphierendes Gesicht zu machen, auf die *Britannia* hinüber, wobei sie die helfende Hand, die ihr einer der U-Boot-Matrosen hinstreckte, brüsk zurückwies.

Dave und Al wurden von einem U-Boot-Matrosen mit einer MP bewacht, und in Ermangelung ihres FBI-Ausweises und ihrer Marke hatte Kate Stanfords Glock Automatik mitgenommen, um ihre Autorität geltend zu machen. Nach allem, was sie über die Franzosen gehört hatte, waren sie notorische Machos. Sie dachte sich, es würde ihnen schwerer fallen, eine Frau herablassend zu behandeln, wenn diese eine Waffe in der Hand hatte. Sie sah sich nach jemandem um, der aussah, als habe er das Sagen. Dann stellte sie sich, noch immer sorgsam Daves Blick ausweichend, in ihrem holprigen Französisch vor und verlangte, den verantwortlichen Offizier zu sprechen.

Zu ihrer Überraschung und Irritation begann einer der Männer von der U-Boot-Besatzung zu lachen. Ein dunkler, gutaussehender Typ mit einem dicken Schnauzer und einem blauen Overall. Er sagte: «Bitte, Sie brauchen sich nicht zu bemühen, Französisch zu sprechen. Ich spreche ausgezeichnet Englisch. Agent Furey, habe ich richtig verstanden, daß das Ihr Name ist?»

Kate nickte und versuchte, ihren Ärger im Zaum zu halten. Diese Franzosen. Selbst wenn man versuchte, ihre Sprache zu sprechen, erntete man nichts als Verachtung. Da fragte man sich doch, warum sich überhaupt Leute die Mühe machten, Französisch zu lernen.

«Ich habe viele Jahre in New York gelebt», erklärte der Mann mit dem üppigen Schnauzer. «Eine dreckige Stadt, aber auch interessant.»

«Und wer sind Sie, Sir?»

«Ich bin Kapitänleutnant Eugene Lushin, der befehlshabende Offizier hier an Bord», erklärte er gewandt und zog ein Päckchen Zigaretten aus der Brusttasche seines Overalls. «Stört es Sie, wenn ich rauche? An Bord des Raketenboots ist es nämlich leider verboten, und die meisten von uns lechzen nach einer frischen Ladung Nikotin. Es ist ein paar Wochen her, daß wir das letzte Mal aufgetaucht sind.»

Ohne die Antwort abzuwarten, nickte er seinen Männern zu, die daraufhin ebenfalls Zigaretten hervorzogen und sich welche anzündeten. Selbst der Mann mit der MP. Lushin bot Kate keine Zigarette an, worüber sie froh war. Die Diplomatie hätte sonst wohl erfordert, sie anzunehmen, und französische Zigaretten waren ihr zu stark. Diese hier rochen genauso stechend wie alle, die ihr je begegnet waren. Kein Wunder, daß die Stimmen der Franzosen so rauh und sexy klangen.

«Käpt'n Lushin», sagte sie.

«Kapitänleutnant», sagte er. «Der Kommandant ist noch an Bord des Raketenboots.»

«Kapitänleutnant», nahm sie seine grinsend vorgebrachte Korrektur auf. Amüsierte er sich immer noch über ihren Versuch, Französisch zu sprechen? «Entschuldigung, Sir, gibt es hier irgend etwas Belustigendes? Etwas, was mir entgangen ist?»

Er blies eine abgasblaue Rauchwolke aus und zuckte auf diese gallische Art die Achseln.

«Ist das ein Ja oder ein Nein?» fragte sie.

«Ich bin es einfach nur nicht gewöhnt, daß eine hübsche Frau mit einer Pistole auf mich zielt», sagte der Kapitänleutnant.

«Verzeihung.» Kate sah verlegen auf die Glock und fragte sich, wo sie sie hinstecken sollte.

«Ist schon gut. Um die Wahrheit zu sagen, ich habe es eher genossen.» Ein Auge zugekniffen, blies er mit lässiger Eleganz eine neue Ladung Rauch aus und fuhr fort: «Ich fühle mich wie Humphrey Bogart in *Casablanca*, an der Stelle, wo diese schöne Frau –» Er schnippte mit den Fingern, als suchte er nach dem Namen der Schauspielerin, die die Ilse gespielt hatte.

Es war Dave, der ihm half.

«Ingrid Bergman», sagte er. Und nachdem es ihm endlich gelungen war, Kates Augenmerk auf sich zu lenken, lieferte er noch eine ziemlich gute Bogart-Imitation: «Na los, schieß schon, du tust mir damit einen Gefallen.»

Kate wurde zornrot und steckte die Glock in den Bund ihrer Shorts.

«Zur Sache», sagte sie schroff zu dem Kapitänleutnant.

«Diese beiden Männer hier werden von der amerikanischen Polizei wegen Piraterie und Drogenschmuggels gesucht. Auf diesem Boot befinden sich hundert Kilo Kokain mit einem Verkehrswert von zwanzig Millionen Dollar.»

Der Kapitänleutnant pfiff durch die Zähne.

Noch während sie ihre Erklärungen vorbrachte, fragte sich Kate, was wohl in den prallen schwarzen Sporttaschen sein mochte, die sich im Inneren des Boots stapelten. «Doch bevor wir weitere Schritte unternehmen, sollten wir wohl erst mal die Frage der Justizhoheit klären.»

«Eine schwierige Angelegenheit», gab der Kapitänleutnant zu. «Ich meine, die *Grand Duke* fährt unter britischer Flagge. Und dieses Boot hier, die *Britannia*, ist auf den britischen Virgin Islands registriert. Zumindest steht das auf dem Heck.»

«Das stimmt», sagte Kate. «Aber diese beiden Männer sind amerikanische Staatsbürger und sollten sich als solche vor einem amerikanischen Gericht für ihre Verbrechen verantworten müssen.»

Dave sagte: «Wenn du mich in die Staaten zurückverfrachtest, erwartet mich eine lange Haftstrafe. Wie ich schon sagte, schieß schon, du tust mir damit einen Gefallen.»

«Ist das wieder so ein Witz?» fragte sie ärgerlich.

«Nein, das ist kein Witz.»

«Warum zum Teufel grinst du dann so?»

Dave sah achselzuckend auf seine nicht vorhandene Uhr.

«Wir sind weit außerhalb des amerikanischen Hoheitsgebiets», sagte der Kapitänleutnant. «Darf ich Sie daran erinnern, daß das hier internationale Gewässer sind?»

Kate wollte die beiden ja gar nicht als ihre Gefangenen. Aber irgend etwas in Lushins Art trieb sie dazu, in dieser speziellen Streitfrage Sieger bleiben zu wollen. Sie sagte: «Nichtsdestotrotz bestehe ich darauf, daß diese beiden Männer meinem Gewahrsam übergeben werden. Wir werden sie an Bord der *Duke* festsetzen, bis wir Mallorca erreichen, von wo dann unverzüglich die Auslieferung an die USA erfolgen wird.»

«Unverzüglich?» Der Kapitänleutnant lachte wieder. «Das glaube ich kaum. Solche Dinge dauern.»

Dave sagte: «Würdest du mir das wirklich antun, Kate? Nach allem, was zwischen uns war?»

«Zwischen uns war gar nichts. Und ich rate dir, halt den Mund, es sei denn, du willst den Rest der Reise in Handschellen verbringen.»

«Kate. Sei fair. Ich kann doch dazu wohl kaum schweigen, oder? Schließlich ist es mein Arsch, der womöglich wieder im Knast landet.»

«Daran hättest du denken sollen, bevor du dir dieses kleine Bravourstückchen geleistet hast.»

«Ist das dein letztes Wort in dieser Sache?»

«Mein allerletztes. Punkt. Schluß.» Und leise, aber doch laut genug, daß Dave es hören konnte, setzte sie hinzu: «Wie ich mich je in einen miesen kleinen Drogendieb verlieben konnte, werde ich nie verstehen.»

«Um Drogen ging es überhaupt nie», erklärte Dave, der noch immer lächelte, als hätte er nicht die geringste Sorge auf dieser Welt.

«Stimmt», sagte Al. «Wir waren scharf auf das Geld auf den anderen Booten.»

«Halten Sie sich da raus», blaffte Kate.

Dave sah noch einmal auf seine nicht vorhandene Uhr. Dann beugte er sich zu dem Kapitänleutnant hinüber und hob gelassen dessen Unterarm an, um auf die daran befindliche Uhr zu schauen. Als wären sie alte Kumpels. Was den Franzosen gar nicht zu stören schien. Jetzt sagte Dave etwas zu Lushin, was Kate nicht richtig hören konnte. Oder vielleicht auch nur nicht verstand.

«Bedaure, aber ich kann Ihrem Ersuchen nicht stattgeben», erklärte Lushin Kate. «Aber ich mache Ihnen einen Vorschlag.» Er nickte in Als Richtung. «Sie kriegen den da. Diesen häßlichen Vogel. Und wir nehmen den anderen mit. Das ist doch fair, oder? Salomonisch, finden Sie nicht? Halbe, halbe sozusagen.» Er nickte einem seiner Männer zu. Der Mann warf auf der Stelle seine Zigarette weg, ging ins Cockpit und ließ die Motoren der *Britannia* an.

«Das ist das Verrückteste, was ich je gehört habe», sagte Kate. «Wenn das die Art ist, wie die französische Marine Dinge handhabt –»

Diesmal bemerkte sie den Blick, den Dave und der Kapitänleutnant wechselten, und es kam ihr irgendwie komisch vor. Als hätte Dave irgendeinen privaten Deal mit diesem Mann laufen. Ihn vielleicht sogar bestochen.

«Moment mal», sagte sie. «Was geht hier vor? Sie als Franzosen –»

«Wer hat denn was von Franzosen gesagt?» erklärte der Kapitänleutnant achselzuckend und schnippte seine Zigarette über Kates Schulter ins Meer. «Ich nicht.»

«Aber wenn Sie nicht von der französischen Marine sind, von welcher verflixten Marine sind Sie dann, Mister?»

Instinktiv wollte sie nach der Glock in ihrem Hosenbund greifen. Aber der Kapitänleutnant lächelte und umfaßte ihr Handgelenk mit seiner starken Hand. Noch immer höflich lächelnd, sagte er «*Poshalujsta*» und nahm ihr die Waffe ab.

## 24

Die *Britannia* setzte sich neben das U-Boot und zog Calgary Stanfords Boot behutsam längsseits. Vom Steuerstand im Turm rief ein weiterer Offizier etwas zu einem Matrosen hinunter, der auf dem Vorderdeck des U-Boots stand. Der Mann öffnete eine Decksluke und warf eine Leine zur *Britannia* hinüber. Sobald sie am U-Boot festgemacht war, begannen die U-Boot-Matrosen auf der Yacht, die Nike-Sporttaschen zu dem Mann auf dem Vorderdeck des U-Boots hinüberzuwerfen, worauf dieser sie rasch in der Decksluke verschwinden ließ.

Als Kate sich nach Jellicoe und Stanford umdrehte, sah sie, daß ein Matrose auf die *Comanche* hinübergestiegen war und die beiden Männer entwaffnete. Inzwischen war endgültig klar, daß Dave mit den Männern von der U-Boot-Besatzung im Bunde war. Er verfolgte das Umladen der Taschen genauestens und richtete von Zeit zu Zeit eine offenbar launige Bemerkung an die Männer. Auf russisch.

«Verflixt, Sie sind Russen», sagte Kate zu dem Kapitänleutnant.

«Richtig», sagte er und grinste sie an. «Es stimmt also doch, was sie immer sagen. Das FBI kriegt am Ende alles raus.»

Als die letzte Tasche in der Decksluke des U-Boots verschwunden war, kam ein neuer Mann an Deck und begrüßte Dave, als wäre er sein ältester Freund. Dann kletterte er über die kurze Jakobsleiter, die jetzt von der schwarzen Rumpfwand des U-Boots hing, auf die *Britannia*.

Kate bemerkte, daß selbst Al überrascht schien, als der Mann vom U-Boot Dave aufs innigste umarmte. Sie sahen aus wie zwei Figuren von Tolstoi, dachte sie. Sie konnte kein Wort von dem verstehen, was geredet wurde, aber es war offensichtlich, daß Al keine Ahnung hatte, was da vorging. Und es war ebenso offensichtlich, daß er stinkwütend war. Er mahlte mit den Zähnen und holte aus, um Dave einen Schwinger zu verpassen, aber dann fiel ihm die MP ein, die noch immer auf sein Kreuz zielte.

«Verdammter Verräter», sagte er. «Wir sind nicht mal in der Nähe unsres Treffpunkts mit der *Ercolano*, stimmt's? Sie hatten das hier von Anfang an mit den Rußkis ausgekungelt.»

«So langsam peilen Sie's», sagte Dave.

Diesmal pfiff Al auf die MP. Er war zwar stark, aber nicht sonderlich schnell und schon gar nicht so schnell wie Dave, der dem Schlag geschickt auswich und dann eine harte Linke auf Als Lende landete, abseits der kugelsicheren Weste und direkt in Höhe der Niere. Al krümmte sich vor Schmerz und ließ Dave freie Bahn für einen Kinnhaken, der ihn auf die Decksplanken schickte, genau vor Kates Füße.

Dave schüttelte die schmerzende Hand. Er sah auf seinen Expartner hinab und sagte: «Es gibt da eine alte russische Redensart, die ungefähr soviel bedeutet wie: Du hast ausgeschissen, Kumpel.»

Einstein Gergiev küßte Dave ein weiteres Mal auf die Wange und klopfte ihm herzlich auf die Schulter.

*«Kak ty poshiwajesch»*, sagte Dave mit einem breiten Grinsen. *«Posdrawljajem.»*

Die beiden Männer sprachen Russisch. Anders als im Englischen gibt es in dieser Sprache zwei Anredeformen: eine formelle und eine informelle. Im Umgang mit dem Kapitänleutnant und seinen Männern hatte Dave durchweg das formellere *wy* benutzt; aber jetzt, Gergiev gegenüber, benutzte er ausschließlich das informelle *ty*, die Anrede für jemanden, den man sehr gut kennt. Wie etwa einen Mann, mit dem man vier Jahre eine Gefängniszelle geteilt hat. Daves Aussprache war nahezu fehlerfrei.

«Wir haben es geschafft», sagte er gerade.

«Du meinst, du hast es geschafft, Dave. Ich brauchte ja nur den Kommandanten der Nordflotte zu überreden, mir ein U-Boot zu leihen.»

«Weiter nichts?» sagte Dave lachend. «Du hast recht, das ist wirklich keine große Sache. Einfach nur ein U-Boot ausborgen.»

«Er hat mir mit Freuden gegeben. Es war alles noch viel schlimmer, als ich es mir vorgestellt hatte. Die Marine in Murmansk schuldet der lokalen Elektrizitätsgesellschaft fast vier Millionen Dollar. Letzte Woche wurde drei Atom-U-Boot-Basen der Strom abgeschaltet. Ich bin kein Kernphysiker, Dave, aber selbst mir ist klar, daß das, was diese Kerle von den Elektrizitätswerken da machen, katastrophale Folgen haben kann. Mehrere Millionen Dollar in bar zur Verhinderung einer Atomkatastrophe – das war wohl ein Angebot, das er kaum ausschlagen konnte.»

«Steht es wirklich so schlimm?»

«Und ob. Dort liegen Dutzende ausgemusterter U-Boote, die darauf warten, abgewrackt zu werden, und etliche davon lecken wie Siebe. Sie brauchen ständig eine gewisse Menge Strom, nur damit die Pumpen weiterlaufen und die Dinger nicht absaufen. Es ist schon schwer genug, einen alten Reaktor an Land zu entsorgen, geschweige denn auf dem Grund des Weißen Meers.» Gergiev lachte laut. «Unter diesen Umständen konnte ich für uns einen sehr günstigen Handel herausschlagen.»

«Wieviel?»

«Du wirst es nicht glauben.»

«Einstein, in den Taschen da dürften vierzig Millionen Dollar sein.»

«So viel?»

«Mindestens. Also, was verlangen sie?»

«Wir haben uns auf dreißig Prozent geeinigt.»

«Dreißig Prozent. Das wären ja nur zwölf Millionen.» Dave schien hoch erfreut.

«Das ist dreimal soviel, wie sie Kolenergo schulden. Der

Elektrizitätsgesellschaft.» Gergiev zuckte die Achseln. «Die russische Marine braucht dringend harte Devisen. Wahrscheinlich hätte sich der Kommandant auch mit fünfundzwanzig Prozent zufriedengegeben, aber na ja, ich hatte eine patriotische Anwandlung. Und es ist ja nicht nur die Marine. Erst vor ein paar Wochen hat Kolenergo der Kommandozentrale für strategische Raketenwaffen in Plesetsk zwei volle Tage den Strom gesperrt. Dave, das ist die Stelle, die unsere Interkontinentalraketen kontrolliert. Sie haben sogar einem Flughafenkontrollturm den Saft abgedreht, als das Flugzeug des Ministerpräsidenten gerade in der Luft war.» Gergiev lachte. «Zwölf Millionen? Glaub mir, sie werden sich zu diesem Geschäft beglückwünschen. Schließlich hatten sie ja nichts zu verlieren und alles zu gewinnen.»

«Bleiben uns noch etwa achtundzwanzig Millionen», flüsterte Dave ehrfürchtig. «Das macht vierzehn für jeden.»

«Gab's irgendwelche Probleme?»

«Jede Menge. Aber das ist eine lange Geschichte.»

Gergiev war älter als Dave. Er trug einen Leninbart und, genau wie der Kapitänleutnant, einen ölverschmierten blauen Overall. Er wirkte eher wie ein Intellektueller – ein Universitätsprofessor oder Arzt – denn wie ein Mitglied einer der größten Mafiagangs von St. Petersburg. Er sagte nickend:

«Du hast recht. Du kannst es mir später erzählen, auf der Heimfahrt nach Rußland. Jetzt sollten wir besser zusehen, daß wir hier wegkommen. Das Sonarüberwachungsnetz der Nordflotte meldet ein anderes U-Boot hier in der Nähe.»

«Vermutlich die Franzosen, die Kate erwartet hat», sagte Dave.

«Das ist die Puppe da, stimmt's?»

«Sie ist die Mutter aller Puppen. Eine wahre *Matruschka*, mein Freund. Eine Frau in der anderen. Da steige ich mit ihr ins Bett, und es stellt sich raus, sie ist vom FBI. Nicht, daß ich mich auf den Augenschein verlassen hätte. Du kennst mich ja, Einstein. Ich glaube nichts und niemandem.»

«Dann machen wir doch noch einen richtigen Russen aus dir», sagte Gergiev grinsend. «Was wollte sie auf dem Schiff? Meinst du, sie waren hinter uns her?»

«Keine Sekunde. Wie gesagt, das ist eine lange Geschichte. Dieses Boot hier? Wie's das Pech wollte, hatte das FBI ein Auge darauf. Harte Dollars sind nicht das einzige, was über den Atlantik geschmuggelt wird. Die Dieseltanks auf diesem Kahn sind voller Kokain. Sie glaubt, daß wir hinter dem Zeug her waren.»

Gergiev sah nachdenklich drein.

«Ein Jammer», sagte er nach einem Weilchen.

«Was?»

«Ich dachte nur, welch ein Jammer, daß wir nicht mehr Zeit haben. Heutzutage gibt es in Rußland einen riesigen Markt für Kokain. Bitte, erzähl mir nicht genauer, was sich dort unten befindet.»

«Da ist nicht nur Kokain. Da sind auch noch drei Leichen. Ich sagte ja schon, es gab Probleme.»

«In diesem Fall werde ich mich sehr viel wohler fühlen, wenn wir das Boot hier versenkt haben.» Gergiev sah zu Al hinüber, der jetzt von zwei kräftigen russischen Matrosen festgehalten wurde. «Gehen die Toten auf sein Konto?»

«Nur teilweise.» Dave schüttelte den Kopf und sagte: «Ich glaube, er hat Spaß dran, Leute zu erschießen. Vor zehn Minuten wollte er mich umlegen.»

«Was willst du mit ihm machen?»

«Kommt ganz drauf an, ob Kate immer noch vorhat, die gewissenhafte FBI-Agentin zu spielen. Ich hatte gehofft, ich könnte sie überreden, mit uns zu kommen.»

Gergiev sah skeptisch drein. «Es gibt jede Menge Frauen in Rußland, Dave. Und bis auf die Gattinnen unserer Politiker sind sie fast alle sehr schön. Ein bißchen korrupt vielleicht, aber das braucht dich ja nicht zu kümmern.»

«Die hier ist was Besonderes, Einstein. Was dagegen?»

Gergiev musterte Kate. Er sah auf den ersten Blick, welche Sorte Frau sie war. Schön, zweifellos. Aber auch stark. Und stolz. Er hatte solche Frauen schon öfter gesehen. In der Partei, als es die noch gegeben hatte. Beim KGB, als es den noch gegeben hatte. Sie mochten sich vielleicht ein bißchen schminken und auf eine weiblich-attraktive Art kleiden, und manche mochten sich sogar romantisch-gefühlvoll geben, aber sie waren durchweg viel hartgesottener als Männer. Sooft es einen Spionageskandal gab, weil ein Agent das Lager gewechselt hatte, war der Überläufer ein Mann. Nie eine Frau. Und schon gar nicht eine Frau wie Kate. Und in der Ehe war es genauso. Der Verräter war immer der Mann, nicht die Frau. Frauen wußten, was das Wort «Treue» bedeutete. Männer wußten allenfalls, wie man es buchstabierte. Deshalb war Gergiev klar, daß die Antwort «nein» heißen würde, auch wenn Dave sich etwas anderes erhoffte.

Gergiev sagte: «Dagegen? Nein, natürlich nicht. Nimm sie nur mit. Ich bin sicher, die Besatzung des Raketenboots wird sich freuen, eine attraktive Frau an Bord zu haben.»

«Danke, Einstein. Ich werde mit ihr reden.»

«Nur zu. Aber, Dave?» Gergiev tippte vielsagend auf seine Uhr. «Red nicht zu lange.»


Widerstrebend ließ sich Kate von Dave in die Kombüse führen, wo er ihr Marke und Dienstausweis zurückgab und rasch noch einmal beteuerte, daß ihn die Drogen auf der Yacht nicht interessierten. Dann erklärte er ihr die Sache mit dem Geld. Er sagte: «Es ist Drogengeld. Tony Nudelli glaubt, es kommt aus Kolumbien. Aber in Wahrheit gehört es ein paar Leuten aus New Jersey. Genauer gesagt, Freunden von Tony.

Italienischen Freunden. Die werden gar nicht erfreut sein, wenn sie rausfinden, daß Tony hinter dem Ganzen steckt. Das ist mein Abschiedsgeschenk an Tony. Er glaubt, er kassiert irgendwelche Kartellgelder ab, die auf dem Weg nach Osteuropa sind, um dort gewaschen zu werden. Statt dessen macht er sich ein paar mächtige neue Feinde.»

Kate schien unbeeindruckt. Sie sagte: «Wenn hier etwas dringend einer Wäsche bedarf, dann ist es dein Charakter.»

«Vielleicht könntest du das ja übernehmen.»

«Dir steht das Wasser auch so schon bis zum Hals.»

«Machst du dich über alle Männer lustig? Oder nur über die, die du näher kennst?»

«Bilde dir nur nichts ein. Ich kenne dich überhaupt nicht näher. Du bist einfach nur ein Typ, mit dem ich einmal geschlafen habe. Und da hatte ich die meiste Zeit die Augen zu, weißt du nicht mehr?»

Dave lächelte gequält. «Von mir aus red dir ein, daß es so war, Kate. Wer weiß? Vielleicht kannst du ja den Report schreiben und behaupten, daß es ein einzelner Schütze war und daß da keine Männer auf dem Grashügel standen. Vielleicht kannst du ja sogar eine magische Kugel aus dem Hut zaubern. Aber ich, ich habe den Zapruder-Film von dem gesehen, was zwischen uns passiert ist, Kate. Und es war überhaupt nicht so, wie du es darstellst.»

Kate zuckte die Achseln. «Nicht nur die Warren-Kommission kann Dinge vertuschen. Und wenn es um uns beide geht, bin ich Earl Warren, Richard Nixon und Oliver North in einer Person. In meinem Kopf ist dieser Film bereits bearbeitet. Die Schere war schon am Werk. Entscheidende Szenen sind rausgeschnitten. Getilgt, verstehst du?»

«Schnipsle du nur, Kate», sagte Dave. «Aber wer von uns beiden ist unehrlicher? Ich stehle Geld. Du belügst dich selbst. Und das ist nicht einfach irgendeine Lüge. Das ist die schlimmste Art von Lüge. Die, die dich dran hindern kann, glücklich zu sein.»

«Ein anständiges Leben gegen ein kriminelles eintauschen? Das lohnt sich doch nicht die Bohne. Eins muß ich dir lassen, Van, du steckst voller Überraschungen. Ich dachte immer, Leute wie du hätten es nicht mit Gefühlen.»

Dave seufzte. «Na ja, war ja nur ein Versuch. Gibt es irgendein Gesetz, das das verbietet?»

«Nicht daß ich wüßte.» Kate schüttelte den Kopf und wischte sich rasch eine Träne aus dem Auge. «Weißt du, als ich dich kennengelernt hab, hielt ich dich für den vollkommenen Mann.»

«Du verwechselst mich mit diesem Typ aus der Bibel. Der, den du meinst, wurde geschnappt und hingerichtet.»

«Du kanntest Shakespeare und Puschkin.»

«Im Knast macht man alle möglichen Bekanntschaften.»

«Es ist nicht richtig, daß es so endet.»

«Denk dran, daß du das gesagt hast, Kate. Wenn du wieder in Miami bist. Ich werde bestimmt dran denken.»

«Und wo wirst du sein?»

«Murmansk. St. Petersburg. Riga.»

«Klingt kalt.»

«In Rußland tragen sie jede Menge Pelz. Magst du keinen Pelz, Kate? Nerz würde dir gut stehen.»

«Ehrlich gesagt, mir widerstrebt der Gedanke, diesen Tierchen solche Unannehmlichkeiten zu bereiten.»

«Wär ja auch nicht für lange. Ich habe vor zu reisen.»

«Bei all den Feinden, die du dir gemacht hast, wird das auch nötig sein.»

«Vielleicht sogar in die Staaten zurückzukehren, wenn sich die Wogen geglättet haben.»

«Dann laß es mich unbedingt vorher wissen, damit ich dir eine Zelle in einem netten Gefängnis reservieren lassen kann.»

Kate schüttelte den Kopf. «Vergiß es, Dave. Wenn ich auch nur ein Wörtchen von einem heimwehkranken Hund im Kleinanzeigenteil des *Miami Herald* entdecke, verfolge ich dich, als wärst du Doktor Richard Kimble.»

«Ich werde nach dir ausspähen.»

«Spar dir die Mühe. Du wirst mich nicht kommen sehen.»

«Hab ich schon.»

Wieder spürte Kate, wie sie rot wurde. Aber diesmal nicht vor Zorn.

Dave sagte lächelnd: «Wußtest du schon, daß Erröten als Zeichen eines ausgeprägten moralischen Empfindens gilt?»

«Was weißt du davon?»

«Nicht viel. Ich weiß nur, daß ich immer an diese Nacht denken werde, die wir zusammen verbracht haben. Wenn ich alt und grau bin, wird es mein Lebensinhalt sein, einfach nur daran zu denken.»

«Ich weiß ja, daß Strafgefangene auf alles mögliche verfallen, um lange Haftstrafen durchzustehen. Aber ich an deiner Stelle würde die Anschaffung eines Kanarienvogels erwägen. Die sollen ja ziemlich anhänglich werden.»

Dave schaute sich hilfesuchend um und sah Einstein Gergiev auf die Uhr tippen. Betrübt wandte er sich wieder Kate zu. Ihre Miene war jetzt wieder völlig ungerührt. Die eine Träne, die ihm Mut gemacht hatte, war rasch getrocknet, und die Röte auf ihren Wangen hatte sich gelegt. An ihrer scharfen Zunge schien kein Vorbeikommen. Er konnte sehen, daß sie sich gepanzert und gewappnet hatte, um so zu reden, wie sie es tat. Nichts davon kam aus dem Herzen. Da war er sich ganz sicher. Aber es war, als hätte sie einen gewieften Anwalt gedungen, einen wie Jimmy Figaro. Und dieser Anwalt saß in ihrem Mund. Da war kein Durchkommen. Verzweifelt sagte er: «Wolltest du nicht immer schon mal U-Boot fahren?» Er faßte sie am Handgelenk. «Komm schon, Kate. Tauch mit mir ab.»

Sie entwand ihm ihr Handgelenk.

«Ich? Sorry, Käpt'n Nemo, aber mich packt schon unter der Dusche die Klaustrophobie. Nie und nimmer würdest du mich in so eine Zigarrenhülle kriegen.» Und leichthin fuhr sie fort: «Du siehst also, selbst wenn ich mitkommen wollte, es geht nicht. Ich würde schon nach zwanzig Minuten die Wände hochgehen.»

«Dann mache ich mich jetzt wohl besser davon.»

«Es ist, wie ich dir gesagt habe», erklärte sie düster. «Du hättest das nicht tun sollen. Du hättest dieses ganze Geld nie rauben sollen. Vielleicht kannst du dir ja einreden, es sei nur Drogengeld und daher nicht weiter schlimm. Nur eine Umverteilung unter Gangstern und all dieses Zeug. Aber wenn du dabei Waffengewalt anwendest, bist du keinen Deut weniger schlecht als die Art und Weise, wie dieses Geld gemacht wurde. Darum geht es doch. Du kannst dein persönliches Glück nicht auf das Leid anderer Leute gründen. Wenn du das nächste Mal in den Spiegel schaust, wirst du sehen, daß ich recht habe.»

«Schlecht?» Er lachte. «Falls du deine Meinung je ändern solltest... Na ja, wenn du kommst, dann will ich nur dich sehen, nicht die Polizei. Und ich schau nicht oft in den Spiegel. Hab ich mir im Gefängnis irgendwie abgewöhnt. Dort gibt es keine Spiegel, damit man das Glas nicht benutzt, um sich aus der Affäre zu ziehen. Aber die Sonne, in die gucke ich oft. Ich will nur sagen, warum nach irgendeinem anderen Licht suchen, wenn da doch schon eins ist? Gut, schlecht. Sei doch nicht so melodramatisch. Weißt du, selbst die Sonne, das hellste Ding in unserem Sonnensystem, hat schwarze Flecken. Schau dir bei Gelegenheit mal ein Foto an, dann wirst du sehen, daß ich recht habe. Denn dann wirst du feststellen, daß diese schwarzen Flecken das auffälligste Merkmal der Sonne sind. Und weißt du was? Diese Flecken beeinflussen alles viel stärker, als irgendwer bis vor kurzem gedacht hätte. Niemand weiß, woher sie kommen. Und vermutlich wird es wohl niemand je rauskriegen. Aber wenn du das nächste Mal in die Sonne guckst, dann frag dich, ob ich wirklich so ein finsterer Schurke bin, wie du sagst. Mach's gut, Kate. Hat Spaß gemacht.»

Dave wandte sich zum Gehen, aber dann fiel ihm Al ein. Er sagte: «Ach, übrigens, Al kannst du mitnehmen. Unsere Partnerschaft ist aufgelöst.»

«Nix Ganovenehre?»

«Aber dreh ihm ja nicht den Rücken.»

Kate schwenkte die Handschellen, die sie von der *Carrera* mitgebracht hatte. Ihre FBI-Handschellen. Nicht die, die immer noch an ihrem Handgelenk baumelten. Sie sagte: «Die hier hatte ich für dich reserviert.»

«Wie hast du das überhaupt hingekriegt?» fragte Dave. «Dieses Ding loszuwerden?»

Kate lächelte. «Genau so, wie ich meinen Mann losgeworden bin. Ich bin einfach entschlüpft.»

Sie verließen die Kombüse und traten auf das Achterdeck hinaus, wo Al noch immer von den beiden Russen festgehalten wurde.

Als er Dave wieder auftauchen sah, sagte er: «Hey, Dave, Sie haben doch nicht vor, mich einfach hierzulassen?»

«Al, ich kann Ihnen nur raten, wenn Sie wieder in Miami sind, verlegen Sie sich nicht aufs Gedankenlesen. Mit Ihnen habe ich gar nichts mehr vor.»

«Nach allem, was wir zusammen durchgestanden haben?»

«Ich werde immer freundlich an Sie denken, Al. An alles, bis zu dem Moment, in dem Sie mich umlegen wollten.»

Kate ging rasch zu Al hin und legte ihm die Handschellen an. Al sah sie an und sagte: «Ich hoffe nur, Sie sind wirklich so abgebrüht, wie Sie tun, Girlie. Weil es mir nämlich ein Vergnügen sein wird, aller Welt diese unerquickliche kleine Geschichte aus Ihrem Leben zu erzählen.»

Kate warf einen grimmigen Blick zu Dave hinüber. Er war immer noch in Hörweite. Sie sagte: «Genau das ist es. Eine unerquickliche kleine Geschichte. Ist mal was anderes als all die anderen unerquicklichen Geschichten, mit denen wir in unserem Job konfrontiert sind.»

«Aas.»

«Wissen Sie was, Mister? Ich habe tiefe Einblicke in das Wesen der kriminellen Intelligenz gewonnen. Und meiner qualifizierten Meinung nach sind die meisten der fraglichen Personen – und dazu gehören auch Sie, Sportsfreund – hochgradig kriminell und wenig intelligent.»

Als Kate und Al wieder auf Calgary Stanfords Boot waren und die Leine zur *Britannia* losgemacht war, kletterte Dave auf das Deck des U-Boots hinüber. Sobald der letzte U-Boot-Matrose von Bord der Yacht gegangen war, nahm Dave seine MP und bestrich den Rumpf der *Britannia* mit einer Salve, genau entlang der Wasserlinie. Als das Boot zu sinken begann, stiegen die Männer auf dem U-Boot nacheinander durch die Decksluke hinab, bis nur noch Dave und Gergiev auf dem Vorderdeck standen.

«*Shalost*», seufzte Gergiev. Er tätschelte die Brieftasche in seiner Brusttasche und setzte hinzu: «*U menja bolit sdes.*»

«Hmmm?»

«Ich sagte, ein Jammer», wiederholte Gergiev auf englisch. «Tut mir hier weh. In meiner Brieftasche. Das ganze schöne Kokain.»

Als Dave antwortete, verfolgte sein Blick nicht die Yacht, die jetzt samt dem Kokain und den drei Leichen im Meer versank, sondern das andere Boot, das langsam davonfuhr. Das mit dem wahren Reichtum an Bord.

«Du wirst drüber wegkommen», sagte Dave und winkte Kate zu.

Sie winkte nicht zurück.

«Mit der Zeit kommt man über alles weg.»

## Philip Kerr

Philip Kerr wurde 1956 in
Edinburgh geboren und lebt
heute in London. Er hat den
Ruf, einer der ideenreichsten
und intelligentesten Thriller-
autoren der Gegenwart zu
sein. Für seinen Roman «Das
Wittgensteinprogramm» er-
hielt er den Deutschen Krimi-
Preis 1995, für seinen High-
Tech Thriller «Game over»
den Deutschen Krimi-Preis
1997.
«Philip Kerr schreibt die
intelligentesten Thriller seit
Jahren.» *Kirkus Review*

**Das Wittgensteinprogramm**
*Ein Thriller*
Deutsch von
Peter Weber-Schäfer
416 Seiten. Gebunden.
Wunderlich Verlag
und als rororo 22812

**Feuer in Berlin**
(22827)

**Alte Freunde - neue Feinde**
*Ein Fall für
Bernhard Gunther*
(22829)

**Im Sog der dunklen Mächte**
*Ein Fall für
Bernhard Gunther*
(22828)
«Ein kantiger, subversiver
Held vor einem kraftvoll
gestalteten geschichtlichen
Hintergrund: Kerr liefert das
Beste.» *Literary Review*

**Gruschko** *Gesetze der Gier*
Roman (26133)

**Der Plan** *Thriller*
Deutsch von Cornelia
Holfelder- von der Tann
(22833)

**Game over** *Thriller*
Deutsch von
Peter Weber-Schäfer
(22400)
Ein High-Tech-Hochhaus
in Los Angeles wird zur tödlichen Falle, als der Zentral-
computer plötzlich verrückt
spielt. Mit dem ersten Toten
beginnt für die Yu Corpora-
tion ein Alptraum.
«Brillant und sargschwarz.»
*Wiener*

**Esau** *Thriller*
Deutsch von
Peter Weber-Schäfer
(22480)

**Der zweite Engel**
Deutsch von Cornelia
Holfelder-von der Tann
448 Seiten. Gebunden.
Wunderlich

*rororo Unterhaltung*

Weitere Informationen in der
**Rowohlt Revue**, kostenlos im
Buchhandel, oder im **Internet:**
**www.rororo.de**

rororo